고등학교 졸업자

한양학원 수험서

최신
개정판

신들린
합격고수들의
예상문제

편집부 저

도서
출판 국자감
www.kukjagam.co.kr

CONTENTS

01

국어

KOREAN

적중! 모의고사 예상문제

01 예상문제

1. 〈보기〉의 규정을 참고할 때 맞춤법이 **틀린** 것은?

─────〈보기〉─────

제5항 한 단어 안에서 뚜렷한 까닭 없이 나는 된소리는 다음 음절의 첫소리를 된소리로 적는다.

　　1. 두 모음 사이에서 나는 된소리

　　　例 소쩍새, 어깨, 오빠, 으뜸, 아끼다, 기쁘다, 깨끗하다

　　2. 'ㄴ, ㄹ, ㅁ, ㅇ' 받침 뒤에서 나는 된소리

　　　例 산뜻하다, 잔뜩, 살짝, 훨씬, 담뿍, 움찔

　　다만, 'ㄱ, ㅂ' 받침 뒤에서 나는 된소리는, 같은 음절이나 비슷한 음절이 겹쳐 나는 경우가 아니면 된소리로 적지 아니한다.

　　　例 국수, 깍두기, 딱지, 색시, 싹둑, 법석, 갑자기, 몹시

① 어찌　　　　　　　　　　② 짭짤하다
③ 넙쭉하다　　　　　　　　④ 절뚝거리다

2. 〈보기1〉의 설명을 참고할 때, 〈보기2〉의 ㉠~㉣ 중 합성어에 해당하는 말을 바르게 고른 것은?

─────〈보기1〉─────

　하나의 형태소로 이루어진 단어를 단일어라고 하고, 둘 이상의 형태소로 이루어진 단어를 복합어라고 한다. 복합어에는 두 종류가 있다. '손(어근)+수레(어근)'와 같이 둘 이상의 어근으로 이루어진 단어는 합성어이고, '사냥(어근)+꾼(접사)'과 같이 어근에 접사가 결합되어 만들어진 단어는 파생어이다.

─────〈보기2〉─────

　㉠물고기가 그려진 ㉡지우개가 어디로 갔을까? ㉢심술쟁이 동생이 또 ㉣책가방에 숨겼을 거야. 그래 보았자 이 누나는 금방 찾는데.

① ㉠, ㉡　　　　　　　　　② ㉠, ㉣
③ ㉡, ㉢　　　　　　　　　④ ㉡, ㉣

3. 〈보기〉의 ㉠~㉢에 해당하는 단어들로 짝지어진 것은?

───────〈보기〉───────

　　사이시옷은 순우리말로 된 합성어, 혹은 순우리말과 한자어로 된 합성어에서 앞말이 모음으로 끝나고 다음과 같은 조건을 만족할 때 적는다.

　1. 뒷말의 첫소리가 된소리로 나는 것 ················ ㉠
　　예) 잇자국, 자릿세

　2. 뒷말의 첫소리 'ㄴ, ㅁ' 앞에서 'ㄴ' 소리가 덧나는 것 ··············· ㉡
　　예) 뒷머리, 훗날

　3. 뒷말의 첫소리 모음 앞에서 'ㄴㄴ' 소리가 덧나는 것 ··············· ㉢
　　예) 뒷일, 예삿일

　　그 밖에도 두 음절로 된 한자어 중 다음과 같은 여섯 개 단어에는 사이시옷을 적는다. 곳간(庫間), 셋방(貰房), 숫자(數字), 찻간(車間), 툇간(退間), 횟수(回數)

	㉠	㉡	㉢
①	귓밥	깻잎	빗물
②	바닷가	제삿날	베갯잇
③	훗일	콧병	아랫니
④	전셋집	가욋일	아랫마을

4. 밑줄 친 부분에 주목할 때, 다음 중 높임법의 유형이 <u>다른</u> 하나는?

① 내 친구가 어머니<u>께</u> 인사를 <u>드렸다</u>.
② 선생님<u>께서</u>는 늘 우리를 칭찬하<u>신</u>다.
③ 아버지가 할아버지를 <u>뵙고</u> 있습니다.
④ 해솔이는 할머니를 <u>모시고</u> 공원에 갔다.

01 예상문제

[5~7] 다음 글을 읽고 물음에 답하시오.

> 동지(冬至)ㅅ둘 기나긴 밤을 한 허리를 버혀 내어
> 춘풍(春風) 니불 아레 서리서리 너헛다가
> 어론 님 오신 날 밤이여든 구뷔구뷔 펴리라.
>
> – 황진이 –

5. 이 시조의 화자에 대한 설명으로 가장 적절한 것은?

① 부정적 상황에 수동적으로 대처하고 있다.
② 이별의 상황에서 임을 원망하고 있다.
③ 현실 불가능한 상황에 좌절하고 있다.
④ 임과 함께할 시간을 간절히 기다리고 있다.

6. 이 시조의 표현상의 특징으로 적절하지 <u>않은</u> 것은?

① 우리말의 묘미를 잘 살려내 표현하였다.
② 음성 상징어를 적절히 활용하였다.
③ 공간의 이동에 따라 시상을 전개하였다.
④ 불가능한 행위를 가능한 것으로 표현하였다.

7. 이 시조의 시어에 대한 설명으로 적절하지 <u>않은</u> 것은?

① '니불'은 화자의 외로움을 촉각적으로 표현한 소재이다.
② '동짓둘'은 화자의 정서를 심화시키는 배경이다.
③ '춘풍'은 '동짓둘'과 대조적으로 사용된 계절적 이미지이다.
④ '허리'는 추상적 대상인 밤을 구체적 사물인 것처럼 표현한 것이다.

[8~11] 다음 글을 읽고 물음에 답하시오.

(가) "장인님! 인젠 저……."

내가 이렇게 뒤통수를 긁고, 나이가 찼으니 성례를 시켜 줘야 하지 않겠느냐고 하면, 그 대답이 늘

㉠"이 자식아! 성례구 뭐구 미처 자라야지!"하고 만다.

이 자라야 한다는 것은 내가 아니라 장차 내 안해가 될 점순이의 키 말이다.

㉡내가 여기에 와서 돈 한 푼 안 받고 일하기를 삼 년 하고 꼬박이 일곱 달 동안을 했다. 그런데도 미처 못 자랐다니까 이 키는 언제야 자라는 겐지 짜장 영문 모른다. 일을 좀 더 잘해야 한다든지, 혹은 밥을(㉢많이 먹는다고 노상 걱정이니까) 좀 덜 먹어야 한다든지 하면 나도 얼마든지 할 말이 많다. 허지만, 점순이가 안죽 어리니까 더 자라야 한다는 여기에는 어째 볼 수 없이 고만 벙벙하고 만다.

(나) 언젠가는 하도 갑갑해서 자를 가지고 덤벼들어서 그 키를 한 번 재 볼까 했다마는, 우리는 장인님이 내외를 해야 한다고 해서 마주 서 이야기도 한마디 하는 법 없다. 움물길에서 어쩌다 마주칠 적이면 겨우 눈어림으로 재 보고 하는 것인데, 그럴 적마다 나는 저만침 가서

"제-미, 키두!"

하고 논둑에다 침을 퉤 뱉는다. 아무리 잘 봐야 내 겨드랑(다른 사람보다 좀 크긴 하지만) 밑에서 넘을락 말락 밤낮 요 모양이다. 개, 돼지는 푹푹 크는데 왜 이리도 사람은 안 크는지, 한동안 머리가 아프도록 궁리도 해 보았다. ㉣아하, 물동이를 자꾸 이니까 뼉다귀가 옴츠라드나 부다 하고, 내가 넌즛넌즈시 그 물을 대신 길어도 주었다. 뿐만 아니라, 나무를 하러 가면 소낭당에 돌을 올려놓고 "점순이의 키 좀 크게 해 줍소사. 그러면 담엔 떡 갖다 놓고 고사 드립죠니까." 하고 치성도 한두 번 드린 것이 아니다. 어떻게 돼먹은 킨지 이래도 막무가내니……

– 김유정, 「봄.봄」 –

01 예상문제

8. 이 글의 서술상의 특징으로 가장 적절한 것은?

① 서술자가 전지적 시점으로 사건을 전달하고 있다.
② 서술자가 자신의 입장에서 사건을 전달하고 있다.
③ 서술자가 관찰자의 입장에서 사건을 전달하고 있다.
④ 서술자가 자신이 들은 이야기를 중심으로 전달하고 있다.

9. (나)에 대한 설명으로 적절한 것은?

① '나'의 성격을 요약적으로 제시하고 있다.
② 현재 진행 중인 사건을 생동감 있게 보여 주고 있다.
③ '나'의 어수룩한 행동을 묘사하여 해학성을 높이고 있다.
④ 나와 점순이의 대화를 통해 사건을 전달하고 있다.

10. ㉠~㉣에 대한 설명으로 적절하지 <u>않은</u> 것은?

① ㉠ : 장인이 점순이의 키를 핑계로 혼인을 미루고 있다.
② ㉡ : 나는 장인에게 부당한 대우를 받고 있다.
③ ㉢ : 장인의 인색한 성격을 알 수 있다.
④ ㉣ : '나'가 점순이의 마음에 들기 위해 노력하고 있다.

11. 이 글에 드러난 주된 갈등으로 가장 적절한 것은?

① 성례를 하고 싶어 하는 '나'와 이를 미루려는 장인의 갈등
② 고향으로 돌아가고 싶어 하는 '나'의 내면적 갈등
③ 부조리한 농촌의 현실과 그것에 맞서는 '나'의 갈등
④ 소작인 마을 사람들과 마름인 장인의 갈등

[12~15] 다음 글을 읽고 물음에 답하시오.

나 보기가 역겨워

가실 때에는

말 없이 고이 보내 드리우리다

영변(寧邊)에 약산(藥産)

진달래꽃

아름 따다 가실 길에 뿌리우리다

가시는 걸음걸음

놓인 그 꽃을

사뿐히 즈려 밟고 가시옵소서

나보기가 역겨워

가실 때에는

죽어도 아니 눈물 흘리우리다

– 김소월, 「진달래꽃」 –

12. 이 시에 대한 설명으로 적절하지 <u>않은</u> 것은?

① 특정 지명을 사용하여 향토감을 드러내고 있다.
② '~우리다'를 반복 사용해 운율을 형성하고 있다.
③ 수미상관을 통해 구조적 안정감을 나타내고 있다.
④ 대립적 이미지의 사용으로 주제를 강조하고 있다.

13. 이 시에 나타난 정서의 변화로 가장 적절한 것은?

① 체념 – 축복 – 희생 – 극복 ② 사랑 – 체념 – 축복 – 극복

③ 극복 – 체념 – 희생 – 축복 ④ 원망 – 슬픔 – 체념 – 극복

14. '진달래꽃'이 의미하는 것으로 가장 적절한 것은?

① 희생과 체념 ② 사랑과 정성

③ 슬픔과 인내 ④ 원망과 그리움

15. 이 시에서 화자의 태도로 가장 적절한 것은?

① 한(恨)을 운명으로 받아들이고 있다.

② 비극적 상황을 객관적 태도로 바라보고 있다.

③ 임과의 이별을 인고의 태도로 극복하려 한다.

④ 이별의 상황에서 무기력한 자신을 반성한다.

[16~18] 다음 글을 읽고 물음에 답하시오.

S# 142. 인희의 집, 할머니 방 / 밤

정수, 가족들 번갈아 보면서 멍해지다가, 펄쩍 뛰고 묻는다. 정철은 창 쪽으로 시선을 외면하고 있다.

정수 엄마…… 엄마, 왜 그래? 엄마 아퍼? 엄마가 왜 죽어? (돌아보고) 아빠? (대답 없자, 연수 보고) 누나! (연수, 외면한다.) 야! 말해! 뭐야, 내가 모르는 게 뭐야!

연수 …….

정수 넌 언제부터 안 거야! 응? 언제부터 안 거냐구! 나만…… 모른 거야?

인희 정수야.

정수 (발악하며) 그런 거야?

연수 (허리 다잡으며) 이러지 마.

정수 (연수를 밀치지만 안 되는) 놔! (정철에게) 아빠!

정철 (외면하는)

정수 아빠 의사잖아. 근데 왜 엄마가 아퍼!

연수 이러지 마, 정수야.

정수 놔! 놓으라고!

연수 (안고 울며) 더 이상 엄마 힘들게 하지 말자, 우리!

정수 (주저앉아 울며) 왜, 왜 울 엄마가 죽어야 된대? 왜! (인희에게 매달리며) 난 못
         보내! 엄마, 가지 마! 가지 마! 가지 마! 응?

  연수와 정철, 정수를 인희에게서 떼어 내면, 인희, 아까부터 끅끅 목울음을 울다가 기
어이 터진다.

인희 (정수 안고 우는) 아이고, 우리 정수…….

  인희, 못 참겠는지, 방을 뛰쳐나가 벽에 주저앉으며 속 얘기를 터뜨린다.

인희 나도…… 나도, 살고 싶어. 죽으면 천국, 지옥 있다는데, 지옥 갈까 봐 무섭구. 앞
         으로 얼마나 더 아파야 하는지 너무 무서워. 죽을 때도 많이 아플까? 정수 대학
         들어가는 것만 봤으면 좋겠어. 아니, 연수 결혼하는 것만 보고. 아니, 정수 애 낳
         는 것만 보고. 내 새끼도 이렇게 이쁜데 손주들은 얼마나 이쁠까. 나 벌 받나 봐.
         너무 힘들 땐 어머니 언제 돌아가실라나. 생각했었는데. 우리 정수 처음 사고 났
         을 때, 보청기 끼고라도 들을 수만 있으면, 내 통장 전부 다 내놓겠다고, 평생 봉
         사하고 살겠다고, 기도했는데, 그것도 못 지켰고. 그래서 나 벌 받나 봐…….

  저마다 선 자리에서, 저마다 작게, 크게 우는 가족. 암전.

                                              – 노희경, 「세상에서 가장 아름다운 이별」 –

16. 이 글의 주제로 가장 적절한 것은?

① 현대인의 인간성 상실 비판   ② 소외된 사람들에 대한 연민

③ 가족의 진정한 의미와 사랑   ④ 가족의 해체와 가치관의 변화

01 예상문제

17. 이 글을 통해 알 수 있는 내용으로 적절하지 <u>않은</u> 것은?

① 인희는 가족과 함께 사는 평범한 삶을 소망한다.
② 정수는 인희가 위중한 것이 정철의 수술 실패 때문이라고 믿고 있다.
③ 인희는 정수로 인해 참았던 슬픔이 복받쳐 속마음을 터뜨린다.
④ 가족 중에 정수만 인희가 말기 암인 것을 모르고 있었다.

18. 이와 같은 글의 특성으로 알맞지 <u>않은</u> 것은?

① 막과 장으로 구성된다.
② 시·공간의 제약이 거의 없다.
③ 드라마나 영화의 대본이다.
④ 등장 인물 수의 제약이 거의 없다.

[19~21] 다음 글을 읽고 물음에 답하시오.

世·솅宗종御·엉製·졩訓·훈民민正·정音흠

나·랏@:말쌋·미 中듕國·귁·에 달·아 文문字·쭝·와·로 서르 ᄉᄆᆺ·디아·니ᄒᆞᆯ·씨
·이런젼·ᄎᆞ·로ⓑ어·린百·빅姓·셩·이니르·고·져·ᄒᆞᇙ배이·셔·도
ᄆᆞ·ᄎᆞᆷ:내 제·ᄠᅳ·들시·러펴·디:몯ᄒᆞᇙ·ⓒ노·미ⓓ하·니·라
·내·이·ᄅᆞᆯ爲·윙·ᄒᆞ·야:어엿·비너·겨
·새·로·스·믈 여·듧 字·쭝·ᄅᆞᆯ밍·ᄀᆞ노·니:사ᄅᆞᆷ:마·다:히·여:수·ᄫᅵ니·겨·날·로·ᄡᅮ·메
便뼌安한·킈ᄒᆞ·고·져ᄒᆞᇙ᠌ᄯᆞᄅᆞ·미 니·라.

– 『훈민정음(訓民正音)』언해본 –

19. 이 글을 바탕으로 탐구한 내용으로 적절하지 <u>않은</u> 것은?

① 중세 국어는 현대 국어와 달리 끊어적기의 방식으로 표기한다.
② 어휘의 형태는 동일하나 의미만 달라지는 경우도 있다.
③ 중세 국어에서는 방점으로 성조를 나타냈다.
④ 중세 국어는 띄어쓰기를 사용하지 않았다.

20. 이 글에 나타난 창제 정신과 근거로 적절하지 <u>않은</u> 것은?

① '나·랏 :말ᄊᆞ·미~아·니홀·씨'는 우리말과 중국말이 다르다는 자주 정신이 나타나 있다.
② 'ᄆᆞ·ᄎᆞᆷ:내 제 ·ᄠᅳ·들~노·미 하·니·라'는 훈민정음이 우수하다는 우월 정신이 나타나 있다.
③ '·내 ·이·를 ~:어엿·비 너·겨'는 백성들을 불쌍히 여기는 애민 정신이 나타나 있다.
④ '·새·로 ·스·믈여·듧 字·ᄍᆞ·를 밍·ᄀᆞ노·니'는 새로운 글자를 만들려는 창조 정신이 나타나 있다.

21. 〈보기〉를 참고할 때, ⓐ~ⓓ에 대한 설명으로 적절하지 <u>않은</u> 것은?

─〈보기〉─

단어의 의미 변화에는 축소, 확대, 이동이 있다. 가령, '중생'은 살아 있는 모든 생물을 가리키는 말이었으나, 오늘날에는 '인간'만을 가리키므로 의미의 축소가 일어난 경우이지만, '세수'의 경우, 원래 '손을 씻다'는 의미였으나, 현재는 '손과 얼굴을 씻다'는 의미이므로 의미의 확대가 일어난 경우이다. 한편, '방송(放送)'은 예전에는 '석방'의 의미였으나, 현재는 '전파를 통해 영상을 보내다'는 의미이므로 의미의 이동이 일어난 것이다.

① ⓐ는 '말[言]'의 의미였으나 오늘날에는 '말'의 높임말로 쓰이므로 의미의 이동이다.
② ⓑ는 '어리석다'의 의미였으나, 오늘날에는 '나이가 적다'는 의미이므로 의미의 이동이다.
③ ⓒ는 '보통 사람'의 뜻이었으나, 오늘날에는 '남자'의 비속어로만 쓰이므로 의미의 축소이다.
④ ⓓ는 '많다'는 뜻이었으나, 오늘날에는 '어떤 행위를 하다'의 의미이므로 의미의 이동이다.

01 예상문제

[22~25] 다음 글을 읽고 물음에 답하시오.

(가) 대상의 측면 이미지를 표현한 것을 프로필이라고 부른다. 한 사람의 성품이나 약력에 대한 단평을 프로필이라고 부르는 데에서 알 수 있듯 미술에서 프로필은 사람의 정면이 아니라 측면을 묘사함으로써 인물의 핵심적인 특징을 뽑아낸 그림을 가리킨다. 서양에서는 중세 말에서 르네상스 무렵 이런 프로필 초상화가 많이 그려졌다. 재미있는 사실은 우리나라를 비롯한 동양에서는 프로필 초상화가 거의 발달하지 않았다는 것이다. 동양, 특히 중국에서는 오히려 정면 상이 대상의 인품과 특징을 압축적으로 전해 주는 대표적인 초상 갈래였다. 서양에서도 정면 상이 그려지지 않은 것은 아니지만, 빈도로 보면 중국보다 한참 떨어진다. 왜 이런 차이가 발생한 것일까?

(나) 사람은 어떤가? 사람은 다른 동물과 달리 두 개의 경쟁적인 이미지 면을 동시에 갖고 있다. 고대 이집트의 벽화가 이를 잘 보여 준다. 대영 박물관이 소장한 「늪지로 사냥을 나간 네바문」은 얼굴과 다리는 측면에서 본 모습을, 가슴과 눈은 정면에서 본 모습을 그린 것이다. 해부학적으로 불가능한 구성 혹은 자세지만, 이 그림뿐 아니라 고대 이집트 벽화 대부분이 이런 식으로 그려졌다. 이 혼합 형식으로부터 우리는 인간이 부위에 따라 앞면이 먼저 떠오르기도 하고, 옆면이 먼저 떠오르기도 하는 존재라는 사실을 확인할 수 있다. 우리가 네 발로 지상을 돌아다닐 때는 아마도 옆면이 우리의 대표적인 이미지 면이었겠지만, 진화해 두 발로 걸어 다니면서 가슴과 배가 드러나 옆면과 앞면이 동시에 대표적인 이미지 면이 된 것이다. 그러므로 우리에게는 전형의 면이 두 개 있다.

(다) 정면 상이나 측면 상은 이 가운데 어느 하나를 선택해 그린 것이다. 서양에서 프로필이 많이 그려진 것은 백인과 흑인의 경우 해부학적 구조상 옆에서 볼 때 얼굴 특징이 또렷이 살아난다는 점, 그리고 형태의 포치(布置)에 유리해 정면 상보다 얼굴의 정확한 재현이 쉽다는 점, 고대 로마에서 주화에 황제의 얼굴을 새길 때 항상 측면 상을 새긴 전통이 있었다는 점 등이 작용한 탓이라고 볼 수 있다.

(라) 이렇듯 인간이 두 개의 경쟁적인 이미지 면을 동시에 가진 까닭에 정면 상과 프로필 외에 동서양 모두 이 둘을 한꺼번에 나타내는 부분 측면 상을 발달시켰다. 그런데 흥

미로운 것은 앞에서 보았듯 고대 이집트 벽화의 경우 그런 자연스러운 방식이 아니라 정면과 측면을 신체 부위에 따라 편의적으로 봉합하는 방식으로 인간의 두 이미지 면을 동시에 나타냈다는 점이다.

– 이주헌, 「시각 상과 촉각 상」 –

22. 이 글에 대한 설명으로 가장 적절한 것은?

① 글쓴이가 자신이 보고 들은 바를 주관적으로 전달하고 있는 글이다.
② 글쓴이가 독자의 공감을 바라며 자신의 정서와 감정을 표현하고 있는 글이다.
③ 글쓴이가 독자를 설득하기 위해 자신의 주장을 펼치고 있는 글이다.
④ 글쓴이가 어떤 사실에 대하여 객관적인 정보를 제공하고 있는 글이다.

23. 이 글의 내용과 일치하지 <u>않는</u> 것은?

① 측면 상은 보는 이에게 대상의 인품과 특징을 압축적으로 전해 준다.
② 고대 이집트 벽화는 정면과 측면을 동시에 나타내는 방식을 취하였다.
③ 인간은 신체 부위에 따라 정면과 측면을 선택적으로 떠올린다.
④ 서양에서는 대상의 측면 이미지를 표현한 프로필 초상화를 많이 그렸다.

24. 이 글을 읽는 중에 떠올릴 수 있는 생각으로 적절하지 <u>않은</u> 것은?

① 서양에서는 측면 상을, 동양에서는 정면 상을 주로 그렸구나.
② 서양의 초상 갈래와 동양의 초상 갈래의 공통점을 중심으로 비교하고 있구나.
③ '포치'는 무슨 뜻일까? 사전을 찾아보니 '넓게 늘어놓음.'이라는 뜻이구나.
④ 「늪지로 사냥을 나간 네바문」에 나타난 혼합 형식은 부위에 따라 먼저 떠오르는 대표적인 이미지 면을 그리다 보니 그렇게 된 것이구나.

25. (가)~(라)의 중심 내용으로 적절하지 <u>않은</u> 것은?

① (가) : 서양과 동양에서 성행한 초상 갈래가 다른 이유에 대한 의문
② (나) : 두 개의 전형의 면을 가진 인간
③ (다) : 서양에서 프로필이 많이 그려진 이유
④ (라) : 이집트인들의 사후 세계에 대한 인식

02 예상문제

1. 〈보기〉의 설명을 참고할 때, 다음 중 올바른 단어로만 짝지어진 것은?

〈보기〉

· 수컷을 이르는 접두사는 '수-'로 통일한다.
· 다음 단어에서는 접두사 다음에서 나는 거센소리를 인정한다.
  (수캉아지, 수캐, 수컷, 수키와, 수탉, 수탕나귀, 수톨쩌귀, 수퇘지, 수평아리)
· 다음 단어의 접두사는 '숫-'으로 한다.(숫염소, 숫쥐, 숫양)

① 수꿩, 수거미
② 숫고양이, 수꿩
③ 숫나사, 수고양이
④ 수염소, 숫소

2. 다음 중 중의성을 지니고 있는 문장이 <u>아닌</u> 것은?

① 나는 아름다운 바닷가 마을의 골목길을 걸었다.
② 민지가 영수를 안 만났다.
③ 초대한 손님이 다 오지는 않았다.
④ 지성이는 나보다 축구를 좋아한다.

3. 〈보기〉의 ㉠~㉣에 대한 설명으로 적절하지 <u>않은</u> 것은?

〈보기〉

지수 : 성모야, 내가 낀 장갑 어때?

성모 : ㉠그것 참 예쁘네. 어디서 샀어?

지수 : 우리 언니가 생일 선물로 준 건데, 우리 동네 시장에 있는 가게에서 샀대. 거기 가르쳐 줄까?

성모 : ㉡여기서 쉽게 찾아 갈 수 있을까?

지수 : ㉢저기 학교 앞 정류소에서 11번 버스를 타고 다섯 번째 정류소에서 내리면 편의점이 있을 거야. ㉣거기서 우측 골목으로 조금 더 가면 바로 그곳이야.

① ㉠은 '지수'가 끼고 있는 '장갑'을 가리키는 말이다.
② ㉡은 '성모'와 '지수'가 대화하고 있는 장소를 가리키는 말이다.
③ ㉢은 듣는 이인 '성모'와 가까이 있는 장소를 가리키는 말이다.
④ ㉣은 대화 상황에서 눈에 보이지 않는 장소로, '편의점'을 가리키는 말이다.

4. 다음 글을 고쳐 쓰기 위한 의견으로 적절하지 <u>않은</u> 것은?

오늘날 과도한 에너지 사용과 산림의 파괴로 지구 온난화 현상이 갈수록 심해지고 있다. 세계 곳곳에서는 기상이변으로 ㉠물난리를 겪고 있고 가뭄을 겪고 있다. 북극의 얼음이 녹아 해수면이 상승하여 저지대와 섬나라 사람들이 ㉡궁핍에 처해 있다. 평균 기온이 2℃만 올라가도 우리의 삶과 지구의 생태계는 돌이킬 수 없는 피해를 입을 수 있다. ㉢게다가 세계 인구는 70억을 돌파했다. 이러한 지구의 온난화 문제는 어느 한 나라의 노력만으로 ㉣해결할 수 없다. 전 세계가 환경을 지키기 위해 적극적인 노력을 기울여야 한다.

① ㉠은 서술어가 같으므로 '물난리와 가뭄을 겪고 있다.'로 고친다.
② ㉡은 적절하지 않은 단어이므로 '위험'으로 고친다.
③ ㉢은 글의 통일성을 해치므로 삭제한다.
④ ㉣은 문맥에 맞게 '결정할 수 없다.'로 고친다.

02 예상문제

[5~8] 다음 글을 읽고 물음에 답하시오.

> 가시리 가시리잇고 나눈
> 브리고 가시리잇고 나눈
> 위 증즐가 대평셩디(大平盛代)
>
> 날러는 엇디 살라 ᄒ고
> 브리고 가시리잇고 나눈
> 위 증즐가 대평셩디(大平盛代)
>
> 잡ᄉ와 두어리마ᄂᆞᆫ
> 선ᄒ면 아니 올셰라
> 위 증즐가 대평셩디(大平盛代)
>
> 셜온 님 보내ᅵᆸ노니 나눈
> 가시ᄂᆞᆫ 듯 도셔 오쇼셔 나눈
> 위 증즐가 대평셩디(大平盛代)

– 작자 미상, 「가시리」 –

5. 이 시가에 대한 설명으로 적절하지 <u>않은</u> 것은?

① 시어의 반복을 통해 운율을 형성하고 있다.
② 반어법의 시어를 사용하여 음수율을 맞추고 있다.
③ 여성적 목소리의 화자를 통해 정서를 드러내고 있다.
④ 말을 건네는 듯한 어조로 화자의 감정을 진솔하게 전달하고 있다.

6. 이 시가의 시상 전개 과정을 〈보기〉와 같이 정리할 때, 이를 바탕으로 작품을 감상한
내용으로 적절하지 <u>않은</u> 것은?

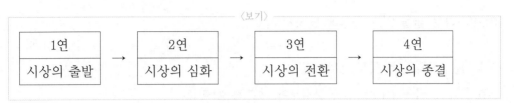

① 1연은 임이 자신의 곁을 떠나는 상황에 깊은 상실감을 드러내고 있군.
② 2연은 이별의 상황으로 인한 슬픔을 심화하고 있군.
③ 3연은 원망의 감정을 스스로 절제하면서 이별의 상황을 수용하고 있군.
④ 4연은 반드시 재회할 수 있다는 믿음을 확고히 드러내며 시상을 마무리하고 있군.

7. 이 시가에 드러난 고려 가요의 특징을 〈보기〉에서 모두 고른 것은?

─〈보기〉─

ㄱ. 몇 개의 연으로 구분된 분연체 형식이다.
ㄴ. 4음보의 율격을 바탕으로 리듬감이 형성된다.
ㄷ. 후렴구를 사용하여 음악적 흥취를 고조시킨다.
ㄹ. 여음을 사용하여 화자의 정서를 배가시킨다.

① ㄱ, ㄴ   ② ㄱ, ㄷ   ③ ㄴ, ㄷ   ④ ㄱ, ㄴ, ㄷ

8. 이 시가와 〈보기〉에 공통적으로 드러난 정서로 알맞은 것은?

─〈보기〉─

나 보기가 역겨워/ 가실 때에는/ 말없이 고이 보내 드리우리다.//
영변에 약산/ 진달래꽃/ 아름 따다 가실 길에 뿌리우리다.//
가시는 걸음 걸음/ 놓인 그 꽃을/ 사뿐히 즈려 밟고 가시옵소서.//
나 보기가 역겨워/ 가실 때에는/ 죽어도 아니 눈물 흘리우리다.//

– 김소월, 「진달래꽃」 –

① 이별의 수용   ② 재회의 기원
③ 임을 향한 축원   ④ 슬픔의 직접 토로

02 예상문제

[9~13] 다음 글을 읽고 물음에 답하시오.

> 뎨 가는 뎌 각시 본 듯도 흔뎌이고
> 텬샹(天上) 빅옥경(白玉京)을 엇디흐야 니별(離別)흐고
> 히 다 뎌 져믄 날의 눌을 보라 가시눈고
> 어와 네여이고 이내 스셜 드러 보오
> 내 얼굴 이 거동이 님 괴얌즉 흔가마눈
> 엇딘디 날 보시고 네로다 녀기실시
> 나도 님을 미더 군쓰디 전혀 업서
> 이리야 교틱야 어즈러이 흐돗썬디
> 반기시눈 눗비치 녜와 엇디 다루신고
> 누어 싱각흐고 니러 안자 혜여흐니
> 내 몸의 지은 죄 뫼フ티 싸혀시니
> 하눌히라 원망흐며 사룸이라 허믈흐랴
> 셜워 플텨 혜니 조믈(造物)의 타시로다
> ㉠글란 싱각마오
> ㉡미친 일이 이셔이다
> 님을 뫼셔 이셔 님의 일을 내 알거니
> 믈 フ튼 얼굴이 편흐실 적 몃 날일고
> 츈한 고열(春寒苦熱)은 엇디흐야 디내시며
> 츄일 동텬(秋日冬天)은 뉘라셔 뫼셧눈고
> 죽조반(粥早飯) 죠셕(朝夕) 뫼 녜와 フ티 셰시눈가
> 기나긴 밤의 줌은 엇디 자시눈고
>
> — 정철, 「속미인곡」 —

9. 이 시가에 대한 설명으로 적절하지 <u>않은</u> 것은?

① 순우리말의 묘미를 잘 살린 가사이다.

② 일정한 음보의 반복을 통해 운율을 형성한다.

③ 계절의 변화에 따른 심리를 드러내고 있다.

④ 유교적 충군(忠君) 사상을 바탕으로 연군의 정을 드러내고 있다.

10. ㉠에 나타난 화자의 발화 의도로 적절한 것은?

① 위로　　　　　② 공감　　　　　③ 질책　　　　　④ 냉소

11. ㉡의 구체적인 내용으로 가장 적절한 것은?

① 임으로부터 버림을 받아 생긴 원한

② 임이 떠난 뒤에 겪었던 삶의 고난

③ 임의 곁을 떠나 있어 사랑을 다하지 못한 한

④ 임과의 재회 가능성에 대한 부정

12. 이 시가의 화자에 대한 설명으로 적절한 것끼리 묶은 것은?

> ㄱ. '여인1'은 질문과 위로를 통해 '여인2'의 하소연을 유도하고 있다.
>
> ㄴ. '여인2'는 자신을 버린 임에 대한 원망을 드러내고 있다.
>
> ㄷ. '여인1'은 '여인2'의 정서나 태도를 고려하여 반응하고 있다.
>
> ㄹ. '여인2'는 작품의 분위기를 주도하고 주제를 구현하는 역할을 하고 있다.
>
> ㅁ. 여인1과 여인2는 실제 인물들이다.

① ㄱ, ㄴ, ㄷ　　　　　　　　② ㄱ, ㄷ, ㄹ

③ ㄴ, ㄷ, ㅁ　　　　　　　　④ ㄷ, ㄹ, ㅁ

13. 이 시가의 상황에 대한 설명으로 적절하지 <u>않은</u> 것은?

① 두 여인이 우연히 만나 대화를 나누고 있다.

② 여인2는 임과 함께 지내다가 현재는 이별을 한 상황이다.

③ 여인2는 임의 하루하루를 걱정하고 염려하고 있다.

④ 여인2는 자신이 불행한 원인을 임의 주변에 있는 다른 사람들에게 돌리고 있다.

02 예상문제

[14~17] 다음 글을 읽고 물음에 답하시오.

(가) 그는 비위가 상해서

[A]
"그야 팔자가 사나서 이런 후진국에 시집와 살라니께 여러 가지루다 객고(客苦)가 쌓여서 조시두 안 좋았을 테구…… 그런디다가 부룻쓰구 지루박이구 가락을 트는 대루 디립다 춰 댔으니께 과로해서 몸살끼두 다소 있었을 테구…… 본래 받들어서 키우는 새끼덜일수록이 다다 탈이 많은 법이니께……."

(나) 그는 시멘트의 독성을 충분히 우려내지 않고 고기를 넣은 것이 탈이었으려니 하면서도 부러 배참으로 의뭉을 떨었다.

"하는 말마다 저 말 같잖은 소리…… 시끄러 이 사람아."

총수는 말 가운데 어디가 어떻게 듣기 싫었는지 자기 성질을 못 이기며 돌아섰다.

그는 총수가 그랬다고 속상해할 만큼 속이 옹색한 편이 아니었다.

그렇지만 오늘 아침에 들은 말만은 쉽사리 삭일 수가 없었다.

총수는 오늘도 연못이 텅 빈 것이 못내 아쉬운지 식전마다 하던 정원 산책도 그만두고 연못가로만 맴돌더니,

"유 기사, 어제 그 고기들은 다 어떡했나?"

또 그를 지명하며 묻는 것이었다.

그는 ㉠아무렇지 않게 대답했다.

"한 마리가 황소 너댓 마리 값이나 나간다는디, 아까워서 그냥 내뻐리기두 거시기허구, 비싼 고기는 맛두 괜찮겠다 싶기두 허구…… 게 비눌을 대강 긁어서 된장끼 좀 허구, 꼬치장두 좀 풀구, 마늘두 서너 통 다져 늫구, 멀국두 좀 있게 지져서 한 고뿌덜씩 했지유."

"뭣이 어쩌구 어째?"

"왜유?"

"왜애유? 이런 잔인무도한 것들 같으니……."

– 이문구, 「유자소전」 –

14. 이 글에 나타난 갈등으로 가장 적절한 것은?

① 유자가 총수의 어리석은 행동에 짜증을 내면서 생긴 갈등
② 총수와 유자가 비단잉어에 대한 생각이 다른 데서 생긴 갈등
③ 유자가 총수에게 비단잉어가 죽은 원인을 숨기려고 한 데서 생긴 갈등
④ 총수의 기분이 언짢은 상태에서 유자가 불만을 제기한 데서 생긴 갈등

15. 총수에 대한 유자의 태도로 적절하지 <u>않은</u> 것은?

① 총수의 기분에 아랑곳하지 않고 말하고 있다.
② 비단잉어에 대한 총수의 심정을 알면서도 모르는 척하고 있다.
③ 비단잉어가 시멘트 독 때문에 죽었을 것이라 짐작하면서도 다른 말을 하고 있다.
④ 총수가 자신에게만 비단잉어의 죽음에 대해 추궁하여 당황하고 있다.

16. 유자가 [A]와 같이 말한 의도로 가장 적절한 것은?

① 허영으로 가득 한 총수의 태도를 지적하기 위해
② 잉어가 죽어 마음이 상한 총수를 위로하기 위해
③ 잉어가 죽은 것이 자신의 책임이 아님을 강조하기 위해
④ 잉어가 죽은 원인에 대한 자신의 지식을 전달하기 위해

17. ㉠과 바꾸어 쓸 수 있는 말로 가장 적절한 것은?

① 담대하게
② 호기롭게
③ 태연하게
④ 신중하게

02 예상문제

[18~21] 다음 글을 읽고 물음에 답하시오.

(가) 미세 플라스틱은 맨눈으로는 잘 보이지 않는 5밀리미터 이하의 작은 플라스틱 조각으로, 현재 전 세계 대부분의 바다에서 발견되고 있다. 바다에는 해저 지각에서 녹아 나온 물질과 육지에서 바람에 날리거나 강물을 타고 흘러든 온갖 물질이 섞여 있는데, 인류는 지난 수십 년 사이에 미세 플라스틱이라는 새로운 물질을 바다에 대량으로 섞어 넣었다.

(나) 미세 플라스틱이 사람들의 눈길을 끌기 시작한 것은 오래되지 않았다. 불과 십몇 년 전까지만 해도 사람들은 버려진 그물에 걸리거나 떠다니는 비닐봉지를 먹이로 잘못 알고 삼켰다가 죽은 해양 생물의 불행에만 주로 관심이 있었다. 그러다 2004년 세계적인 권위를 지닌 과학 잡지 『사이언스(Science)』에 영국 플리머스 대학의 리처드 톰슨 교수가 바닷속 미세 플라스틱이 1960년대 이후 계속 증가해 왔다는 내용의 논문을 발표했다. 그 후로 미세 플라스틱이 해양 생태계에 끼치는 영향을 규명하려는 후속 연구들이 이어졌다.

(다) 최근에는 각질 제거나 세정, 연마 등의 기능을 위해 1밀리미터 정도의 작은 미세 플라스틱을 넣은 화장품이나 치약 같은 생활용품이 미세 플라스틱 문제의 원인으로 주목받고 있다. 이런 제품 가운데는 지름 500마이크로미터 이하의 플라스틱 알갱이들이 수십만 개까지 들어 있는 것도 있다. 이처럼 생산 당시 의도적으로 작게 만든 플라스틱을 ㉠'1차 미세 플라스틱'이라고 하는데, 이 알갱이들은 하수 처리장에서 걸러지지 않은 채 바다로 흘러든다. 미세 플라스틱의 독성 물질은 해양 생물의 생식력을 ⓐ떨어뜨릴 수 있다.

(라) 미세 플라스틱은 바다에 떠다니는 다양한 플라스틱계 쓰레기가 파도나 자외선 때문에 부서져 만들어지기도 한다. 못 쓰게 된 어구, 페트병, 일회용 숟가락, 비닐봉지, 담배 꽁초 필터, 합성 섬유 등 각종 플라스틱이 함유된 생활용품이 부서져 만들어진 미세 플라스틱을 ㉡'2차 미세 플라스틱'이라고 한다. 아직까지는 1차 미세 플라스틱에 비해 2차 미세 플라스틱의 비중이 더 높다는 게 전문가들의 설명이다.

해양 생물들이 플라스틱 조각을 먹이로 알고 먹으면, 포만감을 주어 영양 섭취를 저해하거나 장기의 좁은 부분에 걸려 문제를 일으킬 수 있다. 또한 플라스틱은 제조 과정에서 첨가된 잔류성 유기 오염 물질을 포함하고 있으며 바다로 흘러들어 간 후에는 물속에 녹아 있는 다른 유해 물질까지 끌어당긴다. 미세 플라스틱을 먹이로 착각하고 먹은 플랑크톤을 작은 물고기가 섭취하고, 작은 물고기를 다시 큰 물고기가 섭취하는 먹이 사슬 과정에서 농축된다.

– 김정수, 「바닷속 미세 플라스틱의 위협」 –

18. 이 글의 내용과 일치하지 <u>않는</u> 것은?

① 미세 플라스틱은 자연적으로 생성되기도 한다.
② 미세 플라스틱은 1960년대 이후 지속적으로 증가해 왔다.
③ 500마이크로미터 이하의 플라스틱 알갱이들은 하수 처리장에서 걸러지지 않는다.
④ 미세 플라스틱은 각질 제거나 세정 등을 위한 생활용품에 사용되고 있다.

19. (가)~(라)의 중심 내용으로 적절하지 <u>않은</u> 것은?

① (가) : 미세 플라스틱의 개념
② (나) : 미세 플라스틱의 현황
③ (다) : 1차 미세 플라스틱의 정의와 특징
④ (라) : 2차 미세 플라스틱의 종류

20. ㉠, ㉡에 대한 설명으로 적절하지 <u>않은</u> 것은?

① ㉠보다 ㉡이 해양에서 더 많은 비중을 차지하고 있다.
② ㉡보다 ㉠이 더 많은 플라스틱 알갱이로 이루어져 있다.
③ ㉠과 ㉡ 모두 해양 생물들에게 심각한 문제를 일으킬 수 있다.
④ ㉡과 달리 ㉠은 생산 과정에서 의도적으로 작게 만든 플라스틱이다.

02 예상문제

21. 다음 밑줄 친 단어의 의미가 ⓐ의 문맥적 의미와 가장 유사한 것은?

① 서로 관련 없는 그림들끼리 떨어뜨려 놓았다.
② 그는 쫓아오는 동생을 떨어뜨리고 학교에 왔다.
③ 감독의 침묵은 선수들의 사기를 떨어뜨리고 있었다.
④ 소중하게 간직해 온 물건을 강에 떨어뜨리고 말았다.

[22~23] 다음 글을 읽고 물음에 답하시오.

어린 시절에는 누구나 반짝이는 눈으로 주변 세계를 탐구하고 어른들에게 질문한다. 그런데 점차 환경에 익숙해지고 생각의 집이 건축되면서 그러한 지적 탐구 능력과 욕구가 서서히 쇠퇴한다. 성장 과정에서 여러 가지 지식이 딱딱한 형식으로 주입되면 안으로부터 솟구쳐 오르는 호기심이 점점 줄어든다. 공부가 대입의 수단으로 전락하고 대학 공부마저 취업을 위한 시험 준비로 획일화되는 상황에서 지성은 거의 실종되어 버린다.

어릴 때의 우연한 경험으로 자신의 적성을 깨닫고 그 길로 한결같이 나아가 큰 업적을 이룬 사람들이 종종 있다. 그러나 그런 행운을 얻는 사람은 많지 않다. 어린 시절 자신이 하고 싶은 일을 찾아서 흐트러짐 없이 매진하여 성공한 사례들은 청소년들에게 용기를 줄 수도 있지만 '누구는 초등학교 때 이미 자신이 갈 길을 정했는데, 나는 고등학생이나 되었는데도 아직도 갈피를 잡지 못하고 있다니, 이게 뭐람?' 이라는 생각에 주눅이 들 수도 있다.

청소년기에 인생의 목표를 명명백백히 깨닫고 있는 사람이 몇이나 될까? 요즘 젊은이들에게 꿈이 무엇이냐고 물으면 의사, 변호사, 언론인, 공무원, 교사 등 직업을 말하는 경우가 많다. 그러나 지금처럼 급변하는 세상에서 평생 몸담을 직업을 찾는 일은 점점 더 어려워진다. 인생의 목표는 직업으로 수렴되지 않으므로 의사나 공무원이 되는 것 자체가 꿈인 인생은 궁색하다. 그 직업을 얻고 나면 더 이상 추구할 꿈이 없어지기 때문이다. 한국의 많은 대학생이 혼란과 방황에 빠져드는 것도 마찬가지다. 대학 입학을 목표로 삼고 열심히 공부하던 고등학생들이 그 목표를 이루고 나면 이후에 무엇을 해야 할지 갈피를 잡지 못하고 불안해한다. 차라리 목표가 뚜렷했던 수험생 시절이 행복했다고 한다. 그래서 일단 또다시 취직을 겨냥해 공부를 시작하는 것이다.

그렇다면 꿈은 무엇이어야 하는가? 그것은 궁극적으로 이루고 싶은 그 무엇이다. 예를 들어 공무원이 되고자 한다면, 직업 그 자체를 꿈으로 삼기보다 장차 공무원으로서 어떤 정책을 실현하여 지역 사회와 시민 생활을 어떻게 디자인하고 싶다는 이상을 품어야 한다. 똑같은 의사라 해도 오로지 돈벌이에만 혈안이 된 의사와 환자들의 마음을 살피면서 그들의 삶의 질에 관심을 쏟는 의사는 전혀 다른 인생을 살고 있다고 할 수 있다. 가치 있는 삶을 꿈으로 갖기 위해서는 '진정 중요한 것과 중요하지 않은 것'을 분간하는 기준을 정해야 한다. 이는 청소년기에 적성 검사 못지않게 중요하다. 그 푯대를 확인했다면 전공이나 직업에 대한 확신이 다소 불투명해도 크게 상관이 없다. 이미 우리의 꿈은 어떤 전공이나 직업에 머무르지 않으며 그 꿈을 실현하는 길은 여러 갈래로 나 있기 때문이다. 삶의 궁극적인 목표가 분명한 사람은 얼핏 눈에 잘 띄지 않는 비좁은 샛길을 찾아내고, 없는 길도 뚫을 수 있다.

– 김찬호, 「확신이 없어도 괜찮아」 –

22. 이 글의 내용과 일치하지 <u>않는</u> 것은?

① 누구나 어린 시절에는 왕성한 호기심을 가지고 있다.
② 진정한 꿈을 실현하는 길은 여러 갈래로 나 있어서 눈에 쉽게 드러난다.
③ 급변하는 요즘 세상에서 평생 몸담을 직업을 찾는 일은 결코 쉬운 일이 아니다.
④ 일찍 꿈을 찾아 성공한 다른 사람들의 사례가 청소년들을 주눅이 들게 할 수도 있다.

23. 이 글을 읽은 독자의 반응으로 적절한 것은?

① 영희 : 화려한 조명을 받는 연기자가 되어 많은 사람들에게 주목받고 싶어.
② 철수 : 고용이 불안한 상황에서 안정적인 생활을 위해서 공무원 시험을 준비해야겠어.
③ 희재 : 반려동물을 키우는 가구가 늘어남에 따라 고수익이 보장되는 동물 병원 의사가 되고 싶어.
④ 성수 : 법률 전문가가 되어 법을 잘 몰라서 불이익을 받는 노동자를 위해 상담을 해 주고 싶어.

02 예상문제

24. 밑줄 친 관용 표현의 의미를 나타낸 것으로 적절하지 <u>않은</u> 것은?

① 백화점에도 내 <u>눈에 차는</u> 물건이 없다. (→ 마음에 들다)

② 우리는 거대한 절벽의 위압감에 <u>입이 벌어졌다</u>. (→ 매우 놀라다)

③ 반장 혼자 그 일을 다 하다니 <u>혀를 내두를</u> 수밖에 없었다. (→ 안쓰러워하다)

④ 교통 체증 때문에 약속 시간에 늦어 동동 <u>발을 굴렀다</u>. (→ 안타까워하다)

25. 다음 자료에 대한 이해로 적절하지 <u>않은</u> 것은?

① 핵심적인 메시지를 요약적으로 제시하여 내용을 효율적으로 전달하고 있다.

② 기침과 관련된 갈등 상황을 보여 주는 만화를 통해 독자들의 흥미를 유발하고 있다.

③ 기침 예절의 다양한 유형을 비유적으로 제시함으로써 독자들의 상상력을 자극하고 있다.

④ 기침을 할 때 입을 가릴 것을 권유하고 관련된 행동 지침을 전달하는 기침 예절 캠페인 자료이다.

03 예상문제

1. 다음 중 〈보기〉의 음운 변동 현상이 모두 일어나는 것은?

〈보기〉

· 음절의 끝소리 규칙 : 음절의 끝에 'ㄱ, ㄴ, ㄷ, ㄹ, ㅁ, ㅂ, ㅇ' 이외의 자음이 오면 이 일곱 자음 중의 하나로 발음됨.

· 된소리 되기 : 안울림 예사소리인 'ㄱ, ㄷ, ㅂ, ㅅ, ㅈ'이 된소리 [ㄲ, ㄸ, ㅃ, ㅆ, ㅉ]으로 발음됨.

① 국밥[국빱]
② 닫는[단는]
③ 덮개[덥깨]
④ 공권력[공꿘녁]

2. 다음 밑줄 친 한자어 가운데 고유어 '고치다'로 대체하기 <u>어려운</u> 것은?

① 의사가 환자를 <u>치료했다</u>.
② 오래된 악법을 <u>개혁하였다</u>.
③ 글에서 잘못된 부분을 <u>수정해라</u>.
④ 문제제기에 정면으로 <u>대응하였다</u>.

3. 다음 밑줄 친 부분이 한글 맞춤법에 맞게 쓰인 것은?

① <u>엇저녁</u>에는 고향 친구들과 만나서 식사를 했다.
② 그가 발의한 안건은 다음 회의에 <u>부치기</u>로 했다.
③ 동생은 직접 만든 <u>깍뚜기</u>를 먹어 보았다.
④ 저기 <u>넙적하게</u> 생긴 바위가 우리들의 놀이터였다.

[4~7] 다음 글을 읽고 물음에 답하시오.

까마득한 날에
하늘이 처음 열리고
어데 닭 우는 소리 들렸으랴

모든 산맥들이
바다를 연모해 휘달릴 때도
차마 이곳을 범하던 못하였으리라

끊임없는 광음을
부지런한 계절이 피여선 지고
큰 강물이 비로소 길을 열었다.

지금 ㉠눈 나리고
㉡매화 향기 홀로 아득하니
내 여기 가난한 ㉢노래의 씨를 뿌려라

다시 천고의 뒤에
백마 타고 오는 초인이 있어
이 ㉣광야에서 목놓아 부르게 하리라

― 이육사, 「광야」 ―

4. 이 시에 대한 설명으로 적절하지 <u>않은</u> 것은?

　① 시간의 흐름에 따라 시상을 전개하고 있다.
　② 자연의 변화를 보여 줌으로써 자연 친화적 태도를 표현하였다.
　③ 명령형 어미를 사용하여 화자의 의지를 강조하고 있다.
　④ 부정적 상황을 극복하기 위한 희생정신이 나타나 있다.

5. 〈보기〉는 이 시의 작가에 대한 전기적 사실이다. 이러한 모습이 가장 잘 드러난 것은?

―――――――〈보기〉―――――――

이육사는 1925년 항일 무장 단체인 의열단에 가입한 후 북경과 만주 등을 오가며 독립운동의 대열에 참여하게 되었다. 이후 17차례에 걸친 옥고를 치르며 이국 땅 북경에서 옥사할 때까지 일제에 굴하지 않는 독립투사의 기개를 보여주었다.

① 1연   ② 2연   ③ 3연   ④ 4연

6. 이 시의 시대적 배경을 고려할 때, ㉠~㉣의 상징적 의미로 적절하지 <u>않은</u> 것은?

① ㉠ 눈 : 부정적인 현실을 감싸는 역사적 순결함
② ㉡ 매화 향기 : 부정적 현실을 이겨 내려는 절개
③ ㉢ 노래의 씨 : 조국 광복에 대한 의지이자 강인한 생명력
④ ㉣ 광야 : 우리 민족의 삶의 터전이자 역사의 현장

7. 〈보기〉의 ⓐ~ⓓ 중 본문의 <u>매화 향기</u>와 상징적 의미가 유사한 것은?

―――――――〈보기〉―――――――

ⓐ매운 계절의 채찍에 갈겨
마침내 북방으로 휩쓸려 오다.

하늘도 그만 지쳐 끝난 고원
서릿발 칼날진 그 우에 서다.

어데다 ⓑ무릎을 꿇어야 하나
한 발 재겨 디딜 곳조차 없다.

이러매 눈 감아 생각해 볼밖에
ⓒ겨울은 강철로 된 ⓓ무지갠가 보다.

― 이육사, 「절정」 ―

① ⓐ   ② ⓑ   ③ ⓒ   ④ ⓓ

03 예상문제

[8~11] 다음 글을 읽고 물음에 답하시오.

(가) 여공이 이 말을 듣고 만류했다.

"계월이 비록 네 아내는 되었으나 벼슬을 놓지 않았고 기개가 당당하니 족히 너를 부릴 만한 사람이다. 그러나 예로써 너를 섬기고 있으니 어찌 마음 씀을 그르다고 하겠느냐? 영춘은 네 첩이다. 자기가 거만하다가 죽임을 당했으니 누구를 한하겠느냐? 또한 계월이 잘못해 궁노(宮奴)나 궁비(宮婢)를 죽인다 해도 누가 계월을 그르다고 책망할 수 있겠느냐? 너는 조금도 염려하지 말고 마음을 변치 마라. 만일 계월이 영춘을 죽였다 하고 계월을 꺼린다면 부부 사이의 의리도 변할 것이다. 또한 계월은 천자께서 중매하신 여자라 계월을 싫어한다면 네게 해로움이 있을 것이니 부디 조심하라."

(나) "신첩이 외람되게 폐하를 속이고 공후의 작록을 받아 영화로이 지낸 것도 황공했사온데 폐하께서는 죄를 용서해 주시고 신첩을 매우 사랑하셨사옵니다. 신첩이 비록 어리석으나 힘을 다해 성은을 만분의 일이나 갚으려 하오니 폐하께서는 근심하지 마옵소서."

천자께서 이에 크게 기뻐하시고 즉시 수많은 군사와 말을 징발해 주셨다. 그리고 벼슬을 높여 평국을 대원수로 삼으시니 원수가 사은숙배하고 위의를 갖추어 친히 붓을 잡아 보국에게 전령(傳令)을 내렸다.

적병의 형세가 급하니 중군장은 급히 대령하여 군령을 어기지 마라.

보국이 전령을 보고 분함을 이기지 못해 부모에게 말했다.

"계월이 또 소자를 중군장으로 부리려 하오니 이런 일이 어디에 있사옵니까?"
여공이 말했다.

"전날 내가 너에게 무엇이라 일렀더냐? 계월이를 괄시하다가 이런 일을 당했으니 어찌 계월이가 그르다고 하겠느냐? 나랏일이 더할 수 없이 중요하니 어찌할 수 없구나."

이렇게 말하고 어서 가기를 재촉했다. 보국이 할 수 없이 갑옷과 투구를 갖추고 진중(陳中)에 나아가 원수 앞에 엎드리니 원수가 분부했다.

"만일 명령을 거역하는 자가 있다면 군법으로 시행할 것이다."

보국이 겁을 내어 중군장 처소로 돌아와 명령이 내려지기를 기다렸다.

(다) 보국이 운경의 머리를 베어 들고 본진으로 돌아가려는 즈음에, 적장 구덕지가 대노해 긴 칼을 높이 들고 말을 몰아 크게 고함을 치고 달려들었다. 난데없는 적병이 또 사방에서 달려드니 보국이 겁이 나고 두려워 피하려고 했으나 순식간에 적들이 함성을 지르고 보국을 천여 겹으로 에워쌌다. 형세가 위급하므로 보국이 하늘을 우러러 탄식했다. 이때 원수가 장대에서 북을 치다가 보국의 위급함을 보고 급히 말을 몰아 긴 칼을 높이 들고 좌충우돌해 적진을 헤치고 구덕지의 머리를 베어 들고 보국을 구했다. 몸을 날려 적진에서 충돌하니 동에 번쩍 서쪽의 장수를 베고, 남으로 가는 듯하다가 북쪽의 장수를 베었다. 이처럼 좌충우돌하여 적장 오십여 명과 군사 천여 명을 한칼로 소멸하고 본진으로 돌아왔다.

보국이 원수 보기를 부끄러워하니 원수가 보국을 꾸짖어 말했다.

"저러고서도 평소에 남자라고 칭하리오? 나를 업신여기더니 이제도 그렇게 할까?"

이렇게 말하며 보국을 무수히 조롱했다.

– 작자 미상, 「홍계월전」 –

8. 이 글에 대한 설명으로 적절하지 <u>않은</u> 것은?

① 고전 소설의 전형적인 특징인 전기성이 두드러지고 있다.
② 전쟁을 소재로 한 군담 소설에 속한다.
③ 대화와 사건을 통해 인물의 성격을 제시하고 있다.
④ 당대에 실존하기 어려운 여성상을 주인공으로 내세우고 있다.

9. (가)~(다)를 연극으로 만들 때, 들어갈 수 있는 장면으로 적절하지 <u>않은</u> 것은?

① 보국이 적들에게 둘러싸여 위기에 처하는 장면
② 계월이 부끄러워하는 보국을 위로해 주는 장면
③ 여공이 보국의 말을 듣고 보국을 타이르는 장면
④ 보국이 계월을 탓하며 여공에게 하소연하는 장면

03 예상문제

10. (가)에 나타난 여공의 말하기 방식에 대한 설명으로 적절한 것을 〈보기〉에서 골라 바르게 묶은 것은?

〈보기〉

ㄱ. 예상되는 결과를 제시하며 보국을 설득하고 있다.

ㄴ. 보국이 가지고 있는 열등감을 지적하며 이를 책망하고 있다.

ㄷ. 보국의 의견에 일부 공감을 표하면서 자신의 의견을 피력하고 있다.

ㄹ. 영춘의 잘못을 제시하며 보국에게 바르게 행동할 것을 촉구하고 있다.

① ㄱ, ㄴ   ② ㄱ, ㄹ   ③ ㄴ, ㄷ   ④ ㄴ, ㄹ

11. (가)~(다)를 읽은 독자의 평가로 적절하지 <u>않은</u> 것은?

① 남성 우월주의에 도전하는 여성상을 제시하고 있군.

② 여성이 남성보다 우월한 능력을 지닌 존재로 그려지고 있군.

③ 사회에서의 역할보다 가정에서의 역할을 중시하는 근대적 여성상을 보여 주고 있군.

④ 가부장적 가치관을 갖고 있는 남편을 오히려 부하로 부리는 여성 영웅의 모습이 나타나는군.

[12~15] 다음 글을 읽고 물음에 답하시오.

십 년(十年)을 경영(經營)ᄒ여 ㉠초려 삼간(草廬三間) 지여 내니

나 ᄒ 간 달 ᄒ 간에 청풍(淸風) ᄒ 간 맛져 두고

㉡강산(江山)은 들일 듸 업스니 둘러 두고 보리라

– 송순 –

12. 이 작품에 대한 반응으로 적절한 것은?

① 자유로운 형식으로 쓸 수 있는 자유시의 일종이군.

② 입신양명의 꿈을 표현하였군.

③ 서민들의 삶과 연결되어 있군.

④ 조선시대 사대부의 가치관이 드러나는군.

13. 이 작품의 표현에 대한 설명으로 적절하지 <u>않은</u> 것은?

① 의인법을 활용하고 있다.
② 4음보의 운율이 드러난다.
③ 비유적 표현을 사용하고 있다.
④ 수미 상관을 사용하고 있다.

14. ㉠과 연관 있는 한자 성어로 가장 적절한 것은?

① 안분지족(安分知足)   ② 인생무상(人生無常)
③ 일취월장(日就月將)   ④ 안하무인(眼下無人)

15. ㉡에 대한 설명으로 가장 적절한 것은?

① 자연과 하나되는 풍류적 태도가 드러난다.
② 자신의 정치적 이상을 성취하였음을 기뻐한다.
③ 작은 집에 들어올 수 있는 사람이 적음을 안타까워한다.
④ 사랑하는 임을 더 이상 만날 수 없다는 안타까움이 느껴진다.

[16~19] 다음 글을 읽고 물음에 답하시오.

(가) 다음 그래프를 볼까요?

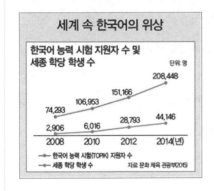

이 그래프는 '한국어 능력 시험(TOPIK)' 지원자 수 및 '세종 학당' 학생 수의 추이를 나타낸 것이에요. 한국어 능력 시험이란 한국어를 모국어로 하지 않는 재외 동포나 외국인의 한국어 사용 능력을 평가하기 위한 시험이에요. 세종 학당은 해외에 있는 한국어 교육 기관으로, 전 세계에서 한국어와 한국 문화 교육을 담당하고 있어요.

03 예상문제

이 그래프를 보면, 한국어 능력 시험 지원자 수와 세종 학당 학생 수가 점점 늘어나고 있다는 걸 알 수 있죠? 세계적으로 한국어를 배우려는 외국인들이 늘어나는 이유는 국제 사회에서 우리나라의 위상과 역할이 커지면서 정치, 경제, 문화적으로 한국을 알고 이해할 필요가 높아졌기 때문이죠. 그 덕분에 한국어의 국제적인 위상도 함께 높아지고 있어요. 많은 외국인이 한국어를 배우려고 노력하고 있다니, 자랑스럽지 않나요?

(나) 모든 언어는 시간의 흐름에 따라 변합니다. 국어도 마찬가지예요. 국어가 앞으로 어떻게 변할지 정확히는 알 수 없지만, 현재를 살고 있는 우리는 모두 그 미래를 결정하는 중요한 역할을 하고 있어요. 따라서 우리는 국어의 아름다운 미래를 위해 자신이 국어를 어떻게 사용하고 있는지 생각해 보고, 국어를 사랑하며 ㉠국어의 발전에 기여하는 태도를 지니도록 노력해야 합니다.

(다) "헐~ 대박 쩐다!" 신조어 난무, 흔들리는 우리말

최근 우리말을 무분별하게 사용하는 정도가 우려되는 수준에 이르렀다. 과도한 신조어와 줄임말, 통신 언어가 넘쳐 나는 데다, 기본적인 맞춤법과 띄어쓰기도 틀리는 경우를 쉽게 찾아볼 수 있다.

신조어와 줄임말 등 변형된 형태의 언어가 등장하는 것을 보면 일정 부분은 피할 수 없는 시대적 흐름이라는 사실을 부인하기는 어렵다. 상당수 신조어가 현재 한국 사회의 모습을 반영하고 있으며, 줄임말과 통신 언어는 이미 보편화된 누리소통망(SNS)과 같은 가상 공간에서 사용하기에 적합한 형태의 언어이기 때문이다.

하지만 문제는 그 표현들이 얼마나 적절하며 대다수가 그 의미를 정확하게 이해하고 있는지를 꼼꼼하게 따져 보지 않은 상태에서 무분별하게 사용될 경우, 기존 단어가 사장되거나 의사소통의 단절과 혼란을 불러올 수도 있다는 점이다. 이같은 현상은 결국 우리말의 가치 왜곡과 의사소통 혼란으로 이어질 수밖에 없다.

16. (가)~(나)에 대한 설명으로 적절하지 <u>않은</u> 것은?

① (가)는 오늘날의 현상을 제시하고 그 원인을 밝히고 있다.
② (가)는 시각 자료를 제시하여 설명하는 내용을 뒷받침하고 있다.
③ (나)는 청자에게 올바른 국어 사용을 당부하고 있다.
④ (나)는 전문가의 견해를 제시하여 내용의 신뢰성을 높이고 있다.

17. (다)의 주제로 알맞은 것은?

① 가상 공간에서의 한글의 가치
② 우리말의 무분별한 변형에 대한 우려
③ 세계화에 따라 긍정적으로 변화하는 신조어
④ 의사소통의 단절이 야기하는 사회 문제

18. (다)를 바탕으로 다음과 같이 주장할 때, 빈칸에 이어질 말로 적절한 것은?

> 나는 가상 공간에서 규범에 맞지 않는 언어를 사용하는 것은 문제가 된다고 생각
> 해. 왜냐하면 이러한 언어 표현을 남용하면 _____

① 의사소통을 방해할 수 있기 때문이야.
② 사회 분위기를 왜곡하여 반영할 수 있기 때문이야.
③ 개성 있는 표현을 할 수 없기 때문이야.
④ 시대적 흐름을 따라갈 수 없기 때문이야.

19. ㉠에 해당하는 예로 적절하지 <u>않은</u> 것은?

① 과도한 신조어의 사용을 지양한다.
② 가급적 고유어와 순화어를 사용한다.
③ 의사소통의 효율성을 위해 줄임말을 적극 사용한다.
④ 인터넷 속의 가상 공간에서도 맞춤법과 띄어쓰기를 지킨다.

03 예상문제

[20~23] 다음 글을 읽고 물음에 답하시오.

(가) ㉠**망진자(亡秦者)는 호야(胡也)니라**

　일찍이 윤직원 영감은 그의 소싯적 윤두꺼비 시절에, 자기 부친 말대가리 윤용규가 화적의 손에 무참히 맞아죽은 시체 옆에 서서, 노적이 불타느라고 화광이 충천한 하늘을 우러러,

　"이놈의 세상, 언제나 망하려느냐?"

　"우리만 빼놓고 어서 망해라!"

하고 부르짖은 적이 있겠다요.

　이미 반세기 전, 그리고 그것은 당시의 나한테 불리한 세상에 대한 격분된 저주요, 겸하여 웅장한 투쟁의 선언이었습니다.

(나) "그놈 종학이는 참말루 쓰겄어! 그놈이 어려서버텀두 워너니 나를 자별허게 따르구, 재주두 있구 착실허구, 커서두 내 말을 잘 듣구……. 내가 그놈 하나넌 꼭 믿넌다, 꼭 믿어. 작년 올루 들어서 그놈이 돈을 어찌 좀 히피 쓰기는 허넝가 부더라마는, 그것두 허기사 네게다 대머는 안 쓰는 심이지. 사내자식이 너처럼 허랑허지만 말구서, 제 줏대만 실헐 양이면 돈을 좀 써두 괜찮언 법이여…… 그래서 지난달에두 오백 원 꼭 쓸 디가 있다구 편지히였길래, 두말 않고 보내 주었다!"

(다) "화적패가 있너냐아? 부랑당 같은 수령(守令)들이 있더냐……? 재산이 있대야 도적놈의 것이요, 목숨은 파리 목숨 같던 말세넌 다 지내가고오…… 자 부아라, 거리거리 순사요, 골골마다 공명헌 정사(政事), 오죽이나 좋은 세상이여…… 남은 수십만 명 동병(動兵)을 히여서, 우리 조선놈 보호히여 주니, 오죽이나 고마운 세상이여? 으응……? 제 것 지니고 앉아서 편안허게 살 태평세상, 이걸 태평천하라구 허는 것이여, 태평천하……! 그런디 이런 태평천하에 태어난 부자놈의 자식이, 더군다나 왜 지가 떵떵거리구 편안허게 살 것이지, 어찌서 지가 세상 망쳐 놀 부랑당패에 참섭을 헌담 말이여, 으응?"

　　　　　　　　　　　　　　　　　　　　　- 채만식, 「태평천하」 -

20. '윤 직원'의 성격으로 옳지 <u>않은</u> 것은?

① 이기적이고 비도덕적 가치관을 가진 인물
② 왜곡된 역사 의식과 현실 인식을 가진 인물
③ 부와 권력에 대한 끝없는 욕망을 가진 인물
④ 조선 후기 서민 지주를 대표하는 강건한 인물

21. 다음을 참고하였을 때 ㉠에 대한 설명으로 가장 적절한 것은?

> 진시황은 진나라를 망하게 할 자가 '호(오랑캐)'라는 예언을 듣고서 변방을 막으려 만리장성을 쌓았지만, 정작 진나라를 망하게 한 자는 오랑캐가 아니라, 그의 자식인 호해였다.

① '진시황'은 윤 직원 영감에, '호해'는 일본에 각각 대응된다.
② 집안을 망칠 사람은 외부의 적이 아니라, 오히려 내부의 사람이다.
③ 외부 세력이나 사상이 개입하면 집안이나 나라에 반드시 말썽이 생긴다.
④ 진나라가 오랑캐에게 멸한 것처럼, 윤 직원의 집안도 외부 세력에 의해 망할 것이다.

22. 이 글을 통해 알 수 있는 내용이 <u>아닌</u> 것은?

① 윤 직원의 집안은 부잣집이다.
② 윤 직원은 처음부터 종학을 전적으로 신뢰하지 않았다.
③ 윤 직원은 일제 강점기를 '태평천하'라고 생각하고 있다.
④ 윤 직원은 사회주의를 화적떼와 같이 부정적인 것으로 보고 있다.

23. 이 글의 서술상 특징으로 옳은 것은?

① 주인공의 독백과 회상을 통해 사건의 전말을 설명한다.
② 1인칭 주인공 시점을 사용하여, 나의 심리를 생생하게 전달한다.
③ 서술자가 경어체와 판소리 사설 문체를 사용하여 자신의 생각을 드러낸다.
④ 서술자가 객관적으로 상황을 설명하며 독자와의 거리를 일정하게 유지하고 있다.

03 예상문제

[24~25] 다음 글을 읽고 물음에 답하시오.

먼저, 스마트폰에 중독되면 공부나 일에 집중할 수 없어 일상생활에 어려움을 겪는다. 내가 보낸 문자 메시지를 친구가 읽었는지, 무엇이라고 답했는지가 궁금해서 공부나 일에 집중하지 못했던 경험이 있을 것이다. 우리가 어떤 일에 몰두하면 두뇌의 '작업 기억'은 가득 차 버린다. 그래서 여러 가지 일을 동시에 하면 기억 공간이 부족해져서 공부나 일에 대한 주의가 분산되고 능률도 떨어진다. 스마트폰에 중독된 학생들의 학업 성적이 떨어지는 이유도 이 때문이다.

둘째, 스마트폰 중독은 금단 현상이나 강박 증세, 충동 조절 능력 저하, 우울 등과 같은 신경 정신과적 증상을 동반할 수 있다. 일반적으로 중독 물질에 반복적으로 노출되면, 두뇌에서 쾌락을 느끼게 하는 신경 전달 물질인 도파민이 과도하게 분비되어 이후에 같은 자극을 받더라도 처음과 같은 쾌락을 느끼지 못하는 내성이 생긴다. 또한 자극이 없을 때에는 극도의 불안을 느끼는 금단 현상이 나타난다. 마찬가지로 스마트폰에 중독되면 스마트폰을 이전보다 더 많이 사용하지 않는 이상 만족감이나 즐거움을 느낄 수 없게 되며, 스마트폰을 가지고 있지 않을 때에는 극도의 불안감이나 초조감을 느끼게 된다. 또한 스마트폰에 중독되면 기분과 사고 기능 등을 조절하게 하는 신경 전달 물질인 세로토닌의 분비가 줄어드는데, 이것이 줄어들면 감정 조절이 어려워 충동적으로 변하거나 우울증이 생기기도 한다.

셋째, 스마트폰 중독은 신체 건강에 악영향을 끼친다. 작은 화면을 오래 보면 눈이 피로해지고 목이나 손목, 척추 등에 이상이 온다는 것은 너무나 많이 알려진 상식이라 더 설명할 필요도 없다. 이 외에도 스마트폰 중독은 두통, 두뇌 기능 저하, 수면 장애 및 만성 피로 등의 원인이 될 수 있다. 또한, 세계 보건 기구에서는 2011년부터 스마트폰에서 나오는 전자파를 '발암 가능 물질'로 분류하였다. 전자파가 열작용을 일으켜 체온이 상승해 세포나 조직 기능에 영향을 줄 수 있기 때문이다. 따라서 스마트폰 중독이 신체 건강에 끼치는 피해는 심각하다고 할 수 있다.

- 스마트폰 중독, 어떻게 해결할까? -

24. 이 글에 대한 설명으로 가장 적절한 것은?

① 개인적인 경험에서 보편적인 의미를 이끌어 낸다.

② 문제점을 열거하고 해결 방안을 제시하고 있다.

③ 문제 상황의 구체적 내용을 열거하고 있다.

④ 문제 상황에 대한 상반된 관점을 소개하고, 이를 절충하는 대안을 제시한다.

25. 이 글에 대한 이해로 적절하지 <u>않은</u> 것은?

① 스마트폰에서 나오는 전자파는 세포나 조직 기능에 영향을 주는군.

② 스마트폰 중독은 목이나 손목, 척추 등의 건강에 악영향을 끼치는군.

③ 스마트폰에 중독되면 감정 조절이 어렵거나 우울증이 생길 수 있겠군.

④ 중독 물질에 반복적으로 노출되면, 도파민의 분비가 줄어 내성이 생길 수 있겠군.

04 예상문제

1. 〈보기〉의 ⓐ~ⓓ 중, 해당하는 단어로 바꾸었을 때 적절하지 <u>않은</u> 것은?

─ 〈보기〉 ─

수민 : 수남아, 지난 휴일에는 뭐했어?

수남 : 나는 ⓐ<u>휴일</u>에 도서관에 가서 과제에 필요한 책을 빌리려고 했어. ⓑ<u>하지만</u> ⓒ<u>과제에 필요한</u> 책은 이미 대출 중이더라고.

수민 : 정말 안타깝다. ⓓ<u>그래서</u> 이번 과제는 너무 어렵지 않니?

수남 : 응, 나도 이번 과제 너무 어렵더라.

① ⓐ : 그 날
② ⓑ : 그렇지만
③ ⓒ : 그
④ ⓓ : 왜냐하면

2. 〈보기〉를 참고할 때, 피동 표현의 예로 적절한 것은?

─ 〈보기〉 ─

· 능동 표현 : 주어가 동작을 제 힘으로 하는 것을 나타냄.

  예 호랑이가 토끼를 잡다.

· 피동 표현 : 주어가 다른 주체에 의해서 동작을 당하게 되는 것을 나타냄.

  예 토끼가 호랑이에게 잡히다.

① 동생에게 사탕을 <u>빼앗기다</u>.
② 운동장에서 친구를 <u>만나다</u>.
③ 친구가 기쁜 소식을 <u>전하다</u>.
④ 교장 선생님께 고개를 <u>숙이다</u>.

3. 〈보기〉의 규정에 근거하여 보았을 때, 표준 발음으로 보기 <u>어려운</u> 것은?

─────〈보기〉─────

第18항 받침 'ㄱ(ㄲ, ㅋ, ㄳ, ㄺ), ㄷ(ㅅ, ㅆ, ㅈ, ㅊ, ㅌ, ㅎ), ㅂ(ㅍ, ㄼ, ㄿ, ㅄ)'은 'ㄴ, ㅁ' 앞에서 [ㅇ, ㄴ, ㅁ]으로 발음한다.

第19항 받침 'ㅁ, ㅇ' 뒤에 연결되는 'ㄹ'은 [ㄴ]으로 발음한다.

第20항 'ㄴ'은 'ㄹ'의 앞이나 뒤에서 [ㄹ]로 발음한다.

① 국물 → [궁물]　　　② 없는 → [엄는]
③ 신라 → [신나]　　　④ 항로 → [항노]

[4~7] 다음 글을 읽고 물음에 답하시오.

동남아인 두 여인이 소곤거렸다
고향 가는 열차에서
나는 말소리에 귀 기울였다
각각 무릎에 앉아 잠든 아기 둘은
두 여인 닮았다
맞은편에 앉은 나는
짐짓 차창 밖 보는 척하며
한마디쯤 알아들어 보려고 했다
휙 지나가는 먼 산굽이
나무 우거진 비탈에
산그늘 깊었다
두 여인이 잠잠하기에
내가 슬쩍 곁눈질하니
머리 기대고 졸다가 언뜻 잠꼬대하는데
여전히 알아들을 수 없는 외국 말이었다

04 예상문제

두 여인이 동남아 어느 나라 시골에서

우리나라 시골로 시집왔든 간에

내가 왜 공연히 호기심 가지는가

한참 자고 난 아기 둘이 칭얼거리자

두 여인이 깨어나 등 토닥거리며 달래었다

한국말로,

울지 말거레이

집에 다 와 간데이

– 하종오, 「원어」 –

4. 이 글에 대한 설명으로 가장 적절한 것은?

① 토속어를 통해 화자의 자연 친화적인 태도를 보여 주고 있다.
② 유사한 어구를 반복하여 시적 상황을 부각하고 있다.
③ 대상에 대한 관찰을 통해 시상을 전개하고 있다.
④ 계절적 배경을 통해 애상적 분위기를 환기하고 있다.

5. 이 글에 대한 학생들의 토의 중 적절하지 <u>않은</u> 것은?

① 학생1 : 동남아인 두 여인은 대화할 때와 잠꼬대를 할 때 고국의 '원어(외국말)'를 사용하고 있어.
② 학생2 : 잠꼬대를 하며 고국의 '원어'를 사용하는 것에서 두 여인이 고향을 그리워하고 있음을 짐작할 수 있어.
③ 학생3 : 동남아인 두 여인은 아이가 칭얼거리자 한국의 '원어(한국말)'로 아이를 달래고 있어.
④ 학생4 : 화자는 한국의 '원어(한국말)'를 사용하는 두 여인의 모습에서 우리와 다른 이질성을 강조하고 있어.

6. 대상에 대한 화자의 연민을 간접적으로 나타내고 있는 시어는?

① 고향   ② 말소리   ③ 차창   ④ 산그늘

7. 〈보기〉의 (   )에 들어갈 내용으로 적절한 것은?

〈보기〉

〈원어〉는 우리 공동체가 직면한 문제 중 (   )와/과 관련된 현상에 대한 내용을 담은 작품이다.

① 다문화 사회
② 노동력 부족
③ 농촌 인구 감소
④ 결혼을 꺼리는 풍조

[8~11] 다음 글을 읽고 물음에 답하시오.

(가) 종로에서 풍로니 남비니 양재기니 숟갈이니 무어니 해서 살림 나부랑이를 간단하게 장만하여 가지고 올라오는 길에 전에 잡지사에 있을 때 알은 ××인쇄소의 문선과장을 찾아갔다.

월급도 일없고 다만 일만 가르쳐 주면 그만이니 어린아이 하나를 써 달라고 졸라댔다.

A라는 그 문선과장은 요리조리 칭탈을 하던 끝에 — 그는 P가 누구 친한 사람의 집 어린애를 천거하는 줄 알았던 것이다 —

㉠"보통학교나 마쳤나요?"

하고 물었다.

"아—니요."

P는 솔직하게 대답하였다.

"나이 몇인데?"

"아홉살."

㉡"아홉 살?"

A는 놀래어 반문을 하는 것이다.

"기왕 일을 배울 테면 아주 어려서부터 배워야지요."

"그래도 너무 어려서 원, 뉘집 애요?"

"내 자식놈이랍니다."

P는 그래도 약간 얼굴이 붉어짐을 깨달았다. A는 이 말에 가장 놀라운 듯이 입만 벌리고 한참이나 P를 물끄러미 바라다본다.

(나) "왜? 내 자식이라고 공장에 못 보내란 법 있답디까?"

"아니 정말 그래요?"

"정말 아니고?"

ⓒ"괜히 실없는 소리…… 자제라고 해야 들어줄 테니까 그러시지?"

"아니 그건 그렇잖어요. 내 자식놈야요."

"그럼 왜 공부를 시키잖구?"

"인쇄소 일 배우는 것도 공부지."

"그건 그렇지만 학교에 보내야지."

"학교에 보낼 처지가 못되고 또 보낸댔자 사람 구실도 못할 테니까……."

ⓒ"거 참 모를 일이요. 우리 같은 놈은 이 짓을 해 가면서도 자식을 공부시키느라고 애를 쓰는 데 되려 공부시킬 줄 아는 양반이 보통학교도 아니 마친 자제를 공장엘 보내요?"

"내가 학교 공부를 해본 나머지 그게 못쓰겠으니까 자식은 딴 공부시키겠다는 것이지요."

"글쎄 정 그러시다면 내가 내 자식 진배없이 잘 데리고 있으면서 일이나 착실히 가르쳐 드리리다 마는 …… 원 너무 어린데 애처럽잖어요?"

"애처러운 거야 애비된 내가 더 하지요만 그것이 제게는 약이니까……."

– 채만식, 「레디메이드 인생」 –

8. 이 글을 통해 알 수 있는 사실이 <u>아닌</u> 것은?

① P는 인맥을 이용하여 아들의 취직을 부탁하고 있군.

② P 아들을 인쇄소에 보내려는 이유가 단지 경제적인 문제 때문만은 아니겠군.

③ P는 지식인으로, 한때 경제적 성공을 거뒀으나 현재는 실직 상태로군.

④ P는 아들을 인쇄소에 견습공으로 맡기는 자신의 무능에 대해 조금은 부끄러워하는군.

9. 이 글을 희곡으로 재구성할 때, ㉠~㉢의 지시문으로 적절하지 <u>않은</u> 것은?

① ㉠ : 지친 듯이 마지못해

② ㉡ : 눈을 동그랗게 뜨며 놀란 듯이

③ ㉢ : 눈을 흘기면서 다 안다는 듯

④ ㉣ : 목소리를 높여 화를 내며

10. P가 아들을 인쇄소에 보내려는 이유로 적절하지 <u>않은</u> 것은?

① 인성 교육에 소홀한 학교 교육에 대한 불신 때문

② 자신과 똑같은 처지로 만들고 싶지 않았기 때문

③ 취직을 하는 것이 실질적으로 낫다고 생각하기 때문

④ 현실의 구조적 병폐에 대해 비판적으로 인식했기 때문

11. 〈보기〉를 고려했을 때, 이 글의 제목인 '레디메이드 인생'을 통해 드러내고자 했던 작가의 의도로 알맞은 것은?

〈보기〉

· 일제는 조선의 식민 통치를 안정적으로 유지하기 위해 대학 교육을 이용하였기 때문에 당시 고등 교육을 받은 지식인들은 통제되고 관리되었으며, 지식인들이 민족의식 고취와 같은 민족자강에 기여할 수 있는 기회가 원천적으로 차단되었다.

· 레디메이드 : 기성품, 맞춤 제작과 달리 공장에서 대량 생산된 제품

① 자식마저 물질적 가치로 환산하는 비인간적인 사회에 대한 비판

② 교육을 한답시고 인간을 소모품으로 만들어 버린 일제의 기만적 행위에 대한 비판

③ 아이들마저 일터로 내모는 자본주의 사회의 인간 소외 현상에 대한 비판

④ 삶에 대한 주체성을 잃어버리고 자포자기하며 살아가는 지식인 계층에 대한 비판

04 예상문제

[12~14] 다음 글을 읽고 물음에 답하시오.

(가) 가까운 읍의 수령들이 모여든다. 운봉 영장, 구례, 곡성, 순창, 옥과, 진안, 장수 원님이 차례로 모여든다. 왼쪽에 행수, 군관 오른쪽에 청령, 사령이 있고 ⓐ본관 사또는 주인이 되어 한가운데 있어 하인 불러 분부하되,

"관청색(官廳色) 불러 다담(茶啖)을 올리라. 육고자 불러 큰 소를 잡고, 예방(禮房) 불러 악공을 대령하고, 승발 불러 천막을 대령하라. 사령 불러 잡인을 금하라."

(나) 이렇듯 요란할 제 온갖 깃발이며 삼현육각 풍류 소리 공중에 떠 있고, ⓑ붉은 옷 붉은 치마 입은 기생들은 흰 손 비단 치마 높이 들어 춤을 추고, 지화자 둥덩실 하는 소리에 어사의 마음이 심란하구나.

"여봐라 사령들아. 너의 사또에게 여쭈어라. 먼 데 있는 걸인이 좋은 잔치에 왔으니 술과 안주나 좀 얻어먹자고 여쭈어라."

(다) 저 사령의 거동 보소.

"우리 사또님이 걸인을 금하였으니, 어느 양반인지는 모르오만 그런 말은 내지도 마오."

등을 밀쳐 내니 ㉮어찌 아니 명관(名官)인가. ⓒ운봉 영장이 그 거동을 보고 본관 사또에게 청하는 말이,

"저 걸인의 의관은 남루하나 양반의 후예인 듯하니 말석에 앉히고 술잔이나 먹여 보냄이 어떠하뇨?"

(라) 본관 사또 하는 말이,

"운봉의 소견대로 하오마는."

'마는' 하는 끝말을 내뱉고는 입맛이 사납겠다. 어사또 속으로,

'오냐. 도적질은 내가 하마. 오라는 네가 받아라.'

운봉 영장이 분부하여,

"저 양반 듭시라고 하여라."

(마) 어사또 들어가 단정히 앉아 좌우를 살펴보니, 당 위의 모든 수령 다담상을 앞에 놓고 진양조가 높아 가는데, ⓓ어사또의 상을 보니 어찌 아니 통분하랴. 모서리 떨어진 개 상판에 닥나무 젓가락, 콩나물, 깍두기, 막걸리 한 사발 놓았구나.

– 작자 미상, 「춘향전」 –

12. 이 글에 대한 설명으로 가장 적절한 것은?

① 당시 서민층의 언어만 사용되어 서민문학의 특징이 잘 드러난다.
② 운문체와 산문체가 섞인 문체로 장면을 흥미롭게 그려내고 있다.
③ 주인공의 초월적 능력에 의해 사건이 해결된다.
④ 시간의 역전적 구성을 통해 신분을 초월한 남녀의 사랑을 묘사하고 있다.

13. ㉮에 표현된 기법으로 가장 적절한 것은?

① 인물 내면 심리에 대한 과장된 표현
② 인물의 현실인식에 대한 상징적 표현
③ 서술자의 생각과 상반되는 반어적 표현
④ 상황에 대한 부정적 견해의 직접적 노출

14. ⓐ~ⓓ 중 〈보기〉의 설명에 해당하는 것은?

〈보기〉

　판소리계 소설에서는 서술자가 진행 중인 사건이나 인물의 언행 등에 대해 서술자의 의견을 밝히거나 평가하여 이야기를 흥미롭게 전개하는 문체적 특성이 나타난다.

① ⓐ
② ⓑ
③ ⓒ
④ ⓓ

04 예상문제

[15~17] 다음 글을 읽고 물음에 답하시오.

> 孔·공子·ᄌ지曾 증子·ᄌ두·려 닐·러 골으·샤·디 몸·이며 얼굴·이며 머·리 털·이·며 ·술·흔 父·부母모·씌받ᄌ·온 거·시·라 敢감·히혈·워 상히·오·디 아·니:홈·이 :효·도·이 비·르·소미·오 몸·을 세·워 道·도·를 行힝·ᄒ·야 일:홈·을 後후世셰·예 :베퍼·뻐父·부母 :모롤 :현·뎌케:홈·이 :효·도·이무·춤·이니·라
>
> − 소학언해 −

15. 이 글에 드러난 16세기 중세 국어의 특징으로 적절하지 <u>않은</u> 것은?

① ᅙ, ᄫ, ᅀ 이 모두 사용되었다.
② 방점에 의해 성조가 표시되었다.
③ 어두자음군이 사용되었다.
④ 끊어적기가 확대되어 이어적기와 혼용되었다.

16. 이 글의 어휘 중, 〈보기〉와 같은 의미 변화가 나타나는 것은?

〈보기〉

'짐승'은 원래는 유정물 전체를 가리켰으나 지금은 인간을 제외한 동물만을 가리킨다.

① 몸   ② 얼굴
③ 효도   ④ 일홈

17. 이 글로 보아 증자가 공자에게 질문했을 내용으로 가장 알맞은 것은?

① 효(孝)가 중요한 이유는 무엇입니까?
② 효(孝)를 실천해야 하는 이유가 무엇입니까?
③ 효(孝)란 무엇이며, 어떻게 하는 것이 효도입니까?
④ 효(孝)를 실천하기 위해 가장 필요한 것은 무엇입니까?

[18~20] 다음 글을 읽고 물음에 답하시오.

제6과장 양반춤

말뚝이 : (벙거지를 쓰고 채찍을 들었다. 굿거리장단에 맞추어 양반 삼 형제를 인도하여
　　　　　등장)

양반 삼 형제 : (말뚝이 뒤를 따라 굿거리장단에 맞추어 점잔을 피우나, 어색하게 춤을
　　　　　추며 등장. 양반 3형제 맏이는 샌님〔生員〕, 둘째는 서방님〔書房〕, 끝은
　　　　　도련님〔道令〕이다. 샌님과 서방님은 흰 창옷에 관을 썼다. 도련님은 남
　　　　　색 쾌자에 복건을 썼다. 샌님과 서방님은 언청이이며(샌님은 언청이 두
　　　　　줄, 서방님은 한 줄이다.), 부채와 장죽을 가지고 있고, 도련님은 입이
　　　　　삐뚤어졌고, 부채만 가졌다. 도련님은 일절 대사는 없으며, 형들과 동작
　　　　　을 같이하면서 형들의 면상을 부채로 때리며 방정맞게 군다.)

말뚝이 : (가운데쯤에 나와서) 쉬이. (음악과 춤 멈춘다.) 양반 나오신다아! 양반이라고
　　　　　하니까 노론(老論), 소론(少論), 호조(戶曹), 병조(兵曹), 옥당(玉堂)을 다 지내
　　　　　고 삼정승(三政丞), 육판서(六判書)를 다 지낸 퇴로 재상(退老宰相)으로 계신
　　　　　양반인 줄 아지 마시오. 개잘량이라는 '양' 자에 개다리 소반이라는 '반' 자 쓰
　　　　　는 양반이 나오신단 말이오.

양반들 : 야아, 이놈, 뭐야아 !

말뚝이 : 아, 이 양반들, 어찌 듣는지 모르갔소. 노론, 소론, 호조, 병조, 옥당을 다 지내
　　　　　고 삼정승, 육판서 다 지내고 퇴로 재상으로 계신 이 생원네 삼 형제분이 나오
　　　　　신다고 그리하였소.

양반들 : (합창) 이 생원이라네. (굿거리 장단으로 모두 춤을 춘다. 도령은 때때로 형들
　　　　　의 면상을 치며 논다. 끝까지 그런 행동을 한다.)

- 봉산탈춤 -

04 예상문제

18. 이 글의 재담구조에 따라 〈보기〉의 ㉮~㉣를 순서대로 배열한 것은?

〈보기〉

㉮ 말뚝이의 변명　　　　　　㉯ 양반의 호령

㉰ 양반에 대한 말뚝이의 조롱　　㉣ 양반의 안심

① 가-라-다-나　　　　　　② 다-나-가-라

③ 나-가-다-라　　　　　　④ 다-나-라-가

19. 다음 중 말뚝이 대사의 특징과 거리가 먼 것은?

① 양반에 대한 조롱과 모욕의 수단으로 적극적 활용

② 비속어와 한자어의 이중적 언어를 구사

③ 신분상승에 대한 욕구와 신분의 불평등에 대한 불만을 드러냄

④ 해학과 풍자적 표현

20. 이 글에 대한 설명으로 적절하지 않은 것은?

① 조선 후기의 평민 의식의 성장을 보여준다.

② 관객이나 악사들이 공연 도중에 등장인물과 호응함

③ 재담과 춤과 노래가 어우러진 종합적인 예술이다.

④ 장면마다 무대 장치를 따로 만들어 구성해야 한다.

[21~24] 다음 글을 읽고 물음에 답하시오.

(가) 집에 오래 지탱할 수 없이 퇴락한 행랑채 세 칸이 있어서 나는 부득이 그것을 모두 수리하게 되었다. 이때 그중 두 칸은 비가 샌 지 오래되었는데, 나는 그것을 알고도 어물어물하다가 미처 수리하지 못하였고, 다른 한 칸은 한 번밖에 비를 맞지 않았기 때문에 급히 기와를 갈게 하였다.

(나) 그런데 수리하고 보니, 비가 샌 지 오래된 것은 서까래·추녀·기둥·들보가 모두 썩어서 못 쓰게 되었으므로 경비가 많이 들었고, 한 번밖에 비를 맞지 않은 것은 재목들이 모두 완전하여 다시 쓸 수 있었기 때문에 경비가 적게 들었다.

(다) 나는 여기에서 이렇게 생각한다. 사람의 몸도 역시 마찬가지다. 잘못을 알고서도 곧 고치지 않으면 몸이 패망하는 것이 나무가 썩어서 못 쓰게 되는 이상으로 될 것이고, 잘못이 있더라도 고치기를 꺼려하지 않으면 다시 좋은 사람이 되는 것이 집 재목이 다시 쓰일 수 있는 이상으로 될 것이다.

(라) 이뿐만 아니라, 나라의 정사도 이와 마찬가지다. 모든 일에서, 백성에게 심한 해가 될 것을 머뭇거리고 개혁하지 않다가, 백성이 못살게 되고 나라가 위태하게 된 뒤에 갑자기 변경하려 하면, 곧 붙잡아 일으키기가 어렵다. ㉠삼가지 않을 수 있겠는가?

– 이규보, 「이옥설」 –

21. 이 글에 대한 설명으로 적절하지 <u>않은</u> 것은?

① 사유의 대상을 점차적으로 축소하고 있다.
② 사실을 제시한 뒤, 자신의 의견을 덧붙이고 있다.
③ 대비되는 상황을 제시하여 결과를 비교하고 있다.
④ 일상적인 체험으로부터 교훈을 이끌어 내고 있다.

22. ㉠에 담긴 글쓴이의 태도로 가장 적절한 것은?

① 유약한 태도
② 부정적인 태도
③ 낙천적인 태도
④ 경계의 태도

04 예상문제

23. 이 글을 통해 얻을 수 있는 교훈으로 가장 적절한 것은?

① 자신의 잘못을 용기 있게 인정하는 것이 중요하다.
② 타인의 잘못을 용서하는 아량이 필요하다.
③ 문제를 발견하면 즉시 바로잡도록 해야 한다.
④ 모든 문제는 인간의 게으름에서 비롯된다.

24. (나)의 상황을 속담으로 표현할 때 가장 적절한 것은?

① 빈대 잡으려고 초가삼간 태운다.
② 호미로 막을 것을 가래로 막는다.
③ 집에서 새는 바가지는 들에 가도 샌다.
④ 가랑잎이 솔잎더러 바스락 거린다고 한다.

25. 〈보기〉의 ㉠~㉣ 중 제시된 공손성의 원리와 관련된 문장으로 적절한 것은?

공손성의 원리 : 상대에게 혜택을 주는 표현

――――――〈보기〉――――――

민수 : 지원아, ㉠실은 부탁할 게 있는데.
지원 : 뭔데? 어려운 부탁이야?
민수 : ㉡이 문제 풀이 과정 좀 알려 주면 안 될까?
지원 : ㉢그래, 알려 줄게.
민수 : 역시, 너가 최고야. ㉣내가 오늘 맛있는 음식 사 줄게!

① ㉠
② ㉡
③ ㉢
④ ㉣

05 예상문제

[1~5] 다음 글을 읽고 물음에 답하시오.

흔들리는 나뭇가지에 ⓐ꽃 한번 피우려고
눈은 얼마나 많은 도전을 멈추지 않았으랴

싸그락 싸그락 두드려 보았겠지
난분분 난분분 춤추었겠지
미끄러지고 미끄러지길 수백 번,

바람 한 자락 불면 휙 날아갈 ⓑ사랑을 위하여
햇솜 같은 마음을 다 퍼부어 준 다음에야
마침내 피워 낸 저 ⓒ황홀 보아라

ⓓ봄이면 가지는 그 한 번 덴 자리에
세상에서 가장 ㉮아름다운 상처를 터뜨린다

– 고재종, 「첫사랑」 –

1. 이 글에 대한 설명으로 가장 적절한 것은?

① 부재하는 대상을 통해 재회를 소망하고 있다.
② 자연의 이치를 통해 인생의 의미를 발견하고 있다.
③ 현실의 고통을 자연을 통해 잊으려는 태도가 드러나 있다.
④ 친숙한 사물을 통해 화자의 마음이 향하는 이상향으로 떠난다.

05 예상문제

2. 이 글에 대한 설명으로 적절하지 <u>않은</u> 것은?

① 설의적 표현으로 시적 의미를 강조하고 있다.
② 청자를 설정하여 대상에 친근하게 다가가고 있다.
③ 동일한 시어를 반복하여 운율감을 형성하고 있다.
④ 음성 상징어를 사용하여 생동감 있게 표현하고 있다.

3. 이 글을 창작하기 위한 발상으로 적절하지 <u>않은</u> 것은?

① 겨울에 내리는 눈을 보면서 첫사랑이 떠올랐어.
② 첫사랑의 순수함을 드러내기 위해서 백색의 이미지를 사용해야겠어.
③ 봄이 되면 꽃이 피는 것을 역설적으로 표현하여 사랑이 지닌 속성을 드러내야겠어.
④ 첫사랑의 뜨거움은 시간이 경과하면서 더 깊어지고, 그 마음은 절대 사라지지 않는다는 것을 강조해야지.

4. ⓐ~ⓓ 중 그 의미가 가장 <u>이질적인</u> 것은?

① ⓐ   ② ⓑ   ③ ⓒ   ④ ⓓ

5. ㉮처럼 표현한 이유와 표현 방법으로 알맞은 것은?

① 아름답지만 첫사랑의 상처를 가진 성숙한 사랑을 역설적으로 나타냈다.
② 다음에 올 아름다운 봄을 기다리는 마음을 반어적으로 나타냈다.
③ 바람에도 날아갈 깨끗한 이별의 아름다움을 역설적으로 나타냈다.
④ 도전하는 사랑의 성숙한 아름다움을 반어적으로 나타냈다.

[6~9] 다음 글을 읽고 물음에 답하시오.

절렁절렁 소리를 내며 조 선달이 그 날 산 돈을 따지는 것을 보고, 허 생원은 말뚝에서 넓은 휘장을 걷고, 벌여 놓았던 물건을 거두기 시작하였다. 무명필과 주단 바리가 두 고리짝에 꼭 찼다. 명석 위에는 천 조각이 어수선하게 남았다.

다른 축들도 벌써 거진 전들을 걷고 있었다. 약빠르게 떠나는 패도 있었다. 어물 장수도, 땜장이도, 엿장수도, 생강 장수도 꼴들이 보이지 않았다. 내일은 진부와 대화에 장이 선다. 축들은 그 어느 쪽으로든지 밤을 새며 육칠십 리 밤길을 타박거리지 않으면 안 된다. 장판은 잔치 뒷마당같이 어수선하게 벌어지고, 술집에서는 싸움이 터져 있었다. 주정꾼 욕지거리에 섞여 계집의 앙칼진 목소리가 찢어졌다. 장날 저녁은 정해 놓고 계집의 고함 소리로 시작되는 것이다.

"생원, 시침을 떼두 다 아네……. 충줏집 말야."

계집 목소리로 문득 생각난 듯이 조 선달은 비죽이 웃는다.

"㉠화중지병이지. 연소 패들을 적수로 하구야 대거리가 돼야 말이지."

"그렇지두 않을걸. 축들이 사족을 못 쓰는 것두 사실은 사실이나, 아무리 그렇다군 해두 왜 그 동이 말일세. 감쪽같이 충줏집을 후린 눈치거든."

"무어 그 애숭이가 물건 가지고 낚었나 부지. 착실한 녀석인 줄 알었더니."

"그 길만은 알 수 있나……. 궁리 말구 가 보세나그려. 내 한턱 씀세."

그다지 마음이 당기지 않는 것을 쫓아갔다.

허 생원은 오늘 밤도 또 그 이야기를 끄집어내려는 것이다. 조 선달은 친구가 된 이래 귀에 못이 박히도록 들어 왔다. 그렇다고 싫증을 낼 수도 없었으나, 허 생원은 시침을 떼고 되풀이할 대로는 되풀이하고야 말았다.

"㉡달밤에는 그런 이야기가 격에 맞거든."

조 선달 편을 바라는 보았으나, 물론 미안해서가 아니라 달빛에 감동하여서였다. 이지러는졌으나 보름을 가제 지난 달은 부드러운 빛을 흐붓이 흘리고 있다. 대화까지는 칠십 리의 밤길. 고개를 둘이나 넘고 개울을 하나 건너고 벌판과 산길을 걸어야 된다. 길은 지금 긴 산허리에 걸려 있다. 밤중을 지난 무렵인지 죽은 듯이 고요한 속에서 짐승 같은 달의 숨소리가 손에 잡힐 듯이 들리며, 콩 포기와 옥수수 잎새가 한층 달에 푸르게 젖었다. 산허리는 온통 메밀밭이어서 피기 시작한 꽃이 소금을 뿌린 듯이 흐붓한 달빛에 숨이 막힐 지경이다.

– 중략 –

"주막까지 부지런히들 가세나. 뜰에 불을 피우고 훗훗이 쉬어. 나귀에겐 더운물을 끓여 주고. 내일 대화 장 보고는 제천이다."

"생원도 제천으로……?"

"오래간만에 가 보고 싶어. 동행하려나, 동이?"

나귀가 걷기 시작하였을 때 동이의 채찍은 왼손에 있었다. ⓒ오랫동안 아둑시니같이 눈이 어둡던 허 생원도 요번만은 동이의 왼손잡이가 눈에 뜨이지 않을 수 없었다.

걸음도 해깝고 방울 소리가 밤 벌판에 한층 청청하게 울렸다.

달이 어지간히 기울어졌다.

– 이효석, 「메밀꽃 필 무렵」 –

6. 이 작품의 '허 생원'에 대한 설명으로 적절하지 않은 것은?

① 여러 장을 돌아다니며 옷감을 파는 장돌뱅이다.
② 자신의 인생에 대한 강한 자부심을 갖고 있다.
③ 충줏집에게 애정을 가지고 있다.
④ 조선달에게 같은 이야기를 되풀이한 경험이 있다.

7. ㉠의 의미로 가장 적절한 것은?

① 허 생원에게는 평생 친구가 별로 많지 않았음.
② 허 생원이 오늘 장에서 물건을 많이 팔지 못했음.
③ 허 생원이 충줏집에게 마음을 표현하지 못했음.
④ 허 생원이 큰 부자가 되고 싶었지만 그렇지 못했음.

8. ⓛ의 역할로 가장 적절한 것은?

① 과거를 회상하게 되는 매개체의 역할을 한다.
② 작품의 분위기를 전환시키는 역할을 한다.
③ 인물이 처한 위기를 심화시키는 역할을 한다.
④ 인물 간 다툼을 해소시키는 역할을 한다.

9. ⓒ에 나타난 허 생원의 심리를 추측할 때, 가장 적절한 것은?

① 동이가 자신의 아들일지도 모른다는 생각에 확신을 갖게 됨.
② 동이가 어린 시절 매우 고생을 했다는 점을 알게 됨.
③ 동이와 자신이 매우 친밀한 사이가 되었다는 점을 느끼게 됨.
④ 동이가 장돌뱅이 생활을 매우 어렵게 해오고 있음을 느끼게 됨.

[10~14] 다음 글을 읽고 물음에 답하시오.

> **남자** 가시는 겁니까, 나를 두고서?
>
> **여자** (침묵)
>
> **남자** 덤으로 내 말을 조금 더 들어 봐요.
>
> **여자** (악의적인 느낌이 없이) 당신은 사기꾼이에요.
>
> **남자** 그래요, 난 사기꾼입니다. 이 세상 것을 잠시 빌렸었죠. 그리고 시간이 되니까 하나둘씩 되돌려 주어야 했습니다. 이제 난 본색이 드러나고 이렇게 빈털터리입니다. 그러나 덤, 여기 있는 사람들에게 물어봐요. 누구 하나 자신 있게 이건 내 것이다, 말할 수 있는가를. 아무도 없을 겁니다. 없다니까요. 모두들 덤으로 빌렸지요. 눈동자, 코, 입술, 그 어느 것 하나 자기 것이 아니고 잠시 빌려 가진 거예요. (누구든 관객석의 사람을 붙들고 그가 가지고 있는 물건을 가리키며) 이게 당신 겁니까? 정해진 시간이 얼마지요? 잘 아꼈다가 그 시간이 되면 꼭 돌려주십시오. 덤, 이젠 알겠어요?

여자, 얼굴을 외면한 채 걸어 나간다.
하인, 서서히 그 무서운 구둣발을 이끌고 남자에게 다가온다. 남자는 뒷걸음질을 친다.
그는 마지막으로 절규하듯이 여자에게 말한다.

05 예상문제

남자 덤, 난 가진 것 하나 없습니다. 모두 빌렸던 겁니다. 그런데 덤, 당신은 어떻습니까? 당신이 가진 건 뭡니까? 무엇이 정말 당신 겁니까? (넥타이를 빌렸던 남성 관객에게) 내 말을 들어 보시오. 그럼 당신은 나를 이해할 거요. 내가 당신에게서 넥타이를 빌렸을 때, 그때 내가 당신 물건을 어떻게 다뤘었소? 마구 험하게 했었소? 어딜 망가뜨렸소? 아니요, 그렇진 않았습니다. 오히려 빌렸던 것이니까 소중하게 아꼈다간 되돌려 드렸지요. 덤, 당신은 내 말을 들었어요? 여기 증인이 있습니다. 이 증인 앞에서 약속하지만, 내가 이 세상에서 덤 당신을 빌리는 동안에, 아끼고, 사랑하고, 그랬다가 언젠가 그 시간이 되면 공손하게 되돌려 줄 테요. 덤! 내 인생에서 당신은 나의 소중한 덤입니다. 덤! 덤! 덤!

남자, 하인의 구둣발에 걸어차인다. 여자, 더 이상 참을 수 없다는 듯 다급하게 되돌아와서 남자를 부축해 일으키고 포옹한다.

여자 그만해요!
남자 이제야 날 사랑합니까?
여자 그래요! 당신 아니고 또 누굴 사랑하겠어요!
남자 어서 결혼하러 갑시다, 구둣발에 차이기 전에!
여자 이래서요, 어머니도 말짱한 사기꾼과 결혼했었다던데…….
남자 자아, 빨리 갑시다!
여자 네, 어서 가요!

– 이강백, 「결혼」 –

10. 이와 같은 희곡에 대한 설명으로 적절하지 <u>않은</u> 것은?

① 무대 상연을 전제로 창작된다.
② 사건을 항상 현재형으로 표현한다.
③ 사건을 전달하는 서술자가 내용의 이해를 돕는다.
④ 시나리오보다는 시간적, 공간적 제약을 많이 받는다.

11. 이 글에 대한 설명으로 적절하지 <u>않은</u> 것은?

① 하인은 남자의 본모습을 여자에게 직접적으로 알려주는 인물이다.
② 소품이 주제 의식을 나타내는 데 중요한 의미로 작용한다.
③ 필요한 소품을 관객이 등장인물에게 빌려주는 등 관객의 참여가 드러난다.
④ '덤'은 여자의 별명이자 세상 모든 것은 잠시 빌린 것임을 암시하는 말이다.

12. 여자가 남자의 청혼을 받아들인 이유로 가장 적절한 것은?

① 남자에게 큰 빚을 져서
② 어머니의 삶을 좇아 살고 싶어서
③ 남자가 말하는 사랑과 소유의 진실에 설득됐기 때문에
④ 남자가 곧 부자가 될 것이라는 기대감 때문에

13. 이 글을 읽은 후 감상한 내용으로 옳지 <u>않은</u> 것은?

① 이 글은 진정한 소유와 사랑에 대해 돌이켜보게 하는 작품이야.
② 맞아, 인간이 소유한 것은 결국 모두 누군가에게 잠시 빌린거야.
③ 남자가 '빌린 것'이라고 표현하는 것도 소유에 대한 집착을 버려야 한다는 의미라고 생각해.
④ 결국 이 글은 결혼의 성공 수단이 일방적 설득이 아니라 대화와 타협임을 깨닫게 하고 있어.

14. 이 글을 통해 작가가 비판하고자 하는 현대인의 문제점으로 볼 수 <u>없는</u> 것은?

① 소유의 본질을 깨닫지 못하는 현대인
② 과거에 비해 나약하고 나태한 정신의 소유자인 현대인
③ 물질적 부(富)를 결혼의 조건으로 믿는 현대인
④ 무엇이 진정한 사랑인지 깨닫지 못하는 현대인

05 예상문제

[15~18] 다음 글을 읽고 물음에 답하시오.

(가) '국물'은 '국'의 받침 'ㄱ'이 뒤에 오는 비음 'ㅁ'의 영향을 받아 비음 'ㅇ'으로 바뀌므로 [궁물]로 발음된다. 이와 같은 원리로 '맏며느리'는 [만며느리]로, '잡는다'는 [잠는다]로 발음된다. 이처럼 ㉠받침 'ㄱ, ㄷ, ㅂ'은 뒤에 오는 비음 'ㄴ, ㅁ'의 영향을 받아 각각 비음 'ㅇ, ㄴ, ㅁ'으로 바뀌어 발음된다.

또 '담력[담: 녁]', '대통령[대: 통녕]'처럼 받침 'ㅁ, ㅇ' 뒤에 오는 'ㄹ'도 비음 'ㄴ'으로 발음된다. 이렇게 비음이 아닌 음운이 비음을 만나 비음 'ㅇ, ㄴ, ㅁ'으로 교체되어 발음되는 현상을 ㉡비음화라고 한다.

(나) '설날'은 '날'의 'ㄴ'이 앞에 오는 유음 'ㄹ'의 영향을 받아 'ㄹ'로 바뀌므로 [설: 랄]로 발음된다. '난로'도 [날: 로]로 발음되는데 '난'의 받침 'ㄴ'이 뒤에 오는 유음 'ㄹ'의 영향을 받아 'ㄹ'로 바뀌어 발음되기 때문이다. 이렇게 비음 'ㄴ'이 유음 'ㄹ'의 앞 또는 뒤에서 유음 'ㄹ'로 교체되어 발음되는 현상을 ㉢유음화라고 한다. 비음화와 유음화는 앞뒤 자음의 조음 방법을 같게 하여 소리를 편하게 내기 위해 일어나는 현상이다.

(다) '해돋이'는 [해도디]보다 [해도지]로 발음하는 것이 편하다. '같이'도 [가티]보다 [가치]로 발음하는 것이 더 편하다. 그 이유는 잇몸에서 소리 나는 치조음 'ㄷ, ㅌ'보다 센입천장에서 소리 나는 경구개음 'ㅈ, ㅊ'이 모음 'ㅣ'가 소리 나는 위치와 더 가깝기 때문이다. 이렇게 앞말의 끝소리 'ㄷ, ㅌ'이 모음 'ㅣ'로 시작하는 형식 형태소를 만나 구개음인 'ㅈ, ㅊ'으로 교체되어 발음되는 현상을 구개음화라고 한다. 구개음화는 인접한 두 음운의 조음 위치를 비슷하게 만들어 더 편하게 발음하기 위해 일어나는 현상이다.

15. 이 글에서 설명하고 있는 음운 변동 현상의 공통점으로 알맞은 것은?

① 음운 변동의 결과가 표기에 반영되지 않는다.
② 자음과 모음이 만나 변동이 일어나는 현상이다.
③ 두 음운 중에서 어느 하나가 없어지는 탈락 현상이다.
④ 두 음운 사이에 다른 음운이 첨가되는 현상이다.

16. 다음 중 (다)에서 설명하는 음운 변동 현상이 일어나는 단어가 포함된 것은?

① 팥빙수는 팥이 잘 삶아져야 맛이 있다.
② 이번 수업을 끝으로 미국에 유학을 간다.
③ 지혜는 같은 자매임에도 언니와 닮지 않았다.
④ 어머니는 공원에서 꽃을 구경하셨다.

17. 다음 중 ㉠의 음운 변동 현상을 설명하기 위한 예로 적절하지 <u>않은</u> 것은?

① 녹말   ② 신라
③ 접목   ④ 맏나물

18. 다음 중 〈보기〉의 단어를 각각의 음운 변동 현상에 따라 ㉡과 ㉢으로 바르게 분류한 것은?

〈보기〉
만리포, 백마강, 강릉, 대관령, 한라산, 종로

	㉡	㉢
①	만리포, 대관령, 종로	백마강, 강릉, 대관령
②	강릉, 대관령, 한라산	만리포, 백마강, 종로
③	백마강, 강릉, 종로	만리포, 대관령, 한라산
④	만리포, 강릉, 한라산	백마강, 대관령, 종로

05 예상문제

[19~22] 다음 글을 읽고 물음에 답하시오.

(가) 1999년 신경 과학 분야의 국제 학술지인 『퍼셉션』에 「우리 가운데에 있는 고릴라」라는 제목으로 실린 논문이 있다. 당시 하버드 대학교 심리학과의 대니얼 사이먼스와 크리스토퍼 차브리스는 사람들을 대상으로 흥미로운 실험을 하였다. 그들은 흰 옷과 검은 옷을 입은 학생 여러 명을 두 조로 나누어 같은 조끼리만 이리저리 농구공을 주고받게 하고 그 장면을 동영상으로 찍었다. 그리고 이를 사람들에게 보여 주고 이렇게 주문하였다. "검은 옷을 입은 조는 무시하고 흰 옷을 입은 조의 패스 횟수만 세어 주세요."라고. 동영상은 1분 남짓이었으므로 대부분의 사람들은 어렵지 않게 흰 옷을 입은 조의 패스 횟수를 맞히는 데 성공하였다. 그리고 그들 중 절반은 왜 이런 간단한 실험을 하는지 목적을 파악하지 못해 고개를 갸웃거렸다.

(나) 사실 실험의 목적은 따로 있었다. 실험 참가자들에게 보여 준 동영상 중간에는 고릴라 의상을 입은 한 학생이 걸어 나와 가슴을 치고 퇴장하는 장면이 무려 9초에 걸쳐 등장한다. 재미있는 사실은 동영상을 본 사람들 중 절반은 자신이 고릴라를 보았다는 사실을 전혀 인지하지 못했다는 것이다. 나머지 절반은 고릴라를 알아보고 황당하다는 반응을 보였다. 심지어 고릴라를 인지하지 못한 이들에게 고릴라의 등장 사실을 알려 주고 동영상을 다시 보여 주자, 분명 먼젓번 동영상에서는 고릴라가 등장하지 않았다고 말하는 사람도 있었다. 그러면서 실험자가 자신을 놀리려고 다른 동영상을 보여 준 것이 아니냐는 의심을 하기도 하였다. 도대체 왜 이들은 고릴라를 보지 못한 것일까?

(다) 대니얼 사이먼스와 크리스토퍼 차브리스는 이를 '무주의 맹시'라고 칭했다. 이는 시각이 손상되어 물체를 보지 못하는 것과는 달리, 물체를 보면서도 인지하지 못하는 경우를 말한다. 두 눈을 멀쩡히 뜨고 있는데 보지 못한다고? 정말 황당한 소리이다. 하지만 우리는 늘 이런 경험을 한다.

(라) 뇌의 많은 영역이 오로지 시각이라는 감각 하나에 배정되어 있음에도, 세상은 워낙 변화무쌍하기 때문에 눈으로 받아들이는 모든 정보를 뇌가 빠짐없이 처리하기는 어렵

다. 그래서 뇌가 선택한 전략은 선택과 집중, 적당한 무시와 엄청난 융통성이다. 우리는 쥐의 꼬리만 봐도 벽 뒤에 숨은 쥐 전체의 모습을 그릴 수 있으며, 빨간색과 파란색의 스펙트럼만 봐도 그 색이 주는 이미지와 의미까지 읽어 낼 수 있다. 하지만 이것은 때와 장소, 현재의 관심 대상과 그 수준에 따라 달라진다. 앞에서 보았듯이 우리는 하나에 집 중하면 다른 것은 눈에 뻔히 보여도 인식하지 못하고 지나칠 수 있다. 즉, 우리는 정말 로 보고 싶은 것만 보고 보기 싫은 것에는 눈을 질끈 감는 것이다.

(마) 우리의 뇌는 이런 식으로 세상을 본다. 있어도 보지 못하거나 잘못 보는 경우도 많 다. 그러므로 우리가 모든 것을 다 볼 수 없다는 사실을 제대로만 인정한다면, 서로 시 각이 다른 현실에서 내 눈으로 본 것만이 옳다며 핏대를 세우거나 서로를 헐뜯는 일은 줄어들 것이다.

– 이은희, 「고릴라를 못 본 이유」 –

19. 이 글에 대한 설명으로 적절하지 <u>않은</u> 것은?

① 핵심 개념과 관련된 실험을 소개하고 있다.
② 특정한 현상에 대한 다양한 원인을 분석하고 있다.
③ 과학적 개념을 쉬운 언어로 풀이하여 서술하고 있다.
④ 개념과 관련된 예를 제시하여 내용 이해도를 높이고 있다.

20. 이 글을 통해 해결할 수 있는 질문이 <u>아닌</u> 것은?

① '고릴라 실험'의 목적은 무엇인가?
② '무주의 맹시'의 개념은 무엇인가?
③ 뇌가 시각 정보를 처리하는 데 사용한 전략은 무엇인가?
④ 일상에서 물체를 보면서도 인지하지 못하는 구체적인 사례로는 무엇이 있는가?

05 예상문제

21. 이 글을 읽고, 읽기 과정에 따라 읽기 방법을 정리한 내용으로 적절하지 <u>않은</u> 것은?

① 읽기 전 : 글을 읽는 목적을 확인한다.
② 읽기 중 : 글쓴이의 주장과 이를 뒷받침하는 근거를 기록하며 읽는다.
③ 읽기 중 : '인지', '무주의 맹시' 등 모르는 단어의 의미를 찾아보며 읽는다.
④ 읽기 후 : 친구들은 이 글을 어떻게 읽었는지 함께 이야기를 나누어 본다.

22. 이 글을 읽은 독자의 반응으로 적절하지 <u>않은</u> 것은?

① 실험 참가자들이 고릴라가 등장한 사실을 안 후에 이를 부인한 것에서 뇌가 선택과 집중의 전략을 통해 고릴라에 관한 정보를 배제하였음을 알 수 있군.
② 실험자는 실험 참가자에게 특정 요구에 집중하게 하여 다른 정보를 얻지 못하게 하였군.
③ 시각 정보의 인식은 결국 감각 기관보다는 뇌에서 담당하는 역할이라고 할 수 있겠군.
④ 우리가 보기 싫고, 흉물스러운 것을 마주할 때 눈을 감는 것은 '무주의 맹시' 때문이겠군.

[23~25] 다음 글을 읽고 물음에 답하시오.

"좀 넉넉히 넣어요. 넉넉히."

당근씨를 막 뿌리려는 남편에게 나는 몇 번이나 말했다. 다른 씨앗들은 한번 키워 보았기 때문에 감을 잡을 수 있겠는데, 부추씨와 당근씨는 올해 처음 뿌리는 것이라 대중이 서지 않았던 것이다.

게다가 아까부터 밭 주변을 종종거리는 참새 서너 마리가 어쩐지 마음에 걸린다. 작년에도 너무 얕게 씨를 뿌려 낭패를 본 적이 있기 때문이다. 씨 뿌린 지 두 주일이 넘도록 싹이 나오지 않아 웬일인가 했더니 새들이 와서 잘 잡숫고 간 뒤였다. 그제야 농부들이 씨를 뿌릴 때 적어도 세 알 이상씩 심는 뜻을 알 것 같았다. 한 알은 새를 위해, 한 알은 벌레를 위해, 그리고 한 알은 사람을 위해.

워낙 넉넉히 뿌린 탓인지, 새들이 당근씨를 별로 좋아하지 않는 탓인지, 당근 싹은 좀 늦긴 했지만 촘촘하게 돋아났다. 처음엔 그 어렵게 틔워 낸 이쁜 싹들을 솎아 내느니 차라리 잘고 못생긴 당근을 먹는 게 낫다고 그냥 두었다. 그러나 워낙 자라는 속도가 빨라 자리를 잡지 못하고 밀려 나오는 뿌리가 하나둘이 아니었다. 이러다가는 당근 전체가 제대로 자랄 수 없을 것 같았다.

그것을 보면서 식물에게는 적절한 거리라는 것이 매우 중요하다는 생각이 들었다. 사람과 사람 사이에서도 지켜야 할 최소한의 거리가 깨졌을 때 폭력과 환멸이 생겨나는 것처럼, 좁은 땅에 서로 머리를 디밀며 얽혀 있는 그 붉은 뿌리들에서도 어떤 아우성이 들려오는 것 같았다. 내가 그들을 돕는 길은 갈 때마다 조금씩 솎아 주어서 그 아우성을 중재하는 일이었다. 농사를 배운다는 것은 바로 그들의 적절한 '거리'를 익히는 과정이 아닐까.

밭을 일구면서 가장 고민되는 문제가 풀이다. 사람의 손이 미치기 오래전부터 이 둔덕에는 명아주, 저 둔덕에는 개망초, 이 고랑에는 돼지풀, 저 고랑에는 질경이……. 그들이 바로 이 땅의 주인이었던 것이다. 그런데 ⒜달갑지 않은 침입자가 삽과 호미를 들고 나타나 그것도 생명을 키운답시고 원주민을 좇아내니, 사실 원주민 풀들에게는 명목이 서지 않는 노릇이다.

– 나희덕, 「반 통의 물」 –

23. 이 글과 같은 수필에 대한 설명으로 적절하지 <u>않은</u> 것은?

① 가상의 서술자를 내세운다.
② 형식과 표현이 비교적 자유롭다.
③ 작가의 개성과 가치관이 잘 드러난다.
④ 작가가 실제 경험한 것을 바탕으로 한다.

05 예상문제

24. 이 글의 내용과 일치하지 <u>않는</u> 것은?

① 글쓴이는 작년에도 씨를 뿌린 경험이 있다.

② 글쓴이는 당근 농사를 올해 처음 짓고 있다.

③ 글쓴이는 어렵게 틔워낸 싹들이 아까워 끝까지 하나도 솎아 내지 못했다.

④ 글쓴이는 밭을 일구며 풀을 뽑아야 하는 것을 안타까워한다.

25. Ⓐ의 상황과 관련된 한자성어로 가장 적절한 것은?

① 결초보은(結草報恩)

② 사필귀정(事必歸正)

③ 명명백백(明明白白)

④ 주객전도(主客顚倒)

01

정답 및 해설
국어 KOREAN

적중! 모의고사 예상문제

1회 예상문제 · 국어				
1. ③	2. ②	3. ②	4. ②	5. ④
6. ③	7. ①	8. ②	9. ③	10. ④
11. ①	12. ④	13. ①	14. ②	15. ③
16. ③	17. ②	18. ①	19. ①	20. ②
21. ①	22. ②	23. ①	24. ②	25. ④

1. 다만, 'ㄱ, ㅂ' 받침 뒤에서 나는 된소리는, 같은 음절이나 비슷한 음절이 겹쳐 나는 경우가 아니면 된소리로 적지 아니한다.

3. 바닷가는 [바다까 / 바닫까]로, 제삿날은 [제산날]로, 베갯잇은 [베갠닏]으로 발음되며 모두 합성어이다.

4. ②만 주체 높임법, 나머지는 객체 높임법

5. 이 시조의 화자는 임이 오래도록 자신과 시간을 보내기를 소망하고 있다.

6. 이 시조는 공간의 이동에 따라 시상을 전개하고 있지 않다.

7. 니불은 봄바람처럼 따뜻한 이불로 화자가 임과 함께 보낼 행복한 시간을 떠올리게 하는 소재이다.

8. 이 글은 1인칭 주인공 시점이다.

9. 점순이의 키가 자라기를 간절히 바라며 '나' 가 하는 어수룩한 행동들이 웃음을 유발한다.

10. 물을 대신 길어다 준 것은 점순이의 키가 빨리 크기를 바랐기 때문이다.

11. 이 글의 주된 갈등은 성례를 하고 싶어 하는 '나' 와 점순이의 키를 핑계로 대며 이를 계속 미루려는 장인과의 갈등이다.

12. 이 시에서 대립적 이미지의 시어는 보이지 않는다.

14. 진달래꽃은 화자의 사랑과 정성, 분신을 나타낸다.

15. 화자는 4연에서 이별의 고통을 승화하고 있다.

16. 이 글은 파편화된 가족 구성원이 어머니의 죽음을 통해 가족의 진정한 의미와 사랑을 확인해 가는 모습을 그리고 있다.

18. 막과 장으로 구성되는 것은 희곡이다.

19. 중세 국어는 이어적기의 방식을 사용한다.

20. 무·춤:내 제·뜨·들시·러펴·디: 옳·노·미하·니·라·
– '마침내 제 뜻을 능히 펴지 못하는 사람이 많다.'에는 우월 정신이 드러나지 않는다.

21. 의미의 축소에 해당한다.

22. 이 글에서 글쓴이는 서양과 동양의 초상 갈래를 비교하여 측면 상과 정면 상에 대해 설명하고 있다. 따라서 이 글을 어떤 사실에 대하여 객관적인 정보를 제공하고 있는 설명문이라고 할 수 있다.

23. 대상의 인품과 특징을 압축적으로 전해 주는 것은 정면 상에 해당한다. 측면 상은 사람의 측면을 묘사함으로써 인물의 얼굴 특징을 뽑아낸다.

24. (가)에서는 '서양에서는 중세 말에서 르네상스 무렵 이런 프로필 초상화가 많이 그려졌다. 재미있는 사실은 우리나라를 비롯한 동양에서는 프로필 초상화가 거의 발달하지 않았다는 것이다.' 라고 서술하며 서양의 초상 갈래와 동양의 초상 갈래를 차이점을 중심으로 서로 비교하고 있다. 이렇게 둘 이상의 각기 다른 대상을 견주어 차이점을 밝혀내는 방법을 대조라고 한다.

25. (라) : 편의적 봉합 방식을 사용한 이집트 벽화

2회 예상문제 · 국어				
1. ①	2. ③	3. ③	4. ④	5. ②
6. ④	7. ②	8. ①	9. ③	10. ①
11. ③	12. ②	13. ④	14. ②	15. ④
16. ①	17. ③	18. ①	19. ④	20. ②
21. ③	22. ②	23. ④	24. ③	25. ③

1. 염소, 쥐, 양을 제외하고는 '수' 로 쓴다.

2. 중의적 문장 : 둘 이상의 의미로 해석되는 문장
① 아름다운이 바닷가와 마을, 골목길 중에 어떤 것을 수식하는 지에 따라 의미가 다르다.
② 민지가 만난 사람이 영수가 아니다. 또는 민지가 아닌 다른 사람이 영수를 만났다.
④ 내가 축구를 좋아하는 것보다 지성이가 축구를 더 좋아한다. 또는 지성이는 나를 좋아하기 보다는 축구를 더 좋아한다.
③ 초대한 손님이 일부만 왔음을 의미한다.

3. ㉢은 성모와 지수로부터 떨어진 곳이다.

4. ㉣은 고칠 필요가 없다.

5. 가시리에 반어법은 사용되지 않는다.

6. 4연은 재회를 소망하는 자세를 보이는 것이지, 반드시 재회할 수 있다는 믿음을 확고히 드러내는 것은 아니다.

7. ㄱ. 네 개의 연으로 구분된 분연체 형식이므로 적절하다.
ㄴ. 3음보의 율격을 바탕으로 리듬감이 형성된다.
ㄷ. 위 증즐가 대평셩디(大平盛代) : 후렴구를 사용하여 음악적 흥취를 고조시킨다.
ㄹ. '나ᄂᆞᆫ' 이라는 여음은 남는 소리일 뿐, 화자의 정서를 배가시키지 못한다.

8. '가시리' 와 '진달래꽃' 의 화자는 모두 이별을 수용하는 자세를 보인다.

9. 이 글에서 계절의 흐름은 드러나지 않는다.

10. 그런 생각 마오 : 위로의 의도

11. 마음에 맺힌 일이 있다는 것은 임의 곁을 떠나 있어 사랑을 다하지 못한 한의 의미를 가진다.

12. '여인2' 는 자신을 버린 임에 대한 그리움의 정서를 드러내고 있으며, 이 글은 실제 인물들의 모습을 드러낸 수필이 아니다.

13. 하ᄂᆞᆯ히라 원망ᄒᆞ며 사름이라 허믈ᄒᆞ랴 : 하늘을 원망하며 사람을 탓하겠는가 – 자신이 불행한 원인을 임의 주변에 있는 다른 사람들에게 돌리고 있지 않음을 알 수 있다.

14. 총수는 비단잉어를 애지중지하지만 유자는 사람보다 비싼 몸값을 지닌 비단잉어를 못마땅하게 여기는데, 이러한 생각의 차이에서 갈등이 일어나고 있다.

15. 유자는 총수가 다그쳐도 당황하지 않고 여유 있고 침착한 태도로 총수를 비판하고 있다.

16. 총수의 사치와 허영심, 이기심 등을 우스꽝스럽게 비꼬는 말이다.

17. 마땅히 머뭇거리거나 두려워할 상황에서 태도나 기색이 아무렇지도 않은 듯이 예사롭게의 의미를 지닌 '태연하게'

18. (가)에 인류가 미세 플라스틱이라는 새로운 물질을 바다에 섞어 넣었다는 부분을 통해 미세 플라스틱은 자연적으로 생성된 물질이 아님을 알 수 있다.

19. (라)에서는 2차 미세 플라스틱의 정의 및 생성 과정, 비중을 다루고 있다.

20. 1차 미세 플라스틱과 2차 미세 플라스틱의 알갱이의 개수나 양에 대한 내용은 제시되어 있지 않다.

21. ⓐ는 '가치, 명성, 지위, 품질 따위를 낮게 하거나 잃게 하다.' 의 의미로 쓰인 것으로 ③에 쓰인 '떨어뜨리다' 의 의미가 이와 가장 유사하다.

22. 진정한 꿈을 실현하는 길은 여러 갈래로 나 있기 때문에 얼핏 눈에 잘 띄지 않는 비좁은 샛길이라고 설명하고 있다.

23. 진정한 꿈은 직업 그 자체가 아니라 궁극적으로 이루고 싶은 그 무엇, 즉 가치 있는 삶이어야 한다. 이는 공무원으로서 지역 사회와 지역 시민을 위하는 삶, 의사로서 환자의 마음을 살피면서 그들의 삶의 질에 관심을 쏟는 삶 등과 같이 더불어 함께 사는 것의 가치를 중요하게 생각하는 삶이라고 할 수 있다. 나머지는 직업 자체가 꿈이거나 자신의 개인적 삶을 중요시하는 경우이므로 가치 있는 삶과는 거리가 멀다.

24. '혀를 내두르다'는 몹시 놀라거나 어이가 없어서 말을 못하다는 의미이다.

25. 제시된 자료는 기침 예절의 내용을 보기 쉽게 구체적으로 제시하고 있으며, 비유적으로 제시한 것은 아니다. 따라서 독자들의 상상력을 자극하고 있지도 않다.

3회 예상문제 · 국어				
1. ③	2. ④	3. ②	4. ②	5. ④
6. ①	7. ④	8. ①	9. ②	10. ②
11. ③	12. ④	13. ④	14. ①	15. ①
16. ④	17. ②	18. ①	19. ③	20. ④
21. ②	22. ②	23. ③	24. ③	25. ④

1. '덮개'는 음절의 끝소리 규칙에 따라 [덥개]로 바뀐 뒤, 된소리되기 현상이 일어나 [덥깨]로 발음된다. ①은 된소리되기, ②는 비음화, ④는 된소리 되기와 비음화 현상이 나타난다.

3. '① 엊저녁, ③ 깍두기, ④ 넓적하게'로 수정한다.

4. 이 시는 화자의 적극적 저항의지를 보여주는 저항시이다.

5. 노래의 씨를 뿌리겠다는 부분에서 독립투사의 기개와 희생, 선구자적 의지가 보인다.

6. 눈 : 일제강점기 시련과 고난의 현실을 의미한다.

7. 매화 향기는 희망과 의지적 자세를 의미한다.

8. 이 작품은 계월이라는 한 인물을 주인공으로 삼아 그녀의 영웅적 활약상을 그리는 영웅의 일대기적 구성 방식을 취하고 있다.

9. 계월은 보국의 목숨을 구해준 뒤에 본진으로 돌아와 자기 얼굴을 보기 부끄러워하는 보국의 잘못을 꾸짖으며 조롱하고 있다. 따라서 (가)~(다)를 연극으로 만들 때 계월이 부끄러워하는 보국을 위로해 주는 장면을 넣는 것은 적절하지 않다.

10. 여공은 계월이 천자가 중매한 여자이기에 계월을 싫어한다면 해로움이 있을 것이라며 보국을 설득한다. 또, 계월이 영춘을 죽인 것은 영춘의 잘못으로부터 비롯된 것이기 때문에 이에 대해 누구도 책망할 수 없다고 말하며 마음을 변치 말 것을 촉구하고 있다.

11. 계월은 아내라는 가정에서의 역할보다는 천자의 부름을 받고 대원수로 전장에 출정하는 등 자신의 사회적 역할에 충실한 모습을 보여 주고 있다.

12. 조선시대 사대부의 자연 친화적 가치관이 드러난다.

14. 자신의 분수에 만족하는 소박한 삶의 태도를 드러낸다.

15. 강과 산은 집 밖에 둘러두고 보겠다는 자연친화적인 태도가 드러난다.

16. (나)는 국어 발전을 위한 개인의 역할을 강조하며 국어를 사랑하고 국어 발전에 기여하는 태도를 지닐 것을 당부하고 있다. 하지만 전문가의 견해를 제시하고 있지는 않다.

17. (다)는 과도한 신조어와 줄임말, 통신 언어가 넘쳐 나고, 우리말을 무분별하게 변형하여 사용하는 실태를 우려하고 있다.

18. (다)의 3번째 문단을 통해 가상 공간에서 규범에 맞지 않는 언어가 무분별하게 사용될 경우, 의사소통의 단절과 혼란을 불러올 수 있다는 것을 알 수 있다.

19. 줄임말을 사용하는 것은 국어를 변형된 형태로 사용하는 것이기 때문에 국어의 발전에 기여하는 태도로 보기 어렵다.

20. 윤 직원 영감은 일제 강점기 전형적인 지주형 인물이다.

22. (나)에서 알 수 있듯이, 윤 직원은 종학이 경찰서장이 되게끔 아낌없는 후원을 할 정도로 신뢰한다.

23. '부르짖은 적이 있겠다요.', '이미 반세기 전, 그리고 그

것은 당시의 나한테 불리한 세상에 대한 격분된 저주요, 겸하여 웅장한 투쟁의 선언이었습니다.'에서 서술자가 경어체와 판소리 사설 문체를 사용하여 자신의 생각을 드러내는 것을 알 수 있다.

24. 스마트폰 중독의 위험성을 구체적으로 분석하고 있다.

25. 중독 물질에 반복적으로 노출되면, 도파민이 과도하게 분비되어 내성 현상이 생긴다고 하였다.

4회 예상문제 · 국어				
1. ④	2. ①	3. ③	4. ③	5. ④
6. ④	7. ①	8. ③	9. ④	10. ①
11. ②	12. ②	13. ③	14. ④	15. ①
16. ②	17. ③	18. ②	19. ③	20. ④
21. ①	22. ④	23. ③	24. ②	25. ④

1. 다른 화제로의 전환에 어울리는 단어는 '그런데' 이다.

2. (내가) 동생에게 사탕을 빼앗기다 : 피동 표현

3. 〈보기〉의 20항에 의하면 신라는 [실라]가 표준 발음이다.

4. 〈원어〉는 화자가 열차에서 우연히 마주친 동남아 여인들을 몰래 관찰하는 모습을 간결한 문장을 통해 사실적 서술 위주로 전개한 작품이다.

5. 동남아 여인들이 '한국말'을 사용하는 것에서 화자는 그들도 우리 공동체의 일원임을 깨닫고 그들의 모습을 이방인 보듯 호기심 어린 시선으로만 바라보았던 자신의 행동을 반성하며, 그들과 동질성을 느끼게 된다.

6. 먼 산의 나무 우거진 비탈에 산그늘 깊은 것처럼 시적 화자가 알아듣지 못하는 그녀들의 대화에서도 고단한 그녀들의 삶을 발견하게 된다. 그러므로 '산그늘'은 대상에 대한 시적 화자의 연민을 간접적으로 나타내는 시어로 '객관적 상관물'에 해당한다.

7. 화자가 관찰한 동남아인 두 여인은 우리나라 시골로 '시집'온 결혼 이주 여성이다. 그러므로 우리 공동체가 직면한

문제 중 다문화 사회와 관련된 현상에 대한 내용을 담은 작품이다.

8. P가 경제적 성공을 거두었다는 내용은 드러나지 않는다.

9. ⓐ : 이해할 수 없다는 듯

11. 〈보기〉의 내용을 고려했을 때, 이 글은 교육을 한답시고 인간을 소모품으로 만들어 버린 일제의 기만적 행위에 대한 비판을 드러낸다.

12. ① 서민의 언어와 양반의 언어가 섞여 있다.
② 판소리계 소설이므로 소설의 성격인 산문과 판소리의 성격인 운문이 혼합된 문체이다.
③ 이몽룡과 춘향은 초월적 능력이 없다.
④ 시간의 흐름에 따른 순차적 구성이다.

13. ㉮는 반어적 표현이다.

14. ⓐ, ⓑ, ⓒ는 인물의 행동을 서술했으며 ⓓ는 상황에 대한 서술자의 감정이 개입되었다.

15. 16세기 중세 국어는 ㆆ, ㅸ, ㅿ이 사용되지 않는다.

16. 의미의 축소에 해당하는 것은 얼굴 (몸 전체 →낯)이다.

17. 이 글은 효의 본질과 효의 마무리에 대해 설명하고 있다.

19. 말뚝이는 신분상승에 대한 욕구나 신분의 불평등에 대한 불만을 토로하지는 않는다.

20. 전통극은 무대장치를 따로 마련하지 않는다.

21. 행랑채를 수리한 체험에서 비롯된 사유가 '사람의 몸'과 '나라의 정사'로 점차 확대되고 있다.

22. 이 글은 교훈을 전달하려는 의도가 강한 글이다.

23. 이 글은 작은 잘못이라도 그것을 알고 바로 고치지 않으면 큰 문제로 비화되어 낭패를 볼 수 있다는 교훈을 주고 있다.

24. 이 글은 작은 잘못이더라도 그것을 알고 바로 고치지 않으면 더 큰 낭패를 볼 수 있다는 교훈을 준다.

25. 민수는 지원이가 자신의 부탁을 들어주자 맛있는 음식을 사 준다고 말하며 지원이에게 혜택을 주는 표현을 하고 있다.

5회 예상문제 · 국어				
1. ②	2. ②	3. ④	4. ④	5. ①
6. ②	7. ③	8. ①	9. ①	10. ③
11. ①	12. ③	13. ④	14. ②	15. ①
16. ①	17. ①	18. ③	19. ②	20. ④
21. ②	22. ④	23. ①	24. ③	25. ④

1. 이 작품은 눈이 내려 나뭇가지에 눈꽃이 피고, 봄이 되면 실제 꽃이 피는 자연 현상을 통해 첫사랑의 의미를 발견하고 있다.

2. 이 작품은 1연에서 설의법, 2연에서 동일한 시어의 반복, 음성 상징어 사용, 3연에서 비유적 표현을 사용하고 있다. 하지만 특정한 청자를 설정하고 있지는 않다.

3. 이 작품은 첫사랑을 이루기는 어렵지만, 첫사랑의 아픔을 통해 성숙한 사랑을 이룰 수 있다는 점을 드러내고 있다. 시간의 경과를 통해 첫사랑은 아픔이자 상처로 남게 되므로, 시간이 경과하면서 더 깊어지는 첫사랑이라는 설명은 적절하지 않다.

4. 나머지는 모두 '사랑'을 의미하고 ⓓ는 시간의 경과를 의미한다.

5. '아름다운 상처'라고 역설적 표현을 사용한 이유는 사랑은 아름답지만 첫사랑의 상처를 가진 성숙한 사랑이기 때문이다.

6. 허생원이 자신의 인생에 대한 강한 자부심을 가지는 부분은 찾을 수 없다.

7. 화중지병 : 그림의 떡, 충줏집을 두고 한 말이다.

8. 달밤에는 그 여자, 성 서방네 처녀를 떠올리는 허 생원의 모습을 확인할 수 있다.

9. '왼손잡이'는 허생원과 동이가 부자 사이임을 알려주는 소재이다.

10. 소설에는 서술자가 존재하지만 희곡은 인물의 행동과 대사를 통해 이야기가 전달된다.

11. 하인은 무거운 구둣발로 남자를 걷어차는 등 극의 긴장감을 고조시키는 역할을 하는 보조적 인물이다.

12. 여자는 남자가 빈털터리라는 사실에 잠시 갈등하지만, 곧 소유한 모든 것은 잠시 빌린 것에 지나지 않기 때문에 빌린 동안 아꼈다가 되돌려 주겠다는 남자의 말에 설득되어 청혼을 받아들인다.

13. 이 글은 세상에서 빌리지 않은 것이 없다는 소유와 사랑의 의미를 깨닫게 하는 작품이다.

14. 이 글은 소유의 정도를 결혼의 조건으로 생각하던 남자와 여자가 진정한 사랑을 깨닫는 과정을 통해 현대인의 물질 중심적 사고를 비판하는 글이다.

15. (가)의 예 '국물[궁물]', (나)의 예 '설날[설 : 랄]', (다)의 예 '해돋이[해도지]'는 표기와 발음이 다르므로, 음운 변동의 결과가 표기에 반영되지 않음을 알 수 있다.

16. '팥이[파치]'에서 (다)의 구개음화 현상이 나타난다.

17. '신라[실라]'는 '신'의 받침 'ㄴ'이 뒤에 오는 유음 'ㄹ'의 영향을 받아 'ㄹ'로 바뀌는 유음화 현상이 나타난다. 녹말[농말], 접목[점목], 맏나물[만나물]은 모두 ㉠의 비음화 현상이 나타나는 단어이다.

18. '백마강[뱅마강], 강릉[강능], 종로[종노]'는 비음화(㉡)가 일어나고, '만리포[말리포], 대관령[대 : 괄령], 한라산[할 : 라산]'은 유음화(㉢)가 일어난다.

19. 이 글은 주의 집중한 시각적 정보만 받아들이는 뇌의 특성을 설명하고 있다. 이 글에서는 핵심 개념인 무주의 맹시와 관련된 실험을 소개하여 독자의 이해를 돕고 있으며, 적절한 예를 제시하여 어려운 과학적 개념을 쉽게 풀이하고 있다. 그러나 이 글은 특정한 현상이 일어나는 다양한 원인을 분석하고 있지는 않다.

20. 이 글에는 (라)에서 뇌의 정보 처리 전략에 대한 사례가 나타나 있으나, 일상에서 물체를 보면서도 인지하지 못하는 무주의 맹시 현상의 구체적인 사례는 제시되어 있지 않다.

21. 이 글은 설명문으로, 글쓴이가 전달하고자 하는 정보를 중심으로 글을 읽어야 한다. 글쓴이의 주장과 이를 뒷받침하는 근거를 중심으로 글을 읽는 것은 논설문과 같은 글을 읽는 방법으로 적절하다.

22. 이 글에서는 선택과 집중이라는 뇌의 정보 처리 전략을 설명하면서, 이러한 뇌의 전략으로 우리가 정말로 보고 싶은 것만 보고 보기 싫은 것에는 눈을 감는다고 서술하고 있다. 그러나 이는 보기 싫고 흉물스러운 것을 마주할 때 일부러 눈을 감는 행위와는 다른 것이며, 이러한 행위는 무주의 맹시와도 관련이 없다.

23. 이 작품은 수필로 작가가 실제 경험한 것을 바탕으로 하여 작가의 개성과 가치관이 잘 드러난다. 작품 속의 '나'는 작가 자신이므로 가상의 서술자라 할 수 없다.

24. 글쓴이는 당근 싹이 촘촘하게 돋아나자 처음에는 어렵게 틔워낸 싹들을 솎아 내지 못했지만 당근 전체가 자라지 못할 것 같아서 조금씩 솎아 주었다.

25. Ⓐ의 상황은 침입자인 인간이 원주민인 풀을 뽑아내는 상황이므로 '주인과 손의 위치가 서로 뒤바뀐다는 뜻으로, 사물의 경중·선후·완급 따위가 서로 뒤바뀜을 이르는 말.'이라는 뜻의 '주객전도'가 가장 적절하다.
결초보은(結草報恩) : 죽은 뒤에라도 은혜를 잊지 않고 갚음을 이르는 말
사필귀정(事必歸正) : 모든 일은 반드시 바른길로 돌아감
명명백백(明明白白) : 의심할 여지가 없이 아주 뚜렷함

02

수학
MATHEMATICS

적중! 모의고사 예상문제

01 예상문제

1. 두 다항식 $A = 2x^2 + 3$, $B = 4x^2 + 1$에 대하여 $A + B$는?

   ① $-2x^2 + 2$ ② $6x^2 + 4$

   ③ $2x^2 - 3$ ④ $6x^2 + 3$

2. 두 다항식 $A = 3x + 7$, $B = 2x + 5$에 대하여 $A - B$는?

   ① $x + 2$ ② $x + 9$

   ③ $5x - 2$ ④ $5x + 12$

3. 두 다항식 $A = 2x$, $B = 3x - 2$에 대하여 AB는?

   ① $5x - 2$ ② $6x^2 - 4x$

   ③ $3x - 4$ ④ $6x^2 - 4$

4. 두 다항식 $A = x - 2$, $B = 2x - 3$에 대하여 $AB = 2x^2 + ax + b$일 때, $a + b$의 값은?(단, a, b는 실수)

   ① -1 ② -2

   ③ -3 ④ -4

5. 다음 중 x에 대한 항등식은?

   ① $x - 2 = x + 2$ ② $x = 3$

   ③ $x^2 - 1 = (x - 1)(x + 1)$ ④ $x^2 - 1 = x - 1$

6. 다음 중 x에 대한 항등식이 <u>아닌</u> 것은?

① $(x+1)^2 = x^2 + 2x + 1$ ② $2x - 2 = 2(x-1)$

③ $(x+3)(x-3) = x^2 - 9$ ④ $(x+2)^2 = x^2 + 4$

7. 다항식 $2x^2 + 3x + 1$을 $x - 1$로 나누었을 때, 나머지는?

① 4 ② 5

③ 6 ④ 7

8. 다항식 $x^2 + 2x + k$가 $x - 2$로 나누어떨어질 때, k의 값은?

① 8 ② -8

③ 0 ④ 4

9. $(1+2i)+(3+4i)$를 계산하면? (단, $i = \sqrt{-1}$)

① $3 + 5i$ ② $-2 + 6i$

③ $4 + 6i$ ④ $3 + 8i$

10. $(6+4i)-(2+3i) = a + bi$를 만족하는 두 실수 a, b에 대하여 $a + b$의 값은? (단, $i = \sqrt{-1}$)

① 5 ② -1

③ 11 ④ 3

01 예상문제

11. 이차방정식 $x^2 - 11x + 18 = 0$의 근을 구하면?

① $x = 2$ 또는 $x = 9$　　　　② $x = -2$ 또는 $x = -9$

③ $x = 3$ 또는 $x = 6$　　　　④ $x = -3$ 또는 $x = -6$

12. 이차방정식 $x^2 + 6x + k + 1 = 0$이 중근을 가질 때, k의 값은?

① 16　　　　　　　　② 3

③ 8　　　　　　　　④ 9

13. $0 \le x \le 2$인 범위에서 이차함수 $y = (x + 1)^2 + 2$의 최댓값과 최솟값의 합은?

① 3　　　　　　　　② 5

③ 11　　　　　　　　④ 14

14. $0 \le x \le 3$일 때, 이차함수 $y = x^2 - 2x + 3$의 최댓값과 최솟값의 합은?

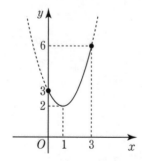

① 2

② 4

③ 6

④ 8

15. 연립방정식 $\begin{cases} x + y = 7 \\ xy = a \end{cases}$의 해가 $x = 2$, $y = b$라고 할 때, $a + b$의 값은?

① 15　　　　　　　　② 14

③ 13　　　　　　　　④ 12

16. 연립방정식 $\begin{cases} x - y = 1 \\ xy = a \end{cases}$ 를 만족하는 해가 $x = 3$, $y = b$일 때, a, b의 값을 구하면?

① $a = 2$, $b = 5$　　　　　　② $a = 6$, $b = 2$

③ $a = 3$, $b = 8$　　　　　　④ $a = 15$, $b = 6$

17. 이차부등식 $(x - 2)(x - 9) > 0$의 해는?

①
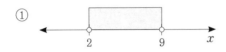

②
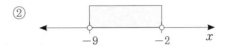

③

④

18. 이차부등식 $x^2 - x - 6 \leq 0$의 해는?

①
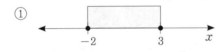

②
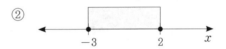

③

④

19. 좌표평면 위의 두 점 $A(1, 1)$, $B(3, 5)$에 대하여 선분 AB의 중점의 좌표는?

① $(1, 2)$　　　　　　② $(2, 3)$

③ $(2, 2)$　　　　　　④ $(4, 6)$

20. 좌표평면 위의 두 점 $A(2, 3)$, $B(5, 7)$에 대하여 선분 AB의 길이는?

① $3\sqrt{2}$　　　　　　② $\sqrt{10}$

③ 5　　　　　　④ 9

02 예상문제

1. 직선 $y = 4x + 1$에 평행인 직선의 방정식은?

① $y = -4x$ ② $y = -\dfrac{1}{4}x$

③ $y = 4x$ ④ $y = \dfrac{1}{4}x$

2. 직선 $y = -3x$에 수직인 직선의 방정식은?

① $y = -3x - 1$ ② $y = 3x - 1$

③ $y = \dfrac{1}{3}x - 1$ ④ $y = -\dfrac{1}{3}x - 1$

3. 중심의 좌표가 $(-2,\ 1)$이고 반지름이 2인 원의 방정식은?

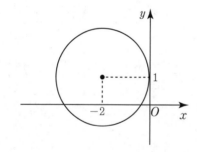

① $(x + 2)^2 + (y - 1)^2 = 4$
② $(x - 2)^2 + (y + 1)^2 = 4$
③ $(x + 2)^2 + (y - 1)^2 = 2$
④ $(x - 2)^2 + (y + 1)^2 = 2$

4. 중심의 좌표가 $(2,\ 1)$이고 x축에 접하는 원의 방정식은?

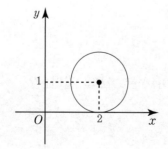

① $(x + 2)^2 + (y - 1)^2 = 4$
② $(x - 2)^2 + (y + 1)^2 = 4$
③ $(x + 2)^2 + (y - 1)^2 = 1$
④ $(x - 2)^2 + (y - 1)^2 = 1$

5. 좌표평면 위의 점 $(4, 5)$를 x축에 대하여 대칭이동한 점의 좌표는?

① $(-4, -5)$ ② $(-4, 5)$

③ $(5, 4)$ ④ $(4, -5)$

6. 좌표평면 위의 점 $(-3, -5)$를 y축에 대하여 대칭이동한 점의 좌표는?

① $(3, -5)$ ② $(-3, -5)$

③ $(-3, 5)$ ④ $(-5, -3)$

7. 두 집합 $A = \{1, 2, 3, 4\}$, $B = \{3, 4, 5, 6\}$에 대하여 $A \cup B$는?

① $\{1, 2\}$ ② $\{5, 6\}$

③ $\{3, 4\}$ ④ $\{1, 2, 3, 4, 5, 6\}$

8. 두 집합 $A = \{1, 2, 3\}$, $B = \{3, 4\}$에 대하여 교집합 $A \cap B$의 값은?

① $\{1, 2, 3, 4\}$ ② $\{3\}$

③ $\{4\}$ ④ $\{1, 2\}$

9. 명제 "$x = 1$이면 $x^2 = 1$이다."의 역은?

① $x^2 = 1$이면 $x = 1$이다.

② $x = 1$이면 $x^2 = 1$이다.

③ $x \neq 1$이면 $x^2 \neq 1$이다.

④ $x^2 \neq 1$이면 $x \neq 1$이다.

02 예상문제

10. 명제 "x가 5의 배수이면 x는 10의 배수이다."의 대우는?

① x가 5의 배수이면 x는 10의 배수가 아니다.

② x가 5의 배수가 아니면 x는 10의 배수가 아니다.

③ x가 10의 배수가 아니면 x는 5의 배수가 아니다.

④ x가 10의 배수이면 x는 5의 배수이다.

11. 함수 $f : X \to Y$ 가 다음 그림과 같을 때, $f(2)$의 값은?

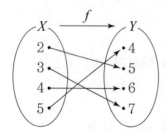

① 10

② 9

③ 7

④ 5

12. 두 함수 $f : X \to Y$, $g : Y \to Z$가 다음과 같을 때, $(g \circ f)(1)$의 값은?

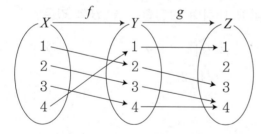

① 1

② 2

③ 3

④ 4

13. 유리함수 $y = \dfrac{1}{x}$의 그래프를 x축의 방향으로 1만큼, y축의 방향으로 2만큼 평행이동한 함수식은?

① $y = \dfrac{1}{x-1} + 2$

② $y = \dfrac{1}{x-1} - 2$

③ $y = \dfrac{1}{x+1} + 2$

④ $y = \dfrac{1}{x+1} - 2$

14. 다음 그래프에 해당하는 분수함수식은?

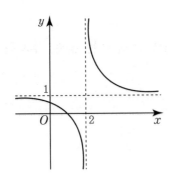

① $y = \dfrac{1}{x-1} + 2$

② $y = \dfrac{-1}{x-1} + 2$

③ $y = \dfrac{1}{x-2} + 1$

④ $y = \dfrac{-1}{x-2} - 2$

15. 무리함수 $y = \sqrt{x}$ 의 그래프를 x축의 방향으로 2만큼, y축의 방향으로 3만큼 평행이동한 함수식은?

① $y = \sqrt{x+2} + 3$

② $y = \sqrt{x-2} + 3$

③ $y = \sqrt{x-2} - 3$

④ $y = \sqrt{x+2} - 3$

16. $y = \sqrt{x}$ 가 다음과 같이 평행이동 하였을 때, 올바른 무리함수식은?

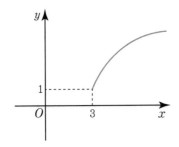

① $y = \sqrt{x-3} + 1$

② $y = \sqrt{x+3} + 1$

③ $y = \sqrt{x-3} - 1$

④ $y = \sqrt{x+3} - 1$

17. 그림과 같이 A도시에서 B도시로 가는 길은 4가지이고, B도시에서 C도시로 가는 길은 3가지이다. A도시를 출발하여 B도시를 거쳐 C도시로 가는 경우의 수를 구하면?

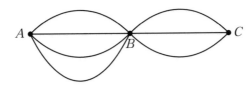

① 7

② 10

③ 12

④ 15

02 예상문제

18. A, B 두 개의 주사위를 동시에 던질 때, 주사위 A의 눈의 수는 홀수, 주사위 B의 눈의 수는 짝수가 나오는 경우의 수는?

① 3

② 6

③ 9

④ 12

19. $_5P_2$ 를 계산하면?

① 10

② 15

③ 20

④ 25

20. $_{10}C_2$ 를 계산하면?

① 30

② 45

③ 90

④ 120

03 예상문제

1. 두 다항식 $A = 2x^2 + 3x$, $B = x^2 + 2x$ 에 대하여 $2A+3B$는?

① $7x^2 + 4x$

② $3x^2 + 5x$

③ $7x^2 + 12x$

④ $x^2 + 3x$

2. $A = 2x + 1$, $B = x + 2$ 에 대하여 $2A-B$는?

① $3x$

② $5x + 4$

③ $3x + 3$

④ $x - 1$

3. $(2x-1)(5x+2)$를 계산하면?

① $10x^2 + 8x - 2$

② $10x^2 - x - 2$

③ $10x^2 - 4x + 2$

④ $7x^2 + 9x + 1$

4. $(x - 4)^2$을 전개하면?

① $x^2 - 8x - 16$

② $x^2 - 8x + 16$

③ $x^2 + 8x + 16$

④ $x^2 - 16$

5. 등식 $(2x+1)(x+3) = 2x^2 + ax + b$ 는 x에 대한 항등식이다. 두 상수 a, b에 대하여 $a+b$의 값은?

① 3

② 5

③ 1

④ 10

03 예상문제

6. 등식 $(x+3)^2 = (x-1)^2 + 8(x-1) + a$는 x에 대한 항등식이다. 상수 a의 값은?

① 3

② 9

③ 16

④ 25

7. 다항식 $x^2 + 3x + k$를 $x-1$로 나눈 나머지가 7일 때, k의 값은?

① 3

② 2

③ 9

④ 10

8. 다음 다항식 중 $x-2$로 나누어떨어지는 식은?

① $x^2 + 3x + 1$

② $x^2 - 3x + 2$

③ $3x^2 - 1$

④ $x^2 - 4x + 2$

9. 실수 a, b에 대하여 $(a+1) + (b+2)i = 0$이 성립할 때, $a+b$의 값은? (단, $i = \sqrt{-1}$)

① 2

② 3

③ -2

④ -3

10. 복소수 $6 - 2i$의 켤레복소수를 $a + bi$라 할 때, $a+b$의 값은? (단, $i = \sqrt{-1}$)

① -4

② 4

③ 8

④ 12

11. 이차방정식 $x^2 - 2x + 3 = 0$의 두 근을 α, β라 할 때, $\alpha\beta$의 값은?

① 5   ② 2

③ −2   ④ 3

12. 이차방정식 $x^2 + 4x + 5 = 0$의 두 근을 α, β라 할 때, $\alpha + \beta$의 값은?

① 3   ② 2

③ −4   ④ 5

13. 이차방정식 $2x^2 - 5x + a = 0$의 한 근이 1일 때, 상수 a의 값은?

① 2   ② 3

③ 4   ④ 5

14. 이차함수 $y = x^2 + 8x + 17$의 꼭짓점의 좌표는?

① $(-4, \ -1)$ ② $(4, \ 1)$

③ $(4, \ -1)$ ④ $(-4, \ 1)$

15. 이차함수 $y = x^2 - 6x + 5$는 $x = a$에서 최솟값 -4를 갖는다. a의 값은?

① 3   ② 2

③ 4   ④ 6

16. 연립방정식 $\begin{cases} x + y = 6 \\ 2x - y = 6 \end{cases}$ 을 만족하는 x, y에 대하여 $x - y$의 값은?

① 0   ② 2

③ 6   ④ 8

03 예상문제

17. 그림은 이차부등식의 해를 수직선을 이용하여 나타낸 것이다. 알맞은 이차부등식은?

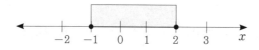

① $(x+1)(x-2) \leq 0$ ② $(x+1)(x-2) \geq 0$

③ $(x-1)(x+2) \leq 0$ ④ $(x-1)(x+2) \geq 0$

18. 이차부등식 $|x| < 3$의 해는?

①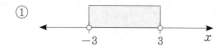

②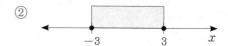

③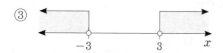

④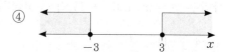

19. 좌표평면 위의 두 점 $A(2, 3)$, $B(5, 9)$에 대하여 선분 AB를 $2:1$로 내분하는 점의 좌표는?

① $(2, 1)$ ② $(5, 2)$

③ $(4, 7)$ ④ $(3, 7)$

20. 좌표평면 위의 두 점 $A(1, 1)$, $B(3, 5)$에 대하여 선분 AB를 $3:1$로 외분하는 점의 좌표는?

① $(1, 2)$ ② $(4, 7)$

③ $(2, 2)$ ④ $(5, 3)$

04 예상문제

1. 다음 그래프의 방정식으로 옳은 것은?

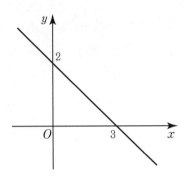

① $y = \dfrac{2}{3}x + 2$

② $y = -\dfrac{2}{3}x + 2$

③ $y = 2x + 3$

④ $y = 3x + 2$

2. 다음 그래프의 방정식으로 옳은 것은?

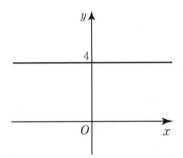

① $y = 4$

② $y = -4$

③ $x = 4$

④ $x = -4$

3. 중심의 좌표가 $(-2, \ -3)$이고 y축에 접하는 원의 방정식은?

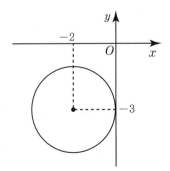

① $(x + 2)^2 + (y + 3)^2 = 4$

② $(x - 2)^2 + (y + 3)^2 = 4$

③ $(x + 2)^2 + (y - 3)^2 = 9$

④ $(x - 1)^2 + (y - 2)^2 = 9$

04 예상문제

4. 그림과 같이 중심이 $(3, 2)$이고 원점을 지나는 원의 방정식은?

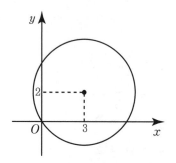

① $(x - 3)^2 + (y - 2)^2 = 4$

② $(x - 2)^2 + (y - 3)^2 = 9$

③ $(x - 3)^2 + (y - 2)^2 = 13$

④ $(x - 2)^2 + (y - 3)^2 = 25$

5. 좌표평면 위의 점 $(6, 2)$를 원점에 대하여 대칭이동한 점의 좌표는?

① $(6, -2)$

② $(-6, -2)$

③ $(-6, 2)$

④ $(2, 6)$

6. 좌표평면 위의 점 $(9, 2)$를 $y = x$에 대하여 대칭이동한 점의 좌표는?

① $(-9, -2)$

② $(-9, 2)$

③ $(2, 9)$

④ $(9, -2)$

7. 좌표평면 위의 점 $(-4, 0)$을 x축의 방향으로 5만큼, y축의 방향으로 2만큼 평행이동한 점의 좌표는?

① $(-6, -2)$

② $(1, 5)$

③ $(2, 6)$

④ $(1, 2)$

8. 두 집합 $A = \{1, 2, 3, 4, 5\}$, $B = \{1, 3, 5, 7, 9\}$에 대하여 $n(A-B)$를 구하면?

① 1

② 2

③ 3

④ 4

9. 전체집합 $U = \{1, 2, 3, 4, 5, 6\}$과 그 부분집합 $A = \{3, 4, 5, 6\}$에 대하여 A^c
은?

① $\{1, 2\}$ ② $\{5, 6\}$

③ $\{3, 4\}$ ④ $\{1, 2, 3, 4, 5, 6\}$

10. 다음 중 명제인 것은?

① $x + 1 = 5$이다.

② 이번 시험은 쉽다.

③ 수학선생님은 멋지다.

④ 3은 홀수이다.

11. 명제 '$a = b$이면 $|a| = |b|$이다.'가 참일 때, 항상 참인 명제는?

① $|a| \neq |b|$이면 $a \neq b$이다.

② $a \neq b$이면 $|a| \neq |b|$이다.

③ $|a| = |b|$이면 $a = b$이다.

④ $|a| \neq |b|$이면 $a = b$이다.

12. 다음 중 함수가 <u>아닌</u> 것은?

①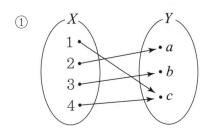
②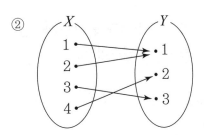
③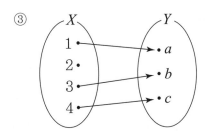
④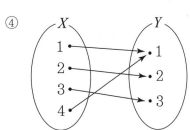

04 예상문제

13. 다음 그래프 중 함수의 그래프가 <u>아닌</u> 것은?

①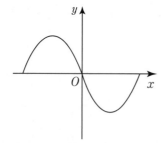

②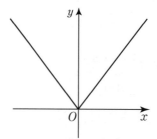

③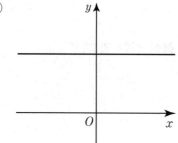

④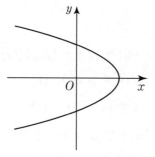

14. 함수 $f : X \to Y$가 그림과 같을 때, $(f \circ f^{-1})(6)$의 값은?
(단, f^{-1}는 f의 역함수이다.)

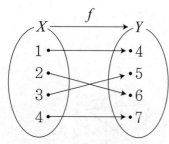

① 6

② 5

③ 4

④ 3

15. 함수 $y = \dfrac{-1}{x+2} + 1$의 그래프의 개형은?

①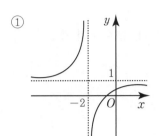

②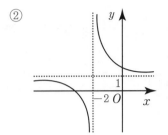

③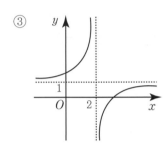

④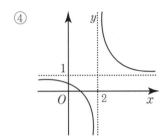

16. 분수함수 $y = \dfrac{4}{x+1} + 1$의 그래프가 점 $(1, k)$를 지날 때, 실수 k의 값은?

① 4　　　② 3　　　③ 2　　　④ 1

17. 다음 중 무리함수 $y = \sqrt{x+1} - 1$의 그래프는?

①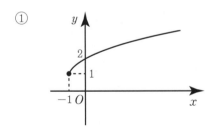

②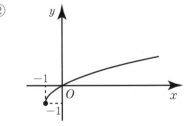

③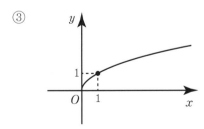

④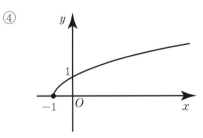

04 예상문제

18. 무리함수 $y = \sqrt{2x + 6}$의 그래프가 점 $(5,\ k)$를 지날 때, 실수 k의 값은?

① 16   ② 2

③ 3   ④ 4

19. 10명으로 구성되어 있는 모임에서 회장, 총무를 선출하는 경우의 수는?

① 30   ② 45

③ 90   ④ 120

20. 6종류의 과일 중 2종류의 과일을 선택하는 경우의 수는?

① 30   ② 25

③ 20   ④ 15

05 예상문제

1. 다항식 $(2x^2 + 4) - (3x^2 - 1)$을 계산하면?

① $-x^2 + 3$ ② $-x^2 + 5$

③ $5x^2 + 3$ ④ $5x^2 + 5$

2. 다음 다항식의 계산 중 옳지 <u>않은</u> 것은?

① $(x + 5)(x - 5) = x^2 - 25$

② $(x + 1)^2 = x^2 + 1$

③ $(2x + 1) + (2x - 1) = 4x$

④ $2x(x - 3) = 2x^2 - 6x$

3. 등식 $(x - 2)^2 = (x - 3)^2 + 2(x - 3) + a$는 x에 대한 항등식이다. 상수 a의 값은?

① 1   ② 2

③ 3   ④ 4

4. 그림은 조립제법을 이용하여 $2x^3 + 3x^2 + 2x - 4$를 $x - 1$로 나눈 몫과 나머지를 구하는 과정이다. 이 때, 나머지 R의 값은?

$$
\begin{array}{r|rrrr}
1 & 2 & 3 & 2 & -4 \\
  &   & 2 & 5 & 7 \\
\hline
  & 2 & 5 & 7 & \boxed{R}
\end{array}
$$

① 11

② 3

③ -3

④ -11

5. $2i(1 + 2i) = a + bi$일 때, 실수 $a + b$의 값은? (단, $i = \sqrt{-1}$)

① -5 ② -2

③ 2   ④ 5

05 예상문제

6. 이차방정식 $x^2 - 6x + 4 = 0$의 두 근을 α, β라고 할 때, $\alpha^2 + \beta^2$의 값은?

① 36

② 28

③ 30

④ 9

7. $0 \leq x \leq 3$일 때, 이차함수 $y = 2(x-1)^2 - 3$의 최댓값과 최솟값의 합은?

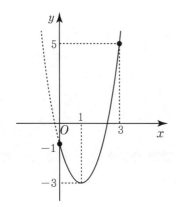

① 5

② -1

③ 2

④ 4

8. 이차부등식 $|x - 1| \geq 4$의 해는?

①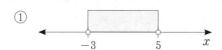

②

③

④

9. 방정식 $x^3 - 2x^2 - 3x + a = 0$의 한 근이 $x = 1$일 때, a 값을 구하면?

① $a = 1$

② $a = 2$

③ $a = 3$

④ $a = 4$

10. 좌표평면 위의 두 점 $A(4, 2)$, $B(12, 14)$에 대하여 선분 AB의 중점 M의 좌표는?

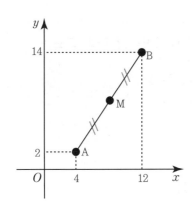

① $(8, 12)$

② $(6, 30)$

③ $(8, 8)$

④ $(16, 16)$

11. 좌표평면 위의 두 점 $A(-2, 2)$, $B(-5, 4)$에 대하여 선분 AB의 길이는?

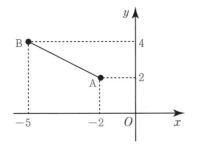

① 1

② $\sqrt{13}$

③ $\sqrt{7}$

④ 3

12. 직선 $4x + 2y + 1 = 0$에 수직이고 원점을 지나는 직선의 방정식은?

① $y = -4x$

② $y = \dfrac{1}{4}x$

③ $y = -2x$

④ $y = \dfrac{1}{2}x$

13. 그림과 같이 중심이 $(3, 4)$이고 $(-1, 1)$을 지나는 원의 방정식은?

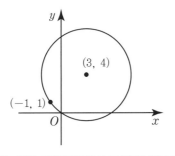

① $(x - 3)^2 + (y - 4)^2 = 9$

② $(x - 3)^2 + (y - 4)^2 = 25$

③ $(x + 3)^2 + (y + 4)^2 = 25$

④ $(x + 1)^2 + (y - 1)^2 = 9$

05 예상문제

14. 좌표평면 위의 점 $(-3, -1)$을 $y = x$에 대하여 대칭이동한 점의 좌표는?

① $(-1, -3)$ ② $(-3, 1)$

③ $(3, 1)$ ④ $(3, -1)$

15. 전체집합 $U = \{1, 2, 3, 4, 5, 6, 7, 8\}$과 그 부분집합
$A = \{x \,|\, x$는 8이하 소수$\}$에 대하여 A^c은?

① $\{1, 4, 6, 8\}$ ② $\{5, 6\}$

③ $\{4, 6, 8\}$ ④ $\{2, 3, 5, 7\}$

16. 다음 명제 중 참인 것은?

① $1 - 4 = 3$이다.

② 음수의 제곱은 양수이다.

③ 두 홀수의 곱은 짝수이다.

④ $3 < 1$이다.

17. 두 함수 $f : X \to Y$, $g : Y \to Z$가 다음과 같을 때, $(g \circ f)(2)$의 값은?

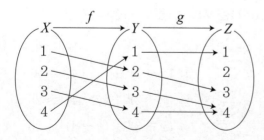

① 1

② 2

③ 3

④ 4

18. 다음 그래프에 해당하는 분수함수식은?

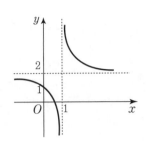

① $y = \dfrac{1}{x-1} + 2$

② $y = \dfrac{-1}{x-1} + 2$

③ $y = \dfrac{1}{x+2} + 1$

④ $y = \dfrac{-1}{x+2} + 1$

19. $y = \sqrt{x}$ 가 다음과 같이 평행이동 하였을 때, 올바른 무리함수식은?

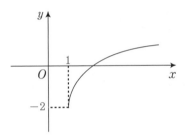

① $y = \sqrt{x-2} + 1$

② $y = \sqrt{x-1} - 2$

③ $y = \sqrt{x+1} + 2$

④ $y = \sqrt{x-1} + 2$

20. 숫자 카드 ①, ②, ③, ④, ⑤가 한 장 씩 있다. 이 5장의 카드 중 2장을 사용하여 만들 수 있는 2자리 정수의 개수는?

① 20

② 10

③ 7

④ 2

02

정답 및 해설
수학 MATHEMATICS

적중! 모의고사 예상문제

1회 예상문제 · 수학				
1. ②	2. ①	3. ②	4. ①	5. ③
6. ④	7. ③	8. ②	9. ③	10. ①
11. ①	12. ③	13. ④	14. ④	15. ①
16. ②	17. ③	18. ①	19. ②	20. ③

1. 동류항끼리 계산한다.
$A + B = (2x^2 + 3) + (4x^2 + 1) = 6x^2 + 4$

2. 마이너스를 분배 후 동류항끼리 계산한다.
$A - B = (3x + 7) - (2x + 5) = 3x + 7 - 2x - 5 = x + 2$

3. 전개한다.
$AB = 2x(3x - 2) = 6x^2 - 4x$

4. 전개한다.
$AB = (x - 2)(2x - 3) = 2x^2 - 3x - 4x + 6 = 2x^2 - 7x + 6$이므로 $a = -7$, $b = 6$이다.
$a + b = -1$

5. x 값에 관계없이 항상 성립하는 식이 항등식이다.
③ $x^2 - 1 = (x - 1)(x + 1)$은 항상 성립한다.

6. x 값에 관계없이 항상 성립하는 식이 항등식이다.
④ $(x + 2)^2 = x^2 + 4$는 항상 성립하지 않는다.

7. 다항식 $P(x)$를 $x - a$로 나눈 나머지는 $P(a)$이다.
다항식 $2x^2 + 3x + 1$에 $x = 1$을 대입하면
$2 \times (1)^2 + 3 \times (1) + 1 = 6$ 이다.

8. 나누어떨어진다. = 나머지가 0이다.
다항식 $x^2 + 2x + k$에 $x = 2$를 대입하면
$(2)^2 + 2 \times (2) + k = 0$이므로 $k = -8$이다.

9. 실수부분은 실수부분끼리 허수부분은 허수부분끼리 계산한다. $(1 + 2i) + (3 + 4i) = 4 + 6i$ 이다.

10. 마이너스를 분배 후 실수부분은 실수부분끼리 허수부분은 허수부분끼리 계산한다. $(6 + 4i) - (2 + 3i) = 6 + 4i$

$- 2 - 3i = 4 + i$이므로 $a = 4$, $b = 1$이다. $a + b = 5$

11. 인수분해 후 두 근을 찾는다.
$x^2 - 11x + 18 = (x - 2)(x - 9) = 0$의 두 근은 ①
$x = 2$ 또는 $x = 9$ 이다.

12. 판별식 $D = 0$을 이용하여 구하거나 완전제곱식을 이용한다. 이차방정식 $x^2 + 6x + k + 1 = 0$이 중근을 갖기 위한 조건은 판별식 $D = 6^2 - 4 \times 1 \times (k + 1) = 0$이어야 한다. 따라서 $k = 8$이다.

13. 주어진 범위를 대입한 함숫값 중에 가장 큰 값과 가장 작은 값을 찾는다. $0 \leq x \leq 2$인 범위에서
이차함수 $y = (x + 1)^2 + 2$는 $x = 0$일 때, 최솟값 3을 $x = 2$일 때, 최댓값 11을 갖는다.
따라서 최댓값과 최솟값의 합은 14이다.

14. 주어진 범위를 대입한 함숫값 중에 가장 큰 값과 가장 작은 값을 찾는다. $0 \leq x \leq 3$일 때,
이차함수 $y = x^2 - 2x + 3$은 $x = 3$일 때, 최댓값 6을 $x = 1$일 때, 최솟값 2를 갖는다.
따라서 최댓값과 최솟값의 합은 8이다.

15. 해가 주어진 연립방정식은 주어진 해를 문제에 대입하여 푼다. $x = 2$, $y = b$를 주어진 연립방정식에 대입하면
$\begin{cases} 2 + b = 7 \\ 2 \times b = a \end{cases}$이므로 $b = 5$이고, $a = 10$이다.
따라서 $a + b = 15$이다.

16. 해가 주어진 연립방정식은 주어진 해를 문제에 대입하여 푼다.
주어진 연립방정식 $\begin{cases} x - y = 1 \\ xy = a \end{cases}$에
$x = 3$, $y = b$를 대입하면 $\begin{cases} 3 - b = 1 \\ 3 \times b = a \end{cases}$이므로
$b = 2$이고, $a = 6$이다.

17. $(x - \alpha)(x - \beta) > 0$의 해는 $x < \alpha$ 또는 $x > \beta$이다. 주어진 이차부등식 $(x - 2)(x - 9) > 0$의 해는 $x < 2$ 또는 $x > 9$이다.

18. $(x - \alpha)(x - \beta) \leq 0$의 해는 $\alpha \leq x \leq \beta$이다. 이

차부등식 $x^2 - x - 6 \leq 0$을 인수분해하면
$(x + 2)(x - 3) \leq 0$이므로 주어진 부등식의 해는
$-2 \leq x \leq 3$이다.

19. $A(x_1, y_1)$, $B(x_2, y_2)$일 때, 두 점의 중점 공식
$\left(\dfrac{x_1 + x_2}{2}, \dfrac{y_1 + y_2}{2} \right)$,
$A(1, 1), B(3, 5)$일 때,
선분 AB의 중점의 좌표는
$\left(\dfrac{1 + 3}{2}, \dfrac{1 + 5}{2} \right) = (2, 3)$이다.

20. $A(x_1, y_1)$, $B(x_2, y_2)$일 때, 선분 AB의 길이 공식
$\sqrt{(x_2 - x_1)^2 + (y_2 - y_1)^2}$
두 점 $A(2, 3), B(5, 7)$에 대하여 선분 AB의 길이는
$\sqrt{(5 - 2)^2 + (7 - 3)^2} = \sqrt{25} = 5$이다.

2회 예상문제 · 수학

1. ③	2. ③	3. ①	4. ④	5. ④
6. ①	7. ④	8. ②	9. ①	10. ③
11. ④	12. ③	13. ①	14. ③	15. ②
16. ①	17. ③	18. ③	19. ③	20. ②

1. 두 직선이 서로 평행 : 직선의 기울기가 같다.
$y = 4x + 1$에 평행인 직선의 기울기는 4이다.

2. 두 직선이 서로 수직 : 직선의 기울기가 서로
부호반대, 역수
$y = -3x$에 수직인 직선의 기울기는 $\dfrac{1}{3}$이다.

3. 중심의 좌표가 (a, b)이고, 반지름의 길이가 r인
원의 방정식은 $(x - a)^2 + (y - b)^2 = r^2$이다.
중심이 $(-2, 1)$이고 반지름이 2인 원의 방정식은
$(x + 2)^2 + (y - 1)^2 = 4$이다.

4. x축에 접하는 원의 반지름의 길이는 중심의 y값이다.
따라서 중심이 $(2, 1)$이고 반지름의 길이가 1이므로
$(x - 2)^2 + (y - 1)^2 = 1$이다.

5. (x, y)를 x축에 대하여 대칭이동한 점의 좌표는 $(x, -y)$

이다.
점 $(4, 5)$를 x축에 대하여 대칭이동한 점의 좌표는 $(4, -5)$이다.

6. (x, y)를 y축에 대하여 대칭이동한 점의 좌표는 $(-x, y)$이다.
점 $(-3, -5)$를 y축에 대하여 대칭이동한 점의 좌표는 $(3, -5)$이다.

7. $A \cup B$는 A 또는 B에 있는 모든 원소
두 집합 $A = \{1, 2, 3, 4\}$, $B = \{3, 4, 5, 6\}$에 대하여
$A \cup B$는 $\{1, 2, 3, 4, 5, 6\}$이다.

8. $A \cap B$는 A와 B에 동시에 있는 원소
$A = \{1, 2, 3\}$, $B = \{3, 4\}$에 대하여 $A \cap B$는
$\{3\}$이다.

9. 명제 'p이면 q이다'의 역은 'q이면 p이다'. (자리바꿈)
"$x = 1$이면 $x^2 = 1$이다."의 역은 "$x^2 = 1$이면
$x = 1$이다." 이다.

10. 명제 'p이면 q이다'의 대우는 '$\sim q$이면 $\sim p$이다'.
(자리바꿈 + 부정) 'x가 5의 배수이면 x는 10의 배수이다.'
의 대우는 'x가 10의 배수가 아니면 x는 5의 배수가 아니다.' 이다.

11. 대응표에서 함숫값은 X의 원소에 연결된 Y의 원소를 찾는다. $f(2) = 5$이다.

12. 합성함수 $(g \circ f)(a) = g(f(a))$이다.
$(g \circ f)(1) = g(f(1)) = g(2) = 3$이다.

13. 함수 $y = f(x)$를 x축의 방향으로 a만큼 y축의 방향으로 b만큼 평행이동한 함수식은 $y = f(x - a) + b$ 이다.
따라서 함수 $y = \dfrac{1}{x}$의 그래프를 x축의 방향으로 1만큼,
y축의 방향으로 2만큼 평행이동한 함수식은
$y = \dfrac{1}{x - 1} + 2$ 이다.

14. $x = p$, $y = q$를 점근선으로 하는 분수함수식은
$y = \dfrac{a}{x - p} + q$ 이다.
주어진 그래프의 점근선은 $x = 2$, $y = 1$이므로 분수함수식

은 $y = \dfrac{a}{x-2} + 1$이고 점근선 기준 제 1, 3사분면 방향에 쌍곡선이 있으므로 a의 부호는 양수이다.

15. 함수 $y = f(x)$를 x축의 방향으로 a만큼, y축의 방향으로 b만큼 평행이동한 함수식은 $y = f(x-a) + b$이다.
무리함수 $y = \sqrt{x}$의 그래프를 x축의 방향으로 2만큼, y축의 방향으로 3만큼 평행이동한 함수식은
$y = \sqrt{x-2} + 3$이다.

16. 주어진 그래프는 $y = \sqrt{x}$를 x축의 방향으로 3만큼, y축의 방향으로 1만큼 평행이동한 그래프이다.
따라서 $y = \sqrt{x-3} + 1$이다.

17. 사건 A가 일어날 경우의 수가 m이고, 사건 B가 일어날 경우의 수가 n이면 두 사건이 동시에 일어날 사건의 경우의 수는 $m \times n$이다. A도시를 출발하여 B도시를 거쳐 C도시로 가는 경우의 수는 $4 \times 3 = 12$이다.

18. 사건 A가 일어날 경우의 수가 m이고, 사건 B가 일어날 경우의 수가 n이면 두 사건이 동시에 일어날 사건의 경우의 수는 $m \times n$이다.
두 개의 주사위를 동시에 던질 때, 주사위 A의 눈의 수는 홀수, 주사위 B의 눈의 수는 짝수가 나오는 경우의 수는 $3 \times 3 = 9$이다.

19. $_5P_2 = 5 \times 4 = 20$이다.

20. $_{10}C_2 = \dfrac{10 \times 9}{2 \times 1} = 45$이다.

3회 예상문제 · 수학				
1. ③	2. ①	3. ②	4. ②	5. ④
6. ③	7. ①	8. ②	9. ④	10. ③
11. ④	12. ③	13. ②	14. ④	15. ①
16. ②	17. ①	18. ①	19. ③	20. ②

1. 괄호를 푼 후 동류항끼리 계산한다.
$2A + 3B = 2(2x^2 + 3x) + 3(x^2 + 2x)$

$= 4x^2 + 6x + 3x^2 + 6x$
$= 7x^2 + 12x$

2. 괄호를 푼 후 동류항끼리 계산한다.
$2A - B = 2(2x + 1) - (x + 2)$
$= 4x + 2 - x - 2$
$= 3x$

3. 전개한다.
$(2x - 1)(5x + 2) = 10x^2 + 4x - 5x - 2$
$= 10x^2 - x - 2$

4. 완전제곱식 $(a \pm b)^2 = a^2 \pm 2ab + b^2$을 이용한다.
$(x - 4)^2 = x^2 - 8x + 16$

5. 좌변을 전개 후 좌우를 비교한다.
$(2x + 1)(x + 3)$을 전개하면 $2x^2 + 7x + 3$이므로 $x = 7$, $b = 3$이다. 따라서 $a + b = 10$이다.

6. 적당한 수를 대입하여 좌우를 비교한다.
$x = 1$을 대입하면
$(1 + 3)^2 = (1 - 1)^2 + 8(1 - 1) + a$이므로
$16 = a$이다.

7. $x - 1$로 나눈 나머지는 $x = 1$을 대입하여 구한다.
다항식 $x^2 + 3x + k$에 $x = 1$을 대입하면
$(1)^2 + 3 \times (1) + k = 4 + k$이고 이 값이 주어진 7이 되어야 하므로 $4 + k = 7$이다. 따라서 $k = 3$이다.

8. $x = 2$를 대입하여 0이 나오는 식을 찾는다.
② $x^2 - 3x + 2$에 $x = 2$를 대입하면
$(2)^2 - 3 \times (2) + 2 = 0$이다.
따라서 $x^2 - 3x + 2$는 $x - 2$로 나누어떨어진다.

9. 복소수에서 $a + bi = 0$이기 위해서는 $a = 0$, $b = 0$이다.
$(a + 1) + (b + 2)i = 0$이 성립하기 위해서는
$a + 1 = 0$, $b + 2 = 0$이다.
따라서 $a = -1$, $b = -2$이다.

10. $a + bi$의 켤레복소수는 $a - bi$이다.

복소수 $6 - 2i$의 켤레복소수는 $6 + 2i$이다.
따라서 $a = 6$, $b = 2$이다. $a + b = 8$

11. 이차방정식 $ax^2 + bx + c = 0$의
두 근의 곱 $\alpha\beta = \dfrac{c}{a}$이다.

$x^2 - 2x + 3 = 0$에서 두 근의 곱 $\alpha\beta = \dfrac{3}{1} = 3$이다.

12. 이차방정식 $ax^2 + bx + c = 0$의 두 근의 합
$\alpha + \beta = -\dfrac{b}{a}$이다. $x^2 + 4x + 5 = 0$에서 두 근의 합
$\alpha + \beta = -\dfrac{4}{1} = -4$이다.

13. 방정식에서 근이 주어진 경우는 주어진 식에 근을 대입
한다. 이차방정식 $2x^2 - 5x + a = 0$에 주어진 $x = 1$을
대입하면 $2 \times (1)^2 - 5 \times (1) + a = -3 + a = 0$이
므로 $a = 3$이다.

14. 이차함수 $y = ax^2 + bx + c$의 꼭짓점 좌표는
$\left(-\dfrac{b}{2a},\ \text{대입}\right)$이다.
$y = x^2 + 8x + 17$에서 꼭짓점의 x좌표는
$x = -\dfrac{8}{2 \times 1} = -4$이고 이것을 대입하면
$y = (-4)^2 + 8 \times (-4) + 17 = 1$이다.
따라서 꼭짓점의 좌표는 $(-4,\ 1)$이다.

15. 이차함수 $y = ax^2 + bx + c$의 그래프는 $a > 0$일 때,
꼭짓점에서 최솟값을 갖는다.
이차함수 $y = x^2 - 6x + 5$에서 꼭짓점의 x좌표는
$x = -\dfrac{-6}{2 \times 1} = 3$이고
이것을 대입하면 $y = (3)^2 - 6 \times (3) + 5 = -4$이다.
따라서 이 함수는 $x = 3$에서 최솟값 -4를 갖는다. a의 값
은 3이다.

16. 연립방정식은 주어진 식을 더하거나 빼서 식을 정리한다.
연립방정식 $\begin{cases} x + y = 6 \cdots\cdots ① \\ 2x - y = 6 \cdots\cdots ② \end{cases}$ 에 대하여
① + ②를 하면 $3x = 12$이다.
따라서 $x = 4$이다. 이 값을 ①식에 대입하면 $4 + y = 6$이
므로 $y = 2$가 나온다. $x - y = 4 - 2 = 2$이다.

17. $\alpha \le x \le \beta$를 해로 하는 이차부등식은

$(x - \alpha)(x - \beta) \le 0$이다.
주어진 수직선은 $-1 \le x \le 2$의 범위를 나타내고 있고
이를 해로 갖는 이차부등식은 $(x + 1)(x - 2) \le 0$이다.

18. $|x| < a$의 해는 $-a < x < a$이다.
부등식 $|x| < 3$의 해는 $-3 < x < 3$이고 이를 수직선에
나타내면

19. $A(x_1,\ y_1)$, $B(x_2,\ y_2)$에 대하여 선분 AB를 $m : n$으로
내분하는 점 P의 좌표는 $\left(\dfrac{mx_2 + nx_1}{m + n},\ \dfrac{my_2 + ny_1}{m + n}\right)$이다.
좌표평면 위의 두 점 $A(2,\ 3)$, $B(5,\ 9)$에 대하여
선분 AB를 $2 : 1$로 내분하는 점의 좌표는
$\left(\dfrac{2 \times 5 + 1 \times 2}{2 + 1},\ \dfrac{2 \times 9 + 1 \times 3}{2 + 1}\right) = (4,\ 7)$이다.

20. $A(x_1,\ y_1)$, $B(x_2,\ y_2)$에 대하여 선분 AB를 $m : n$으
로 외분하는 점 Q의 좌표는
$\left(\dfrac{mx_2 - nx_1}{m - n},\ \dfrac{my_2 - ny_1}{m - n}\right)$이다.
좌표평면 위의 두 점 $A(1,\ 1)$, $B(3,\ 5)$에 대하여 선분 AB
를 $3 : 1$로 외분하는 점의 좌표는
$\left(\dfrac{3 \times 3 - 1 \times 1}{3 - 1},\ \dfrac{3 \times 5 - 1 \times 1}{3 - 1}\right) = (4,\ 7)$이다.

4회 예상문제 · 수학				
1. ②	2. ①	3. ①	4. ③	5. ②
6. ③	7. ④	8. ②	9. ①	10. ④
11. ①	12. ③	13. ④	14. ①	15. ①
16. ②	17. ②	18. ④	19. ③	20. ④

1. 기울기가 m, y절편이 n인 직선의 방정식은
$y = mx + n$이다. 주어진 직선은 기울기가 $-\dfrac{2}{3}$이고
y절편이 2인 직선이다. 따라서 직선의 방정식은
$y = -\dfrac{2}{3}x + 2$이다.

2. x축에 평행한 직선의 방정식은 $y = k$의 형태이다. 주어
진 직선은 x축에 평행한 직선이고 y의 값이 4로 일정하므로

$y = 4$이다.

3. 중심의 좌표가 $(a,\ b)$이고, y축에 접하는 원의 방정식은 $(x-a)^2 + (y-b)^2 = a^2$이다. (y축에 접하는 원의 반지름은 중심의 x좌표 값) 중심의 좌표가 $(-2,\ -3)$이고 y축에 접하는 원의 방정식은 $(x+2)^2 + (y+3)^2 = 4$ 이다.

4. 중심의 좌표가 $(a,\ b)$이고, $(p,\ q)$를 지나는 원의 방정식은 $(x-a)^2 + (y-b)^2 = r^2$으로 식을 세우고 이 식을 지나는 점인 $(p,\ q)$를 대입하여 r^2의 값을 구한다.
중심이 $(3,\ 2)$인 원의 방정식은
$(x-3)^2 + (y-2)^2 = r^2$이고 이 식에 $(0,\ 0)$을 대입하면 $(0-3)^2 + (0-2)^2 = r^2$이므로 r^2의 값은 13이다.
따라서 원의 방정식은 $(x-3)^2 + (y-2)^2 = 13$이다.

5. $(a,\ b)$를 원점에 대하여 대칭이동한 점의 좌표는 $(-a,\ -b)$이다.
$(6,\ 2)$를 원점에 대하여 대칭이동한 점의 좌표는 $(-6,\ -2)$이다.

6. $(a,\ b)$를 $y=x$에 대하여 대칭이동한 점의 좌표는 $(b,\ a)$이다.
$(9,\ 2)$를 $y=x$에 대하여 대칭이동한 점의 좌표는 $(2,\ 9)$이다.

7. $(a,\ b)$를 x축의 방향으로 p만큼, y축의 방향으로 q만큼 평행이동한 점의 좌표는 $(a+p,\ b+q)$이다.
$(-4,\ 0)$을 x축의 방향으로 5만큼, y축의 방향으로 2만큼 평행이동한 점의 좌표는 $(-4+5,\ 0+2) = (1,\ 2)$이다.

8. $A-B$는 집합 A의 원소 중 집합 B의 원소와 겹치는 원소을 지우고 집합 A에 남아있는 원소만 구한다.
두 집합 $A = \{1,\ 2,\ 3,\ 4,\ 5\}$, $B = \{1,\ 3,\ 5,\ 7,\ 9\}$에 대하여 $A-B = \{2,\ 4\}$이고 원소의 개수는 2개 이다. 따라서 $n(A-B) = 2$이다.

9. A^c은 전체에서 A의 원소를 지우고 전체에 남아있는 원소만 구한다. $U = \{1,\ 2,\ 3,\ 4,\ 5,\ 6\}$의 부분집합 $A = \{3,\ 4,\ 5,\ 6\}$에 대하여 $A^c = \{1,\ 2\}$이다.

10. 참과 거짓을 구별할 수 있는 문장 또는 식을 명제라 한다.

'① $x+1 = 5$이다.' x에 따라서 참과 거짓이 바뀐다. (조건) '② 이번 시험은 쉽다.' 기준이 명확하지 않아 참, 거짓 구별불가(명제아님) '③ 수학 선생님은 멋지다.' 기준이 명확하지 않아 참, 거짓 구별불가(명제아님) '④ 3은 홀수이다.' 참인 명제이다.

11. 명제가 참일 때, 항상 참인 명제는 대우이다. (자리바꿈 + 부정) 명제 '$a = b$이면 $|a| = |b|$이다.' 가 참일 때, 항상 참인 명제는 대우인 '$|a| \neq |b|$이면 $a \neq b$이다.' 이다.

12. 정의역 X에서 Y로의 함수는 X의 원소가 Y의 원소 하나를 선택하여야 한다. ③ 대응 표는 X의 원소 중 2에 연결된 Y의 원소가 없으므로 함수가 아니다.

13. 함수의 그래프는 세로선을 그었을 때, 반드시 하나의 교점을 가져야 한다. ④ 그래프는 세로선과 2개의 교점을 가지므로 함수 그래프가 아니다.

14. $(f \circ f^{-1})(a) = a$이다.
$(f \circ f^{-1})(6) = 6$이다.

15. 분수함수 $y = \dfrac{a}{x-p} + q$의 그래프는 $x = p$, $y = q$를 점근선으로 하는 쌍곡선 그래프이다.
함수 $y = \dfrac{-1}{x+2} + 1$의 점근선은 $x = -2$, $y = 1$이고, 분자의 부호가 음수이므로 ① 그래프이다.

16. $(p,\ q)$를 지나는 함수는 주어진 식에 점을 대입하면 등호가 성립한다.
분수함수 $y = \dfrac{4}{x+1} + 1$에 점 $(1,\ k)$를 대입하면
$k = \dfrac{4}{1+1} + 1$이므로 $k = 3$이다.

17. 무리함수 $y = \sqrt{x}$를 x축의 방향으로 p만큼, y축의 방향으로 q만큼 평행이동시키면 $y = \sqrt{x-p} + q$가 된다.
무리함수 $y = \sqrt{x+1} - 1$의 그래프는 $y = \sqrt{x}$의 그래프를 x축의 방향으로 -1만큼 y축의 방향으로 -1만큼 평행이동 시킨 그래프이다. 따라서 정답은 ② 그래프이다.

18. $(p,\ q)$를 지나는 함수는 주어진 식에 점을 대입하면 등호가 성립한다. 무리함수 $y = \sqrt{2x+6}$의 그래프에 점 $(5,$

k)를 대입하면 $k = \sqrt{2 \times 5 + 6}$이 성립하므로
$k = \sqrt{16}$, 즉 $k = 4$이다.

19. n명 중 r명을 뽑아서 나열하는 경우는 $_nP_r$이다.
10명으로 구성되어 있는 모임에서 회장, 총무를 선출하는 경우의 수는 $_{10}P_2 = 10 \times 9 = 90$이다.

20. n개 중 r개을 뽑는 경우는 $_nC_r$이다.
6종류의 과일 중 2종류의 과일을 선택하는 경우의 수는
$_6C_2 = \dfrac{6 \times 5}{2 \times 1} = 15$이다.

5회 예상문제 · 수학

1. ②	2. ②	3. ①	4. ②	5. ②
6. ②	7. ③	8. ④	9. ④	10. ③
11. ②	12. ④	13. ②	14. ①	15. ①
16. ②	17. ④	18. ①	19. ②	20. ①

1. 괄호를 풀고 동류항끼리 계산한다.
$(2x^2 + 4) - (3x^2 - 1) = 2x^2 + 4 - 3x^2 + 1$
$\qquad\qquad\qquad\qquad = -x^2 + 5$

2. ② $(x + 1)^2 = x^2 + 2x + 1$이므로
$(x + 1)^2 = x^2 + 1$은 잘못된 계산이다.

3. 적당한 수를 대입하여 좌우를 비교한다.
$x = 3$을 대입하면
$(3 - 2)^2 = (3 - 3)^2 + 2(3 - 3) + a$이므로
$1 = a$이다.

4. 일차식으로 나눈 나머지는 조립제법이나 대입을 이용하여 구한다.
주어진 표에서 R의 값은 위에 숫자 2개를 더한 값,
즉 $-4 + 7 = R$이다. 따라서 $R = 3$이다.

5. 전개후 $i^2 = -1$로 고친다.
$2i(1 + 2i) = 2i + 4i^2$
$\qquad\qquad = 2i + (-4)$
$\qquad\qquad = -4 + 2i$
따라서 $a = -4$, $b = 2$이다. $a + b = -2$

6. 이차방정식 $ax^2 + bx + c = 0$에서 $\alpha + \beta = -\dfrac{b}{a}$, $\alpha\beta = \dfrac{c}{a}$이다.
이차방정식 $x^2 - 6x + 4 = 0$의 두 근을
α, β라고 할 때, $\alpha + \beta = -\dfrac{-6}{1} = 6$이고,
$\alpha\beta = \dfrac{4}{1} = 4$이다.
$\alpha^2 + \beta^2 = (\alpha + \beta)^2 - 2\alpha\beta$에 두 근의 합과 곱을 대입하면 $\alpha^2 + \beta^2 = (6)^2 - 2 \times (4) = 28$이다.

7. 주어진 범위를 대입한 함숫값 중에 가장 큰 값과 가장 작은 값을 찾는다.
$0 \le x \le 3$일 때, 이차함수 $y = 2(x - 1)^2 - 3$은
$x = 1$일 때, 최솟값 -3을 갖고, $x = 3$일 때, 최댓값 5를 갖는다. 최댓값과 최솟값의 합은 2이다.

8. $|x| \ge a$의 해는 $x \le -a$ 또는 $x \ge a$이다.
부등식 $|x - 1| \ge 4$의 해는 $x - 1 \le -4$ 또는
$x - 1 \ge 4$이고 이를 정리(이항)하면
$x \le -3$ 또는 $x \ge 5$이다. 이를 수직선에 나타내면

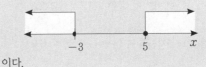

이다.

9. 근이 주어진 방정식은 주어진 근을 방정식에 대입하여 푼다.
$x = 1$을 $x^3 - 2x^2 - 3x + a = 0$에 대입하면
$(1)^3 - 2 \times (1)^2 - 3 \times (1) + a = 0$이 성립해야 하므로
$a = 4$이다.

10. $A(x_1, y_1)$, $B(x_2, y_2)$일 때,
두 점의 중점 공식 $\left(\dfrac{x_1 + x_2}{2}, \dfrac{y_1 + y_2}{2} \right)$
$A(4, 2)$, $B(12, 14)$에 대하여
선분 AB의 중점 M은 $\left(\dfrac{4 + 12}{2}, \dfrac{2 + 14}{2} \right) = (8, 8)$이다.

11. $A(x_1, y_1)$, $B(x_2, y_2)$일 때, 선분 AB의 길이 공식
$\sqrt{(x_2 - x_1)^2 + (y_2 - y_1)^2}$
$A(-2, 2)$, $B(-5, 4)$에 대하여
선분 AB의 길이는
$\sqrt{(-5 - (-2))^2 + (4 - 2)^2} = \sqrt{9 + 4} = \sqrt{13}$이다.

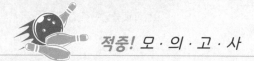

12. 두 직선이 서로 수직 : 직선의 기울기가 서로 부호반대 + 역수

주어진 직선 $4x + 2y + 1 = 0$을 이항하면

$2y = -4x - 1$이고 양변을 2로 나누면

$y = -2x - \frac{1}{2}$이다. 주어진 직선의 기울기가 -2이므로

이 직선에 수직인 직선의 기울기는 $\frac{1}{2}$이다. 따라서 기울기

가 $\frac{1}{2}$이고 원점을 지나는 직선의 방정식은 $y = \frac{1}{2}x$이다.

13. 중심의 좌표가 $(a,\ b)$이고, $(p,\ q)$를 지나는 원의 방정식은 $(x-a)^2 + (y-b)^2 = r^2$으로 식을 세우고 이 식에 지나는 점인 $(p,\ q)$를 대입하여 r^2의 값을 구한다.

중심이 $(3,\ 4)$인 원의 방정식은

$(x-3)^2 + (y-4)^2 = r^2$이고 이 식에 $(-1,\ 1)$을 대입

하면 $(-1-3)^2 + (1-4)^2 = r^2$이 성립하므로

$r^2 = 25$이다. 따라서 원의 방정식은

$(x-3)^2 + (y-4)^2 = 25$이다.

14. $(a,\ b)$를 $y = x$에 대하여 대칭이동한 점의 좌표는 $(b,\ a)$이다.

$(-3,\ -1)$을 $y = x$에 대하여 대칭이동한 점의 좌표는

$(-1,\ -3)$이다.

15. A^C은 전체에서 A의 원소를 지우고 전체에 남아있는 원소만 구한다.

$A = \{x \,|\, x$는 8이하 소수$\} = \{2,\ 3,\ 5,\ 7\}$이므로

$A^C = \{1,\ 4,\ 6,\ 8\}$이다.

16. 음수 곱하기 음수는 양수이므로 보기 명제 중 참인 것은 '② 음수의 제곱은 양수이다.' 이다.

17. 합성함수 $(g \circ f)(a) = g(f(a))$이다.

$(g \circ f)(2) = g(f(2)) = g(3) = 4$

18. $x = p,\ y = q$를 점근선으로 하는 쌍곡선의 식은 분수함수 $y = \dfrac{a}{x - p} + q$이다.

주어진 그래프는 $x = 1,\ y = 2$를 점근선으로 하는 쌍곡선이므로 식은 $y = \dfrac{a}{x - 1} + 2$이다.

주어진 그래프가 $(0,\ 1)$을 지나므로 $y = \dfrac{a}{x - 1} + 2$에

$(0,\ 1)$을 대입하면 $1 = \dfrac{a}{0 - 1} + 2$이므로 $a = 1$이다.

따라서 분수함수식은 $y = \dfrac{1}{x - 1} + 2$이다.

19. 무리함수 $y = \sqrt{x}$를 x축의 방향으로 p만큼, y축의 방향으로 q만큼 평행이동하면 $y = \sqrt{x - p} + q$가 된다.

주어진 무리함수 그래프는 $y = \sqrt{x}$의 그래프를 x축의 방향으로 1만큼 y축의 방향으로 -2만큼 평행이동한 그래프이므로 $y = \sqrt{x - 1} - 2$이다.

20. 서로 다른 n개 중 r개를 뽑아서 나열하는 경우는 $_nP_r$이다. 서로 다른 5장의 카드 중 2장을 사용하여 만들 수 있는 2자리 정수의 개수는 $_5P_2 = 5 \times 4 = 20$이다.

03

영어
ENGLISH

적중! 모의고사 예상문제

01 예상문제

[1~3] 밑줄 친 부분의 뜻으로 가장 알맞은 것을 고르시오.

1. He showed much **patience** with the children.

① 관심   ② 노력
③ 열정   ④ 인내

2. You should **make up your mind** to try it again.

① 피하다   ② 결심하다
③ 노력하다   ④ 싫어하다

3. The crown **stands for** royal dignity.

① 서다   ② 참다
③ 상징하다   ④ 위치하다

4. 두 단어의 관계가 나머지 셋과 <u>다른</u> 것은?

① agree – agreement
② dependent – dependence
③ healthy – health
④ important – importance

5. 다음 도표의 내용과 일치하는 것은?

> Minho asked 100 students in his school this question : "What is your favorite sport?" The following chart shows the result of his survey.

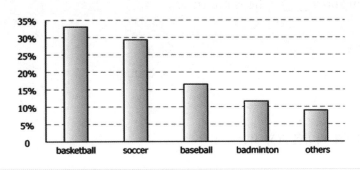

① Soccer is the most popular sport.

② Badminton is as popular as baseball.

③ Soccer is not so popular as badminton.

④ Basketball is more popular than soccer.

[6~8] 빈칸에 공통으로 들어갈 말로 가장 적절한 것을 고르시오.

6.

· He didn't call _____ his trip, but he just postponed it.

· Please turn the television _____ before you go to bed.

① off   ② on   ③ up   ④ down

7.

· What's your name and _____ ?

· He will deliver an opening _____ tonight.

① age   ② address   ③ number   ④ ceremony

8.

· Give him this note, _____ you see him.

· Do you know _____ he is married?

① whether   ② as

③ if   ④ though

9. 밑줄 친 표현의 의미로 가장 적절한 것은?

A : You look worried. What's wrong?

B : Well, I'm still learning English, and it is really hard to memorize new words. Any good ideas?

A : Hmm. Why don't you read new words repeatedly everyday. <u>Practice makes perfect</u>.

① 연습하면 완벽해진다.

② 예절이 사람을 만든다.

③ 욕심이 지나치면 화가 된다.

④ 아는 길도 물어가라.

10. 대화에서 알 수 있는 B의 심정으로 가장 적절한 것은?

A : Have you heard of the news about an old lady?

B : An old lady? No. What is about?

A : She donated her whole fortune to the society.
   I heard that she had saved money by selling fish in the market.

B : Oh, she is so great! She did something that most people can't do easily.

① scared   ② impressed

③ jealous   ④ embarrassed

11. 대화가 이루어지는 장소로 가장 적절한 것은?

> A : Excuse me. Could you tell me where the fiction section is?
> B : Yes. It's by the Children's books.
> A : I'm looking for '*The Old Man and the Sea*'.
>   Do you have it in stock?

① theater　　　　　　② classroom
③ bookstore　　　　　④ beach

[12~13] 대화의 빈칸에 들어갈 말로 가장 적절한 것을 고르시오.

12.
> A : My mother's birthday is coming up soon.
>   What should I do?
> B : _____
> A : That's a good idea. Thank you.

① How about taking a good rest?
② You'd better drink lemon juice.
③ I suggest that you go on a bike trip.
④ Why don't you buy her a present?

13.
> A : Where are you going?
> B : The bus stops at the corner down there, doesn't it?
> A : No, it stops right here on this corner.
> B : _____
> A : Every ten minutes, I think.

① How long does it take to go there?
② How far is it from here to the bus stop?
③ How long do you take the bus?
④ How often do the buses run?

14. 밑줄 친 <u>It(it)</u>이 가리키는 것으로 가장 적절한 것은?

> <u>It</u> is a clear thin liquid that has no color or taste when it is pure. <u>It</u> falls from clouds as rain and enters rivers and seas. All animals and people need <u>it</u> in order to live.

① air   ② fire
③ water   ④ food

15. 글을 쓴 목적으로 알맞은 것은?

> The earth is made up of land and water. The seven major land masses are called continents. The continents are Asia, Europe, North America, South America, Africa, Australia, and Antarctica. The major bodies of water are called oceans. The oceans are the Pacific Ocean, Atlantic Ocean, India Ocean and Arctic Ocean.

① to advise   ② to inform
③ to thank   ④ to invite

16. 구인광고의 내용과 일치하지 <u>않는</u> 것은?

> **Paper boys & girls**
> We are looking for healthy students
> to deliver a daily newspaper.
> · 10,000 won per 50 homes a day.
> · Tel : 02-2282-7333
> · note : Only high school students can apply.

① 주간신문이다.   ② 50가구당 하루에 10,000원이다.
③ 중학생은 지원할 수 없다.   ④ 여학생도 지원할 수 있다.

17. 주어진 문장에 이어질 글의 순서를 가장 적절하게 배열한 것은?

> **The venom, or poison of a snake is often deadly.**

> (A) For example, the venom, from a snake called Russell's viper, has often been used to stop bleeding.
> (B) Surprisingly, however, the venom of some snakes can actually save lives.
> (C) Similarly, researchers have discovered that the venom of the deadly Malayan viper dissolves blood clots.
>
> *venom 독액   *viper 독사   *dissolve 녹이다   *blood clot 혈전

① (A) – (B) – (C)　　　　　② (A) – (C) – (B)
③ (B) – (A) – (C)　　　　　④ (B) – (C) – (A)

18. 다음 글의 "**Black Beauty**"에 대한 내용과 일치하지 <u>않는</u> 것은?

> My name is Black Beauty and I lived in England more than one hundred years ago. I was born on Farmer Gray's farm, and he was a very kind owner.
> My earliest years were very happy. My father was a very respected horse, and my grandfather won races at Newmarket, the most famous racing in the world. My mother was a beautiful and wise horse. She taught me not to kick or bite other horses.

① 나는 영국 농가에서 태어났다.
② Gray씨는 마음씨 착한 나의 주인이었다.
③ 나의 할아버지는 경주마였다.
④ 나의 어머니는 다른 말을 발로 차는 것을 가르쳐 주셨다.

01 예상문제

[19~20] 글의 빈칸에 들어갈 말로 가장 적절한 것을 고르시오.

19.

Galileo is famous for his study of how things fall. He was the first person to do experiments about the problem. Before people thought that heavy things always fell faster than light things. He found out that this was not true. He took a heavy ball and a light ball and he dropped them both from a high place. They fell at the same speed. This meant that _____.

① weight is important
② weight is not important
③ a heavy ball is faster than a light ball
④ a light ball is faster than a heavy ball

20.

Today English is _____. Words are always being added to the language. Many of these words come to us in unusual ways. For example, some words like smog are a blend of two words. Smog is a blend of smoke and fog. Other words are formed by making long words shorter. Advertisement, for example, has been shortened to ad.

*blend 혼합

① important
② simple
③ disappearing
④ changing

21. 다음 글의 주제로 가장 적절한 것은?

> A bat can fly at night or even with its eyes closed. But if you cover its ears, it can't fly very well. Bats make sounds that people can't hear. The bats find their way by listening to these sounds as they echo off things. Bats even find out insects to eat by following the sounds that bounce off the bugs. People use their eyes, but bats use their ears to know where they're going.
>
> *bounce off (공, 소리 등이) 튀다

① 박쥐가 소리를 이용하는 방법
② 박쥐의 특이한 신체구조
③ 박쥐의 주된 먹이
④ 박쥐와 사람의 청력의 차이점

22. 글의 바로 뒤에 이어질 내용으로 가장 적절한 것은?

> There are differences in the ways of life between old people and young people. Young people prefer making phone calls to writing letters, and they like to travel by air rather than by bus or by train. But this is not true to old people.

① 생활 방식의 변화   ② 노인들의 생활 방식
③ 젊은이들의 생활 방식   ④ 여러 유형의 생활 방식

23. 글의 흐름으로 보아, 다음 문장이 들어가기에 가장 적절한 곳은?

> **So I couldn't hear the actors.**

> Last Saturday I went to the theater. I had a very good seat. (①) The play was very interesting. But I didn't enjoy seeing it. (②) A young couple sitting behind me kept talking loudly. (③) I turned around and looked at the couple. (④) But they didn't pay attention to me.

01 예상문제

[24~25] 글을 읽고 물음에 답하시오.

> I'm angry because mothers who stay home are looked down upon, while working moms are praised and respected. I agree that they are having a hard time doing two things, both in the company and at home. _____, housewives do a lot of valuable work that they don't get paid for, such as cooking and helping kids with their homework. I think raising children by my own hands is a very meaningful thing to do. I don't say that one thing is more important than another. The challenge of the business and the stay-at-home work are equally important. Women are all free to choose what they want. So, don't speak of the work of housewives as less important than that of career women.

24. 윗글의 빈칸에 들어갈 말로 가장 적절한 것은?

① However
② For example
③ Therefore
④ Besides

25. 윗글의 요지로 가장 적절한 것은?

① 여성들의 사회진출을 적극적으로 장려해야 한다.
② 직장 내에 보육 시설을 더 만들어야 한다.
③ 가사노동에도 경제적 대가를 지급해야 한다.
④ 가정주부가 하는 일을 무시해서는 안 된다.

[1~3] 밑줄 친 부분의 뜻으로 가장 적절한 것을 고르시오.

1. He wants a job with more **responsibility**.

① 휴가   ② 책임감

③ 월급   ④ 소속감

2. I can't **put up with** your rudeness any more.

① stand   ② run

③ wear   ④ enlarge

3. There is no **shortcut** to mastering English.

① 짧은 머리   ② 어려운 점

③ 새치기   ④ 지름길

4. 두 단어의 의미 관계가 나머지 셋과 다른 것은?

① dark – bright

② rough – smooth

③ slightly – a little

④ safety - danger

02 예상문제

5. 게시판에서 실종 고양이에 대해 언급하지 <u>않은</u> 것은?

Lost Cat
· Name : Kitty
· Age : 6 months
· Weight : 2.5kg
· Personality : very friendly and playful
☎ 02-2277-4333

① 이름   ② 나이   ③ 품종   ④ 성격

[6~8] 빈칸에 공통으로 들어갈 말로 가장 적절한 것을 고르시오.

6. · All living things depend _____ the sun.
   · Don't look down _____ me because I'm young.

   ① on   ② off   ③ out   ④ into

7. · We caught the _____ bus home.
   · The conference will _____ for 5 days.

   ① late   ② slow   ③ fast   ④ last

8. · Nobody knows _____ will happen next.
   · He always does _____ he believes is right.

   ① who   ② what   ③ which   ④ how

9. 다음 글의 내용을 가장 잘 나타낸 것은?

> A bird in a cage at a window used to sing only at night. A bat which heard her sing came up and asked why she never sang by day, but only at night. She explained that there was a good reason: it was while she was singing in the daytime that she was captured, and this had taught her a lesson. Then the bat said, "You should have been more careful before you were caught"

① The early bird catches the worm.
② It is no use crying over spilt milk.
③ Birds of a feather flock together.
④ As you sow, so will you reap.

10. 대화에서 B의 의도로 알맞은 것은?

> A : I want to be stronger. What should I do?
> B : I suggest that you work out regularly.
> A : OK. I'll try that.

① 권유하기　　　② 경고하기　　　③ 불평하기　　　④ 요청하기

11. 대화를 읽고, B의 감정을 가장 잘 나타낸 것을 고르시오.

> A : What happened?
> B : My computer screen just went blank.
> 　　I think I've lost all my data.
> A : Have you been saving your work?
> 　　I told you to save your data every ten minutes.
> B : I know, I know. How could this happen?
> A : I think your hard drive just crashed.

① delighted　　　　　　　② satisfied
③ embarrassed　　　　　　④ relieved

[12~13] 대화의 빈칸에 들어갈 말로 가장 적절한 것을 고르시오.

12.
A : How much are movie tickets?

B : They are ten dollars for an adult and five dollars for a child.

A : Two for adults and three for children, please.

B : Here you are.

A : _____

B : It starts in ten minutes.

A : We'd better hurry up.

① How much money do I have to pay?

② What time is it now?

③ How long does it take?

④ When does it start?

13.
A : You look healthier than you used to look.

B : Do I?

A : Yes. Do you exercise regularly?

B : Yes, I do.

    I jump rope one thousand times every evening.

A : Wow! That's great. No wonder you look so healthy.

B : _____

① Let me see. It's good.

② I'm afraid you can't.

③ Don't worry. It's not your fault.

④ Thank you for your praise.

14. 밑줄 친 **This**가 가리키는 것으로 알맞은 것은?

> **This** is a very useful instrument. It has a thin glass tube. One end of the tube looks like a bulb, or a ball. The glass tube is usually filled with mercury. Sometimes colored alcohol is used instead of mercury. You use it to read changes in temperature. That is, you can measure how hot or cold the air is.
>
> *mercury 수은

① ruler   ② clock   ③ thermometer   ④ scale

15. 주어진 말에 이어질 두 사람의 대화를 <보기>에서 찾아 순서대로 가장 적절하게 배열한 것은?

> **Are you ready to order?**

────〈보기〉────

(A) How would you like it?
(B) Let me have a steak.
(C) Medium, please.

① (B) - (A) - (C)   ② (B) - (C) - (A)
③ (C) - (A) - (B)   ④ (A) - (C) - (B)

16. 다음 광고의 내용과 일치하지 <u>않는</u> 것은?

> **Wonderful Winter Vacation**
> · 5-day ski tour in the green mountain
> · Many comfortable hotels around beach
> · Daily 2-hour free ski lessons
> · Tour cost : Single room $ 800
>   Double room $ 1,000

① 관광 기간은 5일이다.
② 산기슭의 호텔을 이용할 수 있다.
③ 매일 2시간 무료로 스키 강습을 받을 수 있다.
④ 2인용 침실 이용 시 관광 비용은 $ 1,000이다.

17. 다음 편지를 쓴 목적으로 가장 적절한 것은?

> September 25, 2019
> Denver Chamber of Commerce
> 124 Highfield Road
> Denver, CO 80201-1023
>
>
> To whom it may concern :
> We are planning an important business trip in Denver next month and would like some information on available accommodation in the area. We would appreciate it if you could send us information about hotels near downtown. A city map and brochures about business centers and sights in the city would also be appreciated.
> Thank you.
>
> Sincerely,
> Barbara M. Carrillo

① To order goods   ② To ask for information
③ To apply for a job   ④ To thank for a help

18. 다음을 읽고, 박물관을 찾는 이유로 언급되지 않은 것은?

> Have you ever thought about why people visit museums? There are several reasons for visiting museums. First of all, museums let people learn about history. They show the past. Next, they offer various activities which are quite interesting. For these reasons, museums are places where people can have fun and learn something at the same time.

① 배움을 제공하기 때문에   ② 과거를 보여주기 때문에
③ 무료입장이 가능하기 때문에   ④ 다양한 활동을 제공하기 때문에

19. 다음 글의 주제로 가장 적절한 것은?

Improving your balance takes practice and it doesn't just happen overnight. However, with the following steps, you will be able to improve your balance over time. Take up a sport that requires balance, such as yoga or ballet, then you will get to practice your balance. Take time out everyday to practice balancing. For example, try balancing on one leg for half a minute. Strengthen your stomach muscles and it makes your balance improve. Do things such as sit-ups, and you will notice an improvement in your balance.

① The Beauty of Balance
② Balancing Work and Life
③ The Power of a Balanced Mind
④ Ways to Improve Balance

[20~21] 글의 빈칸에 들어갈 말로 가장 적절한 것을 고르시오.

20. The thirteenth floor is missing in many hotels. Floor numbers jump up from twelve to fourteen. Many people think the number thirteen is _____. So they will refuse to take a room on the thirteenth floor.

① unlucky   ② useful
③ familiar   ④ good

21. Air moves because some air is warm and other air is cool. In warm air, the tiny particles of air spread out. So a mass of warm air is lighter than a mass of cool air that fills the same amount of space. Because warm air is light, it rises. As warm air rises, cool air flows in to take its place. This rushing motion of the air is what we call _____.

① rain   ② temperature
③ environment   ④ wind

02 예상문제

22. 글의 바로 뒤에 이어질 내용으로 가장 적절한 것은?

> When we see a blind person nearing a door or a street corner, many times we try to help him or her by opening the door or guiding him or her across the street. But while we do that, some of us talk to the blind person in a loud voice, as if the blind person were also deaf. Rushing to help a blind person without asking if that person needs help and speaking loudly are not proper. If you want to help a blind person, you should bear in mind the following tips.

① 더불어 사는 삶의 중요성
② 시각 장애인을 도울 때 주의할 점
③ 시각 장애인을 위한 재활 프로그램
④ 장애인에 대한 사회적 편견의 변화

23. 글의 흐름으로 보아, 다음 문장이 들어가기에 가장 적절한 곳은?

> **As music plays, the two fighters kneel, pray to god, and start to dance.**

> Boxing is popular in many countries. ① In boxing matches, when a bell rings, the boxers wearing boxing gloves hit each other. ② But Thai boxing is different. ③ During this dance, each fighter tries to show that he is best. Then, the fight begins. ④ In Thai boxing, the fighters can kick with their feet and hit each other with their elbows and knees.

[24~25] 글을 읽고 물음에 답하시오.

What makes most people happy? The most common answers would be money, youth or good looks. But according to a recent survey, only 10 to 15 percent of people surveyed gave those responses. Then what is it that makes people happy? Things like confidence in ourselves, leisure time, and a sense of humor. A confident person is likely to welcome and enjoy stressful situations. Moreover, an active leisure life, with activities like dancing or hiking, gives people a sense of accomplishment and satisfaction. A sense of humor can also help bring one happiness because a humorous person laughs more and makes others laugh as well.

_____ keep in mind that little things like these in our daily lives are often more effective in improving happiness.

24. 윗글의 빈칸에 들어갈 말로 가장 적절한 것은?

① Therefore
② For example
③ On the contrary
④ Unfortunately

25. 윗글을 읽고 필자의 주장을 다음과 같이 요약하여 쓸 때, 가장 적절한 것은?

⇒ You should _____.

① find happiness in small things
② take care of your health above everything
③ not argue with your friends too much
④ work as hard as your can

03 예상문제

1. 다음 설명에 해당하는 것은?

> someone who does work without being paid for it, because they want to do it.

① patient   ② tourist
③ volunteer   ④ student

[2~3] 밑줄 친 부분의 뜻으로 가장 적절한 것을 고르시오.

2. You should **be present at** the meeting.

① attend   ② decide
③ hold   ④ finish

3. She had to **call off** an order for the book.

① 연기하다   ② 지체하다
③ 취소하다   ④ 양보하다

4. 두 단어의 관계가 나머지 셋과 <u>다른</u> 것은?

① push - pull
② normal - abnormal
③ safe - dangerous
④ courageous - brave

5. 다음 광고문에서 알 수 <u>없는</u> 것은?

> ***To Sell***
> *CD Player*
> *Good Condition, 1 year old*
> 100 dollars
> ☎ 775 - 8485   Tonny Brown

① 판매 물건
② 판매 가격
③ 사용 기간
④ 배달 방법

6. 빈칸에 들어갈 말로 알맞은 것은?

> I am looking forward to _____ from you soon.

① hear   ② hearing   ③ heard   ④ hears

7. 다음 밑줄에 알맞은 것을 고르시오.

> Work hard, or you will fail again.
> = _____ you work hard, you will fail again.

① If   ② Though   ③ Unless   ④ While

[8~9] 다음 대화의 빈칸에 알맞은 것을 고르시오.

8.
> A : Excuse me. How can I get to the post office?
> B : _____

① Sorry. I'm new here, too.
② You bet.
③ I'm sorry to hear that.
④ You can say that again.

03 예상문제

9.

A : It's a pity that she lost her wallet.

B : _____

① Not too bad.

② That's too bad.

③ That's all right.

④ No problem.

10. 다음 빈칸에 들어갈 수 <u>없는</u> 말은?

A : I will pick you up at your house at seven.

B : _____

① Thanks. See you then.

② It's nice of you to do so.

③ You can't miss it.

④ Thanks but I will take a taxi.

11. 대화에서 두 사람의 관계로 알맞은 것은?

A : Hello. Mr. Brown speaking.

B : Hi, Mr. Brown. This is Kevin's mom.
    Kevin can't go to school today.

A : Why?

B : Because he's sick. He has a bad cold.

A : Oh, that's too bad.

① 교사와 학생

② 의사와 환자

③ 어머니와 아들

④ 학부모와 교사

12. 대화가 이루어지는 장소로 가장 알맞은 것은?

> A : I'm sorry I kept you waiting.
>
>   What can I do for you?
>
> B : I'll take this one. I'd like to have it wrapped.

① In a store   ② In an airport

③ In a hospital   ④ In a library

13. 밑줄 친 **This(this)**가 가리키는 것은?

> "Is that for here or to go?" People ask and answer that question hundreds of times every day. **This** is everywhere. You can eat **this** inside the restaurant, or you can take **this** out to your home. That's why **this** is often called take-out food.

① tip   ② salad

③ fast food   ④ lunch box

14. 다음 글의 내용과 어울리는 속담은?

> Two horses went to drink some water. But the river was frozen. One of the horse struck the ice. It was so thick that the horse couldn't break the ice. Then the two horses stood side by side and both struck the ice. They went on doing this, until the ice broke.

① Two heads are better than one.

② Too many cooks spoil the broth.

③ The early bird catches the worm.

④ Hunger is the best sauce.

03 예상문제

[15~16] 다음 글의 빈칸에 들어갈 알맞은 말은?

15.

Plants grow faster in spring. The weather is usually warmer and the days are longer. It is a good idea to start a garden in spring. Then plants will get more _____.

① air
② sunlight
③ water
④ wind

16.

Much of the food you eat is used by your body. But some people eat more food than their body can use. Most of the food that is not used is stored in their body. Because of this, these people _____.

① become thinner
② become healthier
③ become stronger
④ gain weight

17. 다음 글의 분위기로 알맞은 것은?

A : What is your name, little boy?
B : I don't know.
A : How does your mother call you,
    when the cakes are done?
B : She doesn't call me. I am there already.

① sad
② angry
③ bored
④ funny

18. 다음 편지를 쓴 목적으로 가장 알맞은 것은?

> Sept. 3, 2019
>
> Dear Hansu,
>
> How are you doing? I came back to school yesterday after enjoying a wonderful summer vacation in Korea. Above all, I enjoyed Korean food and culture a lot with your help. I won't forget that. Thank you very much. I hope you have a chance to visit New York someday so that I can return your favor on me.
>
> This time, bye.
>
> Sincerely yours,
> William

① to appreciate　　　　　　② to invite

③ to complain　　　　　　④ to apologize

19. 밑줄 친 **blue** 대신에 쓸 수 있는 말로 가장 적절한 것은?

> Being alone on my birthday, I was feeling **blue**. Then Su-mi called and invited me to her house for dinner. Then I felt better.

① free　　　　　　② depressed

③ excited　　　　　　④ satisfied

20. 다음을 읽고, 이어질 글을 순서대로 나열한 것은?

> In spring, my sister Mee-yon and I planted carrots, corn, and tomatoes.

(A) Then we watered and took care of the plants.

(B) To sell the harvested vegetables, we opened a vegetable stand.

(C) In August, all our vegetables were ready for the harvest.

① (A) − (B) − (C)　　　　　② (B) − (A) − (C)

③ (A) − (C) − (B)　　　　　④ (C) − (B) − (A)

03 예상문제

21. 다음 글의 제목으로 알맞은 것은?

> I traveled by air for the first time last month. I usually take short trips around the country. However, this was a long trip because I was flying from Seoul to New York. I felt very excited about the flying. This feeling lasted a long time, from the boarding to the landing. It was exciting throughout the whole trip. It was a clear day and the view of the mountains, fields, and rivers was beautiful. The long flight was a little uncomfortable because I couldn't move around in the airplane freely, but I enjoyed the flight very much.

① My First Flight
② Terrible Airplane Crash
③ Studying Overseas
④ A Good Flight Attendant

22. 다음 글을 읽고, 주인공의 심정을 가장 잘 나타낸 것을 고르시오.

> I got up late this morning. I looked at the clock. It was about 8:20. School begins at 9:00. It takes about 35 minutes to get to school. I jumped out of bed. I didn't have breakfast. I ran to the bus stop as fast as I could. But I had to wait for the school bus for a long time. "That's strange", I said. "The bus has never been late." My friend Minsu walked by. "Why are you here?" he asked. Then he smiled. "Don't you know? There is no school today!"

① 두렵다.
② 만족스럽다.
③ 허탈하다.
④ 자랑스럽다.

23. 다음 글에서 전체 흐름과 관련이 없는 문장은?

Food is life; it gives us the nourishment we need to stay alive and be healthy. We usually eat because we are hungry or need energy. ① Brian Wansink, a professor at the University of Illinois, says we also eat certain foods because they make us feel good, and remind us of happy memories. ② Wansink calls this kind of food "comfort food." ③ Women usually eat more often than men. ④ For some people, ice cream is a comfort food. For others, a bowl of noodle soup makes them feel good.

[24~25] 글을 읽고 물음에 답하시오.

When cars first came out, people wanted strong cars. They thought cars that wouldn't crush were the safest. The basic idea was that a strong car could protect people better than a weak car. _____, the idea of safe cars is quite different nowadays. The design focuses on a reduction of the energy involved in a crash. The more energy the car absorbs, the less energy its passengers' bodies receive. Many modern cars are designed with this idea in mind. A well-designed car may look terrible after a crash, but it is actually safer.

24. 윗글의 빈칸에 들어갈 말로 가장 적절한 것은?

① In addition ② Thus
③ Similarly ④ However

25. 다음 글의 주제로 가장 알맞은 것은?

① steps to prevent car accidents
② change of ideas about safe cars
③ dangers of driving a sports car
④ difficulties of designing a car

04 예상문제

적중! 모·의·고·사

[1~2] 밑줄 친 부분의 뜻으로 알맞은 것을 고르시오.

1. Judging from his **appearance** he seems very wealthy.

① 출현　　　　　　　② 외모

③ 발표　　　　　　　④ 외투

2. I always feel **at home** in your living room.

① proud　　　　　　② annoyed

③ comfortable　　　 ④ worried

3. 두 단어의 의미 관계가 나머지 셋과 <u>다른</u> 것은?

① healthy – unhealthy

② waste – save

③ outer – inner

④ view – sight

4. 다음 빈칸에 공통으로 들어갈 알맞은 말은?

> · You should _____ attention to my advice.
> · He couldn't _____ a rent for his house.

① pay　　　　② try　　　　③ take　　　　④ lend

5. 다음 탑승권(boarding pass)에 대한 설명 중 <u>잘못된</u> 것을 고르면?

BOARDING PASS			
NAME	PAUL ALLEN		
FROM SEOUL	⇒		TO TOKYO
FLIGHT PC12	DATE 21 AUG		TIME 15 : 40
GATE 40	BOARDING TIME 17 : 10		SEAT 34H
PACIFIC AIR			

① 탑승권은 서울발 도쿄행이다.

② 탑승시간은 5시 10분이다.

③ 탑승구는 40번이다.

④ PC12는 비행시간을 나타낸다.

6. 다음 격언이 주는 교훈으로 가장 알맞은 것은?

> The early bird catches the worm.

① 건강 ② 근면 ③ 협동 ④ 인내

7. 다음 대화에서 밑줄 친 말의 의도로 가장 알맞은 것은?

> A : What do you think of working from home?
> B : <u>I'm against it</u>. I think we need to make friends in our workplace.

① 반대하기 ② 금지하기

③ 동의하기 ④ 거절하기

8. 다음 대화에서 알 수 있는 B의 심경으로 가장 알맞은 것은?

> A : How was your game last night?
> B : Let's not talk about it.
> A : I'm sorry I couldn't come. Did you lose the game?
> B : Yes. It was the last chance to be pro ball player.

① surprised
② joyful
③ disappointed
④ excited

9. 다음 대화가 이루어지는 장소로 가장 알맞은 것은?

> A : How can I help you?
> B : Can I send this package to New York?
> A : Yes, of course. Let me check it first. What is in it?
> B : Some books and DVDs. How much is it?
> A : It weighs 2 kilograms. That'll be 25 dollars.

① bank
② bookstore
③ library
④ post office

10. 다음에 이어질 대화의 순서로 가장 알맞은 것은?

> What will you do for our mother on her birthday?

(A) Yes. I suggest we clean the house and make a nice food for her.
(B) That's a good idea.
(C) I have no idea. Do you have any nice idea?

① (A) – (B) – (C)
② (B) – (A) – (C)
③ (C) – (A) – (B)
④ (C) – (B) – (A)

[11~12] 다음 대화에서 빈칸에 들어갈 알맞은 표현을 고르시오.

11.

A : What a nice garden!

B : Thank you for saying so.

A : Isn't this flower a cosmos?

B : _____ It's only a weed.

① No. I'm afraid you are wrong.

② Yes. I think so, too.

③ No. I never think about that.

④ Yes. I'm sure it is.

12.

A : What's the matter with you? You look so bad.

B : My dog was run over by a car.

A : _____

① That's terrific!

② I'm sorry to hear that.

③ It's kind of you to say so.

④ I'd like to have a hot dog.

13. 다음 대화에서 두 사람의 관계로 가장 알맞은 것은?

A : I'm so happy to meet you.

　　I can't believe I'm standing in front of you.

B : Thank you for buying my new novel.

A : My pleasure. I think you are the best writer in Korea.

B : Oh. I can't thank you enough.

A : May I have your autograph?

B : Sure. Give me the book.

① student – teacher　　　　② fan – singer

③ reader – writer　　　　　④ actor – director

[14~15] 다음 빈칸에 공통으로 들어갈 알맞은 말을 고르시오.

14.

· I can't _____ falling in love with her.

· Please, _____ yourself to spaghetti.

① help   ② keep

③ have   ④ take

15.

· Paris is the fashion _____ of the world.

· Sentences always begin with _____ letters.

① big   ② small

③ center   ④ capital

16. 다음 빈칸에 알맞은 말이 순서대로 짝지어진 것은?

I have two tennis rackets. _____ is made in Korea and _____ is made in England.

① One - others   ② One - the other

③ One - another   ④ Some - the other

17. 다음 글에서 밑줄 친 They(they)가 가리키는 것은?

They have to work fast. When the bell rings, they have to jump up, get on their truck and get to the place as fast as they can. As soon as the truck stops, they spring into action. Some of them connect the hoses. Others put up the ladder.

① truck drivers   ② flight attendants

③ police officers   ④ fire fighters

18. 다음 글을 쓴 목적으로 가장 알맞은 것은?

> The more often you make practical use of English, the faster you will learn English. It is useful to go on speaking and writing it constantly without being afraid of making mistakes.

① to comfort   ② to advise

③ to agree   ④ to thank

19. 다음 글의 주제로 가장 알맞은 것은?

> As the rain water moves, it picks up some salt from the ground and from rocks. The water takes the salt into rivers, then the salty river water runs into the sea. River water has been running into the sea for a long time. So there is much salt in it.

① 바닷물이 짠 이유   ② 강의 생성 과정

③ 강과 바다의 관계   ④ 소금이 짠 이유

20. 다음 글의 밑줄 친 ①~④ 중 어법상 어색한 것은?

> This is a future city ①**built** in outer space. You'll find ②**it** interesting to look around this city. People live in houses ③**making** of glass. They move around in ④**flying** cars.

21. 다음 글의 빈칸에 들어갈 가장 알맞은 말을 고르면?

> Houses are different in the ways they are built. Houses in hot countries can be lightly built. In places where it is very cold, the houses must be strong and warm. In some places it _____ much of the time. Then the houses must be built to keep out of the water.

① closes   ② grows

③ opens   ④ rains

22. 다음 글의 제목으로 가장 알맞은 것은?

> When a fire in someone's home becomes too large for a person to put out, a person should call the fire department. Everyone in the house should be careful. While going through a smoke-filled room, a person's nose and mouth should be covered with a wet cloth, and a person should stay close to the floor.

① Danger of a Fire
② Cause of a Fire
③ How to put out a Fire
④ Step to follow in case of a Fire

23. 다음 글의 전체 흐름과 관계가 없는 문장은?

> Today, the mobile game is popular. ① But it is only a waste of time. ② Children are spending too much time and money in playing the mobile game. ③ Recreation is important to us. ④ Children must do more important things like reading and studying.

[24~25] 글을 읽고 물음에 답하시오.

> After she was able to walk, Wilma began to play all kinds of sports and found a love for running. She was very slow at the beginning, but she didn't give up. She tried very hard to succeed as an athlete.
>
> _____, at the 1956 Melbourne Olympics, she won a bronze medal in the 400-meter relay. Four years later, at the Rome Olympics, she won three gold medals for the 100-meter, the 200-meter, and 400-meter relay.

24. 글의 흐름으로 볼 때 빈칸에 알맞은 것은?

① For example

② Finally

③ However

④ Moreover

25. 윗글의 내용과 일치하는 속담은?

① Slow and steady wins the race.

② Do in Rome as the Romans do.

③ There is no smoke without fire.

④ Make hay while the sun shines.

05 예상문제

[1~2] 밑줄 친 부분의 뜻으로 알맞은 것을 고르시오.

1. <u>Hardship</u> often makes people stronger.

① 운동   ② 군대
③ 군함   ④ 고난

2. <u>Hand in</u> your homework now, please.

① Send   ② Submit
③ Solve   ④ Do

3. 두 단어의 의미 관계가 나머지 셋과 <u>다른</u> 것은?

① wide – width
② long – length
③ grow – growth
④ warm – warmth

4. 다음 빈칸에 공통으로 들어갈 알맞은 말은?

> · He has a house of one _____.
> · She is called a master of modern short _____.

① floor   ② story
③ novel   ④ room

5. 다음 표와 대화를 읽고 B가 지불해야 할 금액을 고르면?

MENU				
Bread		Drinks	Regular	Large
Toast	$3.0	Coffee	$2.0	$2.5
Bagel	$2.0	Milk	$1.0	$1.5
Sandwich	$3.5	Coke	$1.0	$1.2
Cream cheese	$0.5	Juice	$1.5	$2.0

A : May I take your order?

B : I'd like to have a cup of coffee and one bagel, please.

A : Which size do you want for your coffee?

Large or regular?

B : Regular, please.

A : Anything else?

B : Oh, I also need a piece of cream cheese.

① $2.5　　　② $4.0　　　③ $4.5　　　④ $5.5

6. 다음 격언이 주는 교훈으로 가장 알맞은 것은?

Actions speak louder than words.

① 겸손　　　　　　② 실천
③ 노력　　　　　　④ 배려

05 예상문제

7. 다음 대화를 나누는 두 사람의 의도로 가장 알맞은 것은?

> A : I have to wash my father's car.
>
>   Could you help me with it?
>
> B : I'm afraid I can't because I have to do a lot of work.

① 요청 – 거절

② 격려 – 후회

③ 사과 – 용서

④ 질책 – 변명

8. 다음 대화에서 B가 상점을 방문한 목적은?

> A : May I help you?
>
> B : Well, I saw your ad on the door.
>
> A : Yes. We have many clothes on summer sale now.
>
> B : I mean the one that you are seeking a new clerk.
>
> A : Oh, I'm sorry. We're offering the job to women only.

① 일자리를 찾기 위해서

② 옷을 사기 위해서

③ 여자 친구 선물을 사려고

④ 환불받기 위해서

9. 두 사람이 대화 직후 할 일로 알맞은 것은?

> A : Shall we go shopping together this afternoon?
> B : OK. Did you make a shopping list?
> A : No, but do we really need it?
> B : Of course. We can save our time and money with it.
> A : What a smart shopper you are!
>   Let's make a shopping list first.

① 쇼핑하러 나간다.
② 쇼핑목록을 만든다.
③ 쇼핑 가방을 챙긴다.
④ 인터넷 쇼핑을 한다.

10. 대화에서 두 사람의 관계로 가장 알맞은 것은?

> A : Have you ever seen cats swimming?
> B : No, I haven't. I've seen dogs swimming but I've never seen swimming cats.
> A : Are you sure?
>   I saw a picture of a swimming cat on the Internet.
> B : I can't believe it. Why don't we ask our teacher?
> A : That's a great idea.

① 수의사 – 애완동물 주인
② 교사 – 학생
③ 교사 – 학부모
④ 학생 – 학생

05 예상문제

11. 대화의 주제를 가장 잘 나타낸 속담은?

> A : What's wrong? You look terrible.
>
> B : Well, the teacher said I didn't pass the exam.
>
> A : Again? How long did you prepare for it?
>
> B : Actually, about an hour. It's all because of that movie.
>
> A : What are you talking about?
>
> B : My favorite movie was showing on TV last night, so I couldn't turn it off.
>
> A : Hey, it's your fault. You didn't do your best.

① Well begun is half done.

② No news is good news.

③ Two heads are better than one.

④ No pain, no gain.

12. 대화의 빈칸에 알맞은 것은?

> A : Are you ready?
>
> B : Yes, I am. But I'm _____.
>
> A : Don't worry. I'm sure you'll do well in the contest.

① tired   ② sad

③ nervous   ④ excited

13. 대화의 빈칸에 어색한 것은?

> A : Could you give me a hand?
>
> B : _____

① Certainly.   ② Sure.

③ Same here.   ④ Sorry I can't.

14. 어법상 빈칸에 알맞은 것은?

> The people _____ to the party brought some flowers.

① invited   ② inviting

③ to invite   ④ invite

15. 다음 도표의 내용과 일치하는 것은?

> Q : Do you have breakfast?
>
>   Number of Students : 300

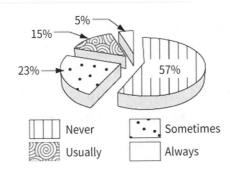

| Never | Sometimes |
| Usually | Always |

① 5% of the students often skip breakfast.

② Over half of the students skip breakfast.

③ 23% of the students usually eat breakfast.

④ 15% of the students always eat breakfast.

16. 글의 전체 흐름과 가장 관계가 <u>없는</u> 문장은?

> ① There is a good movie at the Rex Cinema. ② Linda likes to meet her friends. ③ It is a love story called "The Pretty Woman." ④ She wants to go and see the movie.

05 예상문제

17. 다음 밑줄 친 **This**가 뜻하는 것으로 알맞은 것은?

> **This** is a unit used to measure the amount of energy produced by food. People who are worried about getting fat pay much attention to the number of these in their food.

① 단백질   ② 지방

③ 탄수화물   ④ 칼로리

[18~19] 글을 읽고 물음에 답하시오.

> Ladies and gentlemen, I do believe that the first step to democracy is respect for other people's rights and freedom. Learn to limit your freedom for other people and they will **do the same** for you. Only then can we be really free, and we will deserve democracy. Thank you for your listening.

18. 윗글의 종류로 가장 알맞은 것은?

① diary   ② letter

③ essay   ④ speech

19. 윗글의 밑줄 친 부분의 구체적인 의미는?

① limit your freedom

② respect their rights

③ limit their freedom

④ respect your right

20. 다음 글의 빈칸에 들어갈 가장 알맞은 말을 고르면?

> Last Saturday, I sold some of my mother's old dresses. For the whole day, I sold just one dress and made only 1,000 won, but Semi sold all of her old toys. I was really _____ .

① disappointed   ② excited

③ interested   ④ bored

21. 다음 글의 주제로 가장 알맞은 것은?

> The Romans believed that a person's health changed every seven years. Since the mirror reflected the health of a person, they thought that breaking a mirror meant that the health of a person would be broken for seven years!

① the ancient Roman history

② the ancient Rome culture

③ the superstition of the Rome

④ The life of the Romans

22. 다음 글의 주장으로 가장 알맞은 것은?

> If you start children with computers too early in life, the computers will control the children. Children need to be active. They need to play out of the house. They don't need to sit in front of a computer all the time.

① 너무 어릴 때 컴퓨터를 배울 필요는 없다.

② 어릴 때 일찍 컴퓨터를 배워야 한다.

③ 컴퓨터는 우리의 건강을 해칠 수도 있다.

④ 컴퓨터는 지능개발에 도움이 된다.

05 예상문제

23. 다음 광고의 내용과 일치하지 <u>않는</u> 것은?

> **For Sale**
> · Ford Mustang - Original owner
> · Very good condition / $3,000
> · Call 2282-7333 after 17:00

① 상태는 양호하다.
② 언제든 통화할 수 있다.
③ 판매 가격이 제시되어 있다.
④ 연락처가 있다.

[24~25] 글을 읽고 물음에 답하시오.

> Once people used the words "dumb animals." "Dumb" means "cannot talk." It also means "cannot think." _____ scientists have shown that animals are not dumb. They can think. All animals talk to each other. And some animals can talk with us. Here are some examples of these animals.

24. 윗글의 흐름으로 보아 빈칸에 들어갈 수 <u>없는</u> 것은?

① But   ② However
③ Therefore   ④ On the contrary

25. 윗글의 바로 뒤에 이어질 내용으로 알맞은 것은?

① 사람과 동물의 관계
② 동물을 보호하는 방법
③ 소리를 내지 못하는 동물의 생활
④ 사람과 대화하는 동물의 예

03

정답 및 해설
영어 ENGLISH

적중! 모의고사 예상문제

1회 예상문제 · 영어

1. ④	2. ②	3. ③	4. ①	5. ④
6. ①	7. ②	8. ③	9. ①	10. ②
11. ③	12. ④	13. ④	14. ③	15. ②
16. ①	17. ③	18. ④	19. ②	20. ④
21. ①	22. ②	23. ③	24. ①	25. ④

1. ④ 인내 : 그는 그 아이들에 대해 상당한 인내심을 보였다.

2. ② 결심하다 : 너는 그것을 다시 시도해 볼 것을 결심해야 한다.

3. ③ 상징하다 : 왕관은 왕의 존엄을 상징한다.

4. ① agree (동사) 동의하다 – agreement (명사) 동의
나머지는 형용사와 명사의 관계
② 의존하는 – 의존, ③ 건강한 – 건강, ④ 중요한 – 중요성

5. ④ 농구는 축구보다 더 인기 있다.

6. ① off : call off 취소하다 / turn off 끄다
· 그 사람은 여행을 취소한 게 아니라 연기한 것뿐이에요.
· 잠자리에 들기 전에 텔레비전을 꺼 주세요.

7. ② address : 주소, 연설
· 당신의 이름과 주소는 어떻게 되는지요?
· 그는 오늘 밤에 개막 연설을 할 것이다.

8. ③ if : (조건절) 만약 ~라면 / (명사절) ~인지 아닌지
· 그를 만나면 이 쪽지 좀 전해 줘.
· 그가 결혼했는지 아닌지 아니?

9. ① 연습하면 완벽해진다.
A : 걱정스러워 보이네. 무슨 안 좋은 일 있니?
B : 음, 여전히 영어를 공부하는 중인데, 새로운 단어를 외우는 게 정말 어려워. 좋은 생각 있니?
A : 매일 반복해서 새로운 단어를 반복해서 읽어보는 게 어때? 연습하면 완벽해진다.

10. ② impressed 감동을 받은
A : 너 어떤 할머니에 대한 소식 들었니?
B : 할머니라고? 아니. 뭐에 관한 건데?
A : 그분은 자신의 전 재산을 사회에 기부하셨어.
그분은 시장에서 생선을 팔며 돈을 모았다고 들었어.
B : 오, 정말 훌륭하시다! 그분은 대부분 사람이 쉽게 할 수 없는 대단한 일을 하셨어.

11. ③ bookstore 서점
A : 실례합니다. 소설 코너가 어디인지 알려 주시겠어요?
B : 네. 아동 서적 옆에 있습니다.
A : '노인과 바다' 라는 책을 찾고 있어요. 재고품이 있나요?

12. ④ Why don't you buy her a present?
A : 어머니 생신이 곧 다가오고 있어. 어떡하지?
B : 어머니께 선물을 사드리는 게 어떠니?
A : 좋은 생각이네. 고마워.

13. ④ How often do the buses run?
A : 어디 가나요?
B : 버스가 저 아래 모퉁이에 서지요, 그렇지 않나요?
A : 아니오, 바로 여기 모퉁이에 서는데요.
B : 버스가 얼마나 자주 다니나요?
A : 10분마다 다녀요.

14. ③ water 물
그것은 순수할 때 색이나 맛이 없는 맑고 묽은 액체이다. 그것은 빗물로서 구름에서 떨어지고 강이나 바다로 흘러간다. 모든 동물과 사람은 살아가기 위해서 그것이 필요하다.

15. ② to inform (정보를) 알려주기 위해서
지구는 육지와 물로 구성되어 있다. 일곱 개의 커다란 땅덩어리를 대륙이라고 한다. 대륙에는 아시아, 유럽, 북미, 남미, 아프리카, 호주, 그리고 남극 대륙이 있다. 커다란 수역(水域)은 대양이라고 부른다. 대양에는 태평양, 대서양, 인도양, 그리고 북해가 있다.

16. ① 주간신문이다.
신문 배달 소년과 소녀
우리는 일간 신문을 배달할 건강한 학생을 찾습니다.

· 50가구당 하루에 10,000원
· Tel : 02-2282-7333
· 주의 : 오직 고등학생만 지원할 수 있다.

17. ③ (B) - (A) - (C)
뱀의 독(액)은 종종 치명적이다.
(B) 하지만, 놀랍게도 어떤 뱀의 독(액)은 실제로 생명을 구할 수 있다.
(A) 예를 들어, 러셀 독사라 불리는 뱀의 독(액)은 지혈하는 데 이용되어왔다.
(C) 마찬가지로, 연구원들은 치명적인 말레이 독사의 독(액)이 혈전을 녹인다는 것을 발견했다.

18. ④ 나의 어머니는 다른 말을 발로 차는 것을 가르쳐 주셨다.
나의 이름은 Black Beauty이고 나는 100여 년 전에 영국에 살았다. 나는 농부인 Gray씨의 농장에서 태어났고, 그는 매우 친절한 주인이었다.
나의 어린 시절은 아주 행복했었다. 나의 아버지는 존경받는 말이었고 할아버지는 세상에서 가장 유명한 경주인 Newmarket 경주에서 우승했었다. 나의 어머니는 아름답고 지혜로운 말이었다. 그녀는 나에게 다른 말을 발로 차거나 물어뜯지 말라고 가르쳤다.

19. ② weight is not important
Galileo는 사물이 어떻게 떨어지는가에 관한 연구로 유명하다. 그는 이 문제에 대한 실험을 처음으로 한 사람이다. 이전에는, 사람들은 무거운 물건들이 항상 가벼운 물건보다 더 빨리 떨어진다고 생각했었다. 그는 이것이 사실이 아니라는 것을 알아냈다. 그는 무거운 공과 가벼운 공을 가지고 높은 장소에서 그 둘을 떨어뜨렸다. 그것들은 같은 속도로 떨어졌다. 이것은 <u>무게가 중요하지 않다는</u> 것을 의미했다.

20. ④ changing : 변하고 있는
오늘날 영어는 <u>변하고</u> 있다. 항상 단어들이 그 언어에 추가되고 있다. 이 단어 중 많은 것이 특별한 <u>방법으로</u> 우리에게 온다. 예를 들어, smog와 같은 단어는 두 단어의 혼합이다. smog는 smoke와 fog의 합성이다. 다른 단어는 긴 단어를 더 <u>짧게</u> 만듦으로 형성된다. 예를 들어, advertisement는 ad로 줄여졌다.

21. ① 박쥐가 소리를 이용하는 방법
박쥐는 밤에 날 수 있으며, 심지어 눈을 감고서도 날 수 있다. 그러나 만약 귀를 가린다면 박쥐는 잘 날지 못한다. 박쥐는 사람이 들을 수 없는 소리를 만들어 낸다. 박쥐는 이 소리가 사물에 부딪혀 울리는 것을 듣고 길을 찾는다. 박쥐는 심지어 벌레들에서 부딪혀 나오는 소리를 따라서 먹이인 곤충을 찾아내기도 한다. 어디로 갈지 알기 위해 사람은 눈을 사용하지만, 박쥐는 귀를 사용한다.

22. ② 노인들의 생활 방식
노인과 젊은 사람의 생활 방식에는 차이가 있다. 젊은이들은 편지를 쓰기보다는 전화 걸기를 선호하며 그리고 버스나 기차보다는 비행기로 여행하기를 좋아한다. 그러나 이것은 노인들에게는 그렇지 않다.

23. ③ 지난 토요일에 나는 극장에 갔다. 나는 아주 좋은 좌석을 차지했다. 연극은 매우 재미있었다. 그러나 난 그것을 즐겁게 보지 못했다. 내 뒤에 앉아있던 젊은 부부가 계속 큰 소리로 이야기하고 있었다. <u>그래서 나는 배우들의 말을 들을 수 없었다.</u> 나는 뒤돌아서 그 부부를 쳐다보았다. 그러나 그들은 나를 주목하지 않았다.

[24~25]
일하는 엄마들은 칭찬받고 존경받지만, 전업주부는 얕잡아 보기 때문에, 나는 화가 난다. 일하는 엄마들은 직장과 가정에서 두 가지 일을 같이하느라 어려움을 겪는다는 것에 동의한다. <u>하지만,</u> (전업) 가정주부들도 요리하거나 자녀의 숙제를 도와주는 것과 같이 대가를 받지 못하는 많은 가치 있는 일을 한다. 나는 내 두 손으로 아이들을 기르는 것이 매우 의미 있는 일이라고 생각한다. 어느 한 가지가 다른 것보다 더 중요하다고 말하는 것은 아니다. 직장 일이나 집안일이나 똑같이 중요하다. 여자들은 모두 자신이 원하는 것을 자유롭게 선택할 수 있다. 그러니, 가정주부가 하는 일을 직장여성이 하는 일보다 덜 중요한 것으로 말하지는 말자.

24. ① However 하지만

25. ④ 가정주부가 하는 일을 무시해서는 안 된다.

2회 예상문제 · 영어				
1. ②	2. ①	3. ④	4. ③	5. ③
6. ①	7. ④	8. ②	9. ②	10. ①
11. ③	12. ④	13. ④	14. ③	15. ①
16. ②	17. ④	18. ③	19. ④	20. ①
21. ④	22. ②	23. ③	24. ①	25. ①

1. ② 책임감 : 그는 좀 더 책임감 있는 일을 원한다.

2. ① stand = put up with 참다 : 나는 너의 무례를 더는 참을 수 없다.

3. ④ 지름길 – 영어를 정복하는 데 지름길은 없다.

4. ③ slightly – a little 약간, 조금 (유의어) / 나머지는 반의어
① 어두운 – 밝은, ② 거친 – 매끄러운, ④ 안전 – 위험

5. ③ 품종

고양이를 찾습니다

· 이름 : 키티
· 나이 : 6개월
· 체중 : 2.5kg
· 성격 : 매우 다정하며 장난기 많은
☎ 02-2277-4333

---

6. ① on : depend on ~에 의존하다 / look down on ~을 멸시하다, 깔보다
· 모든 살아 있는 생명체는 태양에 의존한다.
· 내가 어리다고 깔보지 마세요.

7. ④ last : 형) 마지막의, 동) 계속되다, 지속되다
· 우리는 집으로 가는 마지막 버스를 탔다.
· 회의는 5일 동안 계속될 것이다.

8. ② what
· 다음에 무슨 일이 일어날지는 아무도 모른다.
· 그는 항상 옳다고 믿는 것을 행한다.

9. ② It is no use crying over spilt milk.

창가에 있는 새장 속의 새가 밤에만 노래를 부르곤 했다. 그녀가 노래하는 걸 들은 박쥐가 다가와서 낮에는 절대 노래하지 않고 밤에만 부르는 이유를 물었다. 거기에는 충분한 이유가 있는데 자신이 잡힌 것은 바로 낮 동안에 노래하고 있을 때였고 그리고 이것이 그녀에게 교훈을 가르쳐 주었다고 설명했다. 그러자 박쥐가 말했다, "당신은 잡히기 전에 좀 더 주의했어야만 했어요."

10. ① 권유하기
A : 나는 좀 더 튼튼해지고 싶어. 어떻게 해야 하지?
B : 규칙적으로 운동하는 것을 제안한다.
A : 좋아. 노력해 볼게.

11. ③ embarrassed 당혹스러운
A : 무슨 일이야?
B : 내 컴퓨터 화면에 아무것도 나타나지 않아.
　　내 자료가 전부 날아간 것 같아.
A : 작업을 저장하면서 해 왔니?
　　10분마다 자료를 저장하라고 말했잖아.
B : 알아, 안다고. 어떻게 이런 일이 일어날 수 있지?
A : 너의 하드드라이브가 고장난 거 같다.

12. ④ When does it start?
A : 영화표가 얼마인가요?
B : 어른은 10달러, 어린이는 5달러입니다.
A : 어른 두 장, 어린이 세 장 주세요.
B : 여기 있습니다.
A : 영화가 언제 시작하나요?
B : 10분 정도 있다가 시작합니다.
A : 서둘러야 하겠군요.

13. ④ Thank you for your praise.
A : 너는 전보다 더 건강해 보여.
B : 그러니?
A : 응. 규칙적으로 운동하니?
B : 응, 하고 있어.
　　매일 저녁 줄넘기를 천 번씩 해.
A : 와! 굉장한데. 네가 그렇게 건강해 보이는 것도 당연해.
B : 칭찬 고마워.

14. ③ thermometer 온도계

<u>이것은</u> 매우 유용한 도구이다. 이것은 얇은 유리관을 가지고 있다. 유리관의 한쪽 끝은 전구나 공처럼 보인다. 그 유리관은 대개 수은으로 채워져 있다. 때때로 색깔 있는 알코올이 수은 대신에 사용된다. 온도 변화를 읽기 위해 그것을 사용한다. 즉, 대기가 얼마나 더운지 혹은 추운지 측정할 수 있다.

15. ① (B) - (A) - (C)

주문하시겠습니까?
(B) 스테이크로 주세요.
(A) 어떻게 해 드릴까요?
(C) 중간 정도로 익혀 주세요.

16. ② 산기슭의 호텔을 이용할 수 있다.

멋진
겨울 방학을 보내세요
· 그린 산에서 5일간의 스키 관광
· 바닷가 주변의 많은 안락한 호텔
· 매일 두 시간 무료 스키 강습
· 관광 비용 : 1인실 $800
　　　　　　　 2인실 $1,000

---

17. ② To ask for information 정보를 요청하기 위해

2019년 9월 25일
덴버 상공회의소
하이필드 로드 124번지
콜로라도주 덴버 80201-1023

관계자께 :
　우리는 다음 달에 덴버로 중요한 출장을 갈 계획입니다. 그래서 그 지역 내의 이용 가능한 숙소에 대한 몇 가지 정보를 얻고 싶습니다. 시내 근처의 호텔에 대한 정보를 우리에게 보내 주시면 고맙겠습니다. 도시지도, 비즈니스센터와 도시관광명소에 대한 소책자도 또한 고맙게 받겠습니다.
　고맙습니다.

진심을 담아,
Barbara M. Carrillo

---

18. ③ 무료입장이 가능하기 때문에

사람들이 박물관을 방문하는 이유에 대해 생각해 본 적이 있는가? 박물관을 방문하는 이유는 몇 가지가 있다. 무엇보다 먼저, 박물관은 사람들이 역사에 대해 배우게 해준다. 박물관은 과거를 보여준다. 그다음으로, 박물관은 아주 재미있는 다양한 활동을 제공한다. 이런 이유로, 박물관은 사람들이 즐겁게 지내고 동시에 뭔가를 배울 수 있는 장소이다.

19. ④ Ways to Improve Balance 균형감각을 향상해주는 방법들

균형감각을 키우는 것은 연습이 필요하며, 그저 하룻밤 사이에 일어나지 않는다. 하지만, 다음의 단계를 따르면, 시간이 지나면서 당신의 균형감각이 향상될 수 있을 것이다. 요가와 발레 같은 균형감을 요구하는 운동을 배워라, 그러면 균형감각을 연습하게 될 것이다. 균형 잡기를 연습할 시간을 매일 내어봐라. 예를 들어, 30초 동안 한 다리로 서 있기를 시도해 봐라. 복부 근육을 강화하라, 그러면 그것이 균형감각을 향상해 줄 것이다. 윗몸 일으키기와 같은 운동을 해라, 그러면 균형감각이 향상된 것을 알아차리게 될 것이다.

20. ① unlucky 불행한, 불길한

많은 호텔에 13층이 없다. 층수는 12에서 14로 건너뛴다. 많은 사람이 13이라는 숫자가 <u>불길하다</u>고 생각한다. 그래서 그들은 13층에 있는 방에 들어가는 것을 거절할 것이다.

21. ④ wind

어떤 공기는 따뜻하고, 어떤 공기는 차가우므로 공기가 움직인다. 더운 공기에서는 작은 공기 입자들이 널리 퍼져 있다. 그래서 더운 공기 덩어리는 같은 부피를 차지하는 차가운 공기 덩어리보다 더 가볍다. 더운 공기가 가벼워서 올라가고, 차가운 공기가 그 자리를 차지하면서 흘러들어 온다. 공기의 이런 활발한 움직임이 소위 <u>바람</u>이다.

22. ② 시각 장애인을 도울 때 주의할 점

시각 장애인이 문이나 길모퉁이에 다가오는 것을 볼 때, 우리는 여러 번 문을 열어주거나 길 건너는 것을 안내함으로써 그들을 도우려고 노력한다. 그러나 우리가 그렇게 하는 동안, 우리 중 일부는 마치 시각 장애인이 청각 장애도 있는 것처럼 큰 소리로 말한다. 시각 장애인에게 도움이 필요한지 묻지 않고 그를 도우러 달려가서 큰 소리로 말하는 것은 올바르지 않다. 만약 시각 장애인을 돕고 싶다면, 여러분들은 다음의 조언을 명심해야 한다.

23. ③

권투는 많은 나라에서 인기 있다. 권투경기에서 종이 울리면, 권투 글러브를 착용한 선수는 서로를 때린다. 그러나 타이 복싱은 다르다. 음악이 연주될 때, 두 선수는 무릎을 꿇고 신에게 기도하고 춤을 추기 시작한다. 이 춤을 추는 동안, 각 선수는 자신이 최고임을 보여주려고 애쓴다. 그리고나서, 싸움이 시작된다. 타이 복싱에서, 선수는 발로 차고, 팔꿈치나 무릎으로 서로를 때린다.

[24~25]

무엇이 대부분의 사람들을 행복하게 하는가? 가장 흔한 대답은 돈, 젊음, 혹은 잘생긴 외모일 것이다. 그러나 최근의 조사에 따르면, 조사대상 중 겨우 10~15%의 사람만이 그런 응답을 하였다. 그렇다면 사람을 행복하게 만드는 것은 정말 무엇일까? 스스로에 대한 자신감, 여가 시간, 유머 감각 같은 것이 그것이다. 자신 있는 사람은 스트레스 가득한 상황을 환영하며 즐긴다. 게다가, 춤추기와 하이킹 같은 활동을 하는 활기찬 여가 시간은 사람들에게 성취감이나 만족감을 준다. 유머러스한 사람은 더 많이 웃고 다른 사람들도 역시 웃게 만들기 때문에 유머 감각 또한 행복을 가져올 수 있다.
그러므로 우리 일상적인 삶에서 이처럼 작은 것들이 행복을 증진하는 데 있어 종종 더 효과가 있음을 명심하라.

24. ① Therefore 그러므로

25. ① You should find happiness in small things.
작은 것에서 행복을 찾아야 한다.

3회 예상문제 · 영어				
1. ③	2. ①	3. ③	4. ④	5. ④
6. ②	7. ③	8. ①	9. ②	10. ③
11. ④	12. ①	13. ③	14. ①	15. ②
16. ④	17. ④	18. ③	19. ②	20. ③
21. ①	22. ③	23. ③	24. ④	25. ②

I. ③ 자원봉사자 : 하고 싶은 일을 하므로, 돈을 받지 않고 일을 하는 사람

2. ① attend : 당신은 회의에 참석해야 합니다.

3. ③ 취소하다 : 그녀는 책 주문을 취소해야 했다.

4. ④ courageous – brave 용감한 / 동의어
나머지는 모두 반의어
① 밀다 – 당기다, ② 정상적인 – 비정상적인,
③ 안전한 – 위험한

5. ④ 배달 방법

```
팝니다!
CD 플레이어
상태 좋음, 1년 사용
100달러
전화 775-8485 Tonny Brown
```

6. ② hearing : 나는 곧 당신으로부터 소식 듣기를 기대하고 있습니다.
look forward to ~ing(동명사) : ~하기를 기대하다

7. ③ Unless : 열심히 일하라, 그렇지 않으면 다시 실패할 것이다.
명령문 ~ + or + … : ~해라 그렇지 않으면 …할 것이다
= If + not ~ = unless

8. ① Sorry. I'm new here, too.
A : 실례합니다. 우체국은 어떻게 가는지요?
B : 미안합니다만, 저도 여기는 초행길입니다.

9. ② That's too bad.
A : 그녀가 지갑을 잃어버려 참 안타까워.
B : 안됐군요.

10. ③ You can't miss it. : 틀림없이 찾을 겁니다.
A : 7시에 내가 너의 집으로 차로 데리러 갈게.
B : 고마워, 그때 보자. / 당신이 그렇게 해준다니 참 친절하군요. / 고맙습니다만 택시를 탈게요.

11. ④ 학부모와 교사

A : 여보세요. Mr. Brown입니다.

B : 안녕하세요, Brown 선생님. 저는 Kevin의 엄마입니다. Kevin이 오늘 학교에 갈 수 없어요.

A : 왜 그렇지요?

B : 아파서요. 독감에 걸렸습니다.

A : 오, 참 안됐군요.

12. ① In a store 상점에서

A : 기다리게 해서 죄송합니다. 무엇을 도와드릴까요?

B : 이것 하나 주세요. 그리고 포장해 주세요.

13. ③ fast food

"여기서 드실 건가요, 아니면 포장해 드릴까요?" 사람들은 매일 수백 번씩 이것을 질문하고 답한다. 이것은 어느 곳에나 있다. 당신은 식당 안에서 이것을 먹을 수 있고, 혹은 이것을 포장해서 집으로 가져갈 수도 있다. 바로 이것이 종종 포장 음식(take-out food)이라고도 불리는 이유이다.

14. ① Two heads are better than one. 백지장도 맞들면 낫다.

말 두 마리가 물을 마시러 갔다. 그러나 강은 얼어 있었다. 한 마리가 얼음을 때렸다. 얼음은 너무 두꺼워서 그 말은 얼음을 깨뜨릴 수 없었다. 그러자 두 마리 말이 나란히 서서 둘이 얼음을 때렸다. 얼음이 깨질 때까지 그 두 마리 말은 계속 얼음을 때렸다.

15. ② sunlight

식물은 봄에 더 빠르게 자란다. 날씨는 대개 더 따뜻해지며, 낮은 더 길어진다. 봄에 정원을 시작해보는 것은 좋은 생각이다. 그때는 식물이 더 많은 햇빛을 얻을 것이다.

16. ④ gain weight

당신이 먹는 음식의 많은 부분이 몸에 의해 사용된다. 그러나 어떤 이들은 몸이 사용할 수 있는 것보다 더 많은 음식을 먹는다. 사용되지 않은 음식 대부분은 몸 안에 저장된다. 이 때문에, 이 사람들은 체중이 는다 (살이 찐다).

17. ④ funny 우스운

A : 꼬마야, 이름이 뭐니?

B : 몰라요.

A : 케이크가 다 만들어지면 엄마가 너를 어떻게 부르니?

B : 엄마는 부르지 않아요. 난 이미 거기에 가 있거든요.

18. ① to appreciate 감사하기 위해서

2019년 9월 3일

한수에게,

어떻게 지내고 있니? 한국에서 멋진 여름 방학을 즐기고 어제 학교에 돌아왔어. 무엇보다, 너의 도움으로 한국의 음식과 문화를 많이 즐겼어. 그 점을 잊지 않을 거야. 정말 매우 고마워. 나에게 베푼 너의 호의에 보답하기 위해서, 언젠가 네가 뉴욕을 방문할 기회가 있으면 좋겠어.

이만 줄일게.

진심을 담아서

윌리엄

19. ② depressed 우울한

생일날 혼자여서 기분이 우울했다. 그때 수미가 전화를 걸어 나를 자기 집으로 초대하여 저녁을 먹도록 했다. 그러자 기분이 좋아졌다.

20. ③ (A)-(C)-(B)

봄에, 여동생 미연과 나는 당근, 옥수수, 그리고 토마토를 심었다.

(A) 그리고서 우리는 물을 주고 식물을 보살폈다.

(C) 8월에, 우리의 모든 채소가 수확을 위한 준비가 되었다.

(B) 수확한 채소들을 팔기 위해, 우리는 채소 가판대를 열었다.

21. ① My First Flight 나의 첫 비행

나는 지난달에 처음으로 비행기를 타고 여행을 했다. 나는 보통 전국을 짧게 여행한다. 하지만 서울에서 뉴욕까지 비행기를 타고 가는 것이기에 이것은 긴 여행이었다. 나는 비행에 대해 매우 들떠 있었다. 이 느낌은 탑승부터 착륙까지 오랫동안 계속되었다. 여행 내내 흥미진진했다. 맑은 날이었고 산과 들, 강의 경치는 아름다웠다. 비행기 안에서 자유롭게 움직일 수 없어 긴 비행은 조금 불편했지만, 나는 그 비행을 매우 즐겼다.

22. ③ 허탈하다.

나는 오늘 아침에 늦게 일어났다. 시계를 보았다. 8시 20분쯤이었다. 수업은 9시에 시작한다. 학교까지 가는 데는 35분 정도가 걸린다. 나는 침대에서 벌떡 일어났다. 아침을 먹지 않았다. 나는 최대한 빨리 버스 정류장으로 달려갔다. 하지만 통학버스를 오랫동안 기다려야 했다. "이상하군." 내가 말했다. "(통학)버스는 한 번도 늦은 적이 없었는데." 내 친구 민수가 지나갔다. "왜 여기 있는 거야?"라고 그가 물었다. 그리고는 미소를 지었다. "몰라? 오늘은 수업이 없어!"

23. ③

음식은 삶이다; 음식은 우리가 살아 있고 건강하기 위해 필요한 영양분을 준다. 우리는 보통 배가 고프거나 에너지가 필요하므로 먹는다. Brian Wansink라는 일리노이대 교수는 우리는 또한 특정한 음식들이 기분을 좋게 해주기 때문에 그것을 먹으며, 우리에게 행복한 기억을 상기시켜 준다고 말한다. Wansink는 이런 종류의 음식을 "위로 음식"이라고 부른다. (여자는 보통 남자보다 더 자주 먹는다.) 어떤 사람들에게는 아이스크림이 위로 음식이다. 다른 사람들에게는 국수 한 그릇이 기분을 좋게 한다.

[24~25]

자동차가 처음 등장했을 때, 사람들은 튼튼한 차를 원했다. 부서지지 않는 차가 가장 안전하다고 생각했다. 튼튼한 차는 약한 차보다 사람을 더 잘 보호할 수 있다는 게 기본적인 생각이었다. 하지만, 안전한 차에 대한 이런 생각은 오늘날 아주 다르다. 디자인은 충돌할 때 수반되는 에너지의 감소에 초점을 맞춘다. 더 많은 에너지를 차가 흡수할수록, 승객의 몸은 더 적은 에너지를 받게 된다. 현대의 많은 차가 이런 생각을 마음에 담고 디자인된다. 잘 디자인된 차는 충돌 사고 후에 끔찍하게 보일지도 모르지만, 실제로 그것이 더 안전한 차다.

24. ④ However

25. ② change of ideas about safe cars 안전한 차에 관한 생각의 변화

4회 예상문제 · 영어				
1. ②	2. ③	3. ④	4. ①	5. ④
6. ②	7. ①	8. ③	9. ④	10. ③
11. ①	12. ②	13. ④	14. ①	15. ④
16. ②	17. ④	18. ②	19. ①	20. ③
21. ④	22. ④	23. ③	24. ②	25. ①

1. ② 외모 : 그의 외모로 판단해 볼 때, 그는 매우 부유한 것처럼 보인다.

2. ③ comfortable : 나는 항상 당신의 거실에 있으면 편안함을 느낀다.
at home 편안한 = comfortable

3. ④ view - sight (동의어) 광경, 경치
나머지는 모두 반의어
① 건강한 - 건강하지 못한, ② 낭비하다 - 절약하다,
③ 외부의 - 내부의

4. ① pay
· 너는 내 충고에 주의를 기울여야 한다.
· 그는 집세를 지불할 수 없었다.

5. ④ PC12는 비행시간을 나타낸다.

탑승권		
이름 Paul Aleen		
출발 서울 ➡ 도착 도쿄		
비행기 번호 PC12	날짜 8월 21일	시간 15:40
탑승구 40	탑승시간 17:10	좌석 34H
PACIFIC AIR		

6. ② 근면 : 일찍 일어나는 새가 벌레를 잡는다.

7. ① 반대하기
A : 재택근무에 대해서 어떻게 생각하니?
B : 나는 반대해. 우리는 직장에서 친구를 사귈 필요가 있거든.

8. ③ disappointed 실망한
A : 지난 밤 경기는 어땠어?
B : 그런 얘기하지 말자.
A : 가지 못해서 미안해. 경기에서 진 거니?
B : 응. 프로야구선수가 될 수 있는 마지막 기회였는데.

9. ④ post office 우체국

A : 어떻게 도와드릴까요?

B : 이 소포를 뉴욕으로 보낼 수 있나요?

A : 네, 물론이지요. 점검 먼저 해볼게요. 안에 무엇이 있나요?

B : 책 몇 권과 DVD 몇 개가 들어 있어요. 얼마인가요?

A : 무게가 2kg입니다. 25달러 주세요.

10. ③ (C) − (A) − (B)

생신날 어머니께 무엇을 해 드릴 거니?

(C) 모르겠는데. 멋진 생각 있니?

(A) 응, 집 청소를 하고 어머니께 맛있는 음식을 만들어 드리자.

(B) 좋은 생각이야.

11. ① No, I'm afraid you are wrong.

A : 정말 멋있는 정원이군요!

B : 그리 말씀해 주니 고맙습니다.

A : 이건 코스모스 아닌가요?

B : 아니오. 잘못 아셨어요. 그것은 그냥 잡초입니다.

12. ② I'm sorry to hear that.

A : 무슨 안 좋은 일 있니? 안색이 너무 나빠 보여.

B : 우리 집 개가 차에 치였어.

A : 그 소리 들으니 유감이네.

13. ③ reader 독자 − writer 작가

A : 만나서 정말 행복합니다.

당신 앞에 제가 서 있다니 믿기지 않아요.

B : 새로 나온 제 소설을 사주셔서 고맙습니다.

A : 천만에요. 당신이 한국에서 제일 뛰어나다고 생각해요.

B : 오, 정말 고맙습니다.

A : 제가 사인을 받을 수 있나요?

B : 물론이지요, 책을 주세요.

14. ① help

· 나는 그녀를 사랑하지 않을 수 없어.

· 스파게티를 마음껏 드세요.

15. ④ capital : 수도, 대문자

· 파리는 세계 패션의 수도이다.

· 문장은 항상 대문자로 시작한다.

16. ② One − the other

· 나는 테니스 라켓이 두 개 있다.

하나는 한국에서 만든 것이고, 다른 것은 영국에서 만든 것이다.

17. ④ fire fighters 소방관

그들은 빠르게 일해야 한다. 벨이 울리면, 그들은 뛰어올라 트럭에 올라타고 그들이 할 수 있는 한 빨리 그 장소에 도착해야 한다. 트럭이 멈추자마자 그들은 행동을 개시한다. 그들 중 몇몇은 호스를 연결한다. 다른 사람들은 사다리를 세운다.

18. ② to advise 충고하기 위해서

당신이 영어를 실용적으로 더 자주 사용할수록, 당신은 더 빠르게 영어를 배울 것이다. 당신이 실수를 두려워하지 않고 끊임없이 영어를 말하고 쓰기를 계속하는 것이 유용하다.

19. ① 바닷물이 짠 이유

빗물이 흐르면서, 땅이나 바위로부터 소금을 조금 집어낸다. 빗물이 소금을 강으로 가져가고, 그 소금기가 있는 강물은 바다로 흘러 들어간다. 강물은 오랜 시간 동안 바다로 흘러들어 왔다. 그래서 바다에는 소금이 많은 것이다.

20. ③ making → made(과거분사로 고침)

이곳은 외계 우주에 지어진 미래 도시이다. 여러분들은 이 도시 주변을 둘러보다 보면 흥미로운 것을 발견할 것이다. 사람들은 유리로 만들어진 집에서 산다. 그들은 날아다니는 차를 타고 돌아다닌다.

21. ④ rains

집은 지어지는 방식에 따라 다양하다. 더운 지역의 집은 가볍게 지을 수 있다. 매우 추운 지역에서는, 집이 튼튼하고 따뜻해야 한다. 어떤 지역에서는 대부분 시간에 비가 내린다. 그래서 집은 (빗) 물이 들어오지 않게 지어져야 한다.

22. ④ Step to follow in case of a fire 화재 발생 시 따라야 할 단계

어떤 사람의 집에 난 불이 너무 커서 한 사람이 끌 수 없을 때, 소방서에 전화해야 한다. 그 집 안에 있는 모든 사람은 주의해야 한다. 연기로 가득한 방을 헤쳐 나올 때, 코와 입을 젖은 천으로 덮어야 하고, 바닥 가까이에 있어야 한다.

23. ③

오늘날, 휴대전화 게임은 인기 있다. 그러나 그것은 시간 낭비일 뿐이다. 아이들은 휴대전화 게임을 하는 데 시간과

돈을 너무 많이 소비하고 있다. (오락은 우리에게 중요하다.)
아이들은 독서와 공부 같은 더욱 중요한 것을 해야 한다.

[24~25]
　　걸을 수 있게 된 후에, Wilma는 모든 종류의 운동을 하기
시작했고, 달리기를 좋아하게 되었다. 처음에는 매우 느렸지
만, 그녀는 포기하지 않았다. (육상)운동선수로 성공하기 위
해서 아주 열심히 노력했다.
　　마침내, 1956년 멜버른 올림픽에서, 그녀는 400m 계주
에서 동메달을 받았다. 4년 뒤에, 로마 올림픽에서, 그녀는
100m, 200m, 그리고 400m 계주에서 3개의 금메달을 수
상했다.

24. ② Finally

25. ① Slow and steady wins the race. 느리지만 꾸준하면
경기에서 이긴다.

5회 예상문제 · 영어

1. ④	2. ②	3. ③	4. ②	5. ③
6. ②	7. ①	8. ①	9. ②	10. ④
11. ④	12. ③	13. ③	14. ①	15. ②
16. ②	17. ④	18. ④	19. ③	20. ①
21. ③	22. ①	23. ②	24. ③	25. ④

1. ④ 고난
고난은 종종 사람을 더 강하게 만든다.

2. ② hand in = submit 제출하다
지금 여러분의 숙제를 제출하세요.

3. ③ 동사 – 명사 / 나머지는 형용사 – 명사
① 넓은 – 넓이, ② 긴 – 길이, ③ 자라다 – 성장,
④ 따뜻한 – 온기

4. ② story (건물의) 층 / 이야기
· 그는 1층짜리 집을 갖고 있다.
· 그녀는 현대 단편소설의 거장이라고 불린다.

5. ③ $4.5
coffee regular($2.0) + one bagel($2.0) + cream
cheese($0.5)

6. ② 실천
말보다는 행동(실천)이 더 중요하다.

7. ① 요청 – 거절
A : 아버지의 차를 세차해야 하는데, 도와줄 수 있어요?
B : 나도 할 일이 많아서 도와줄 수 없어 미안해.

8. ① 일자리를 찾기 위해서
A : 도움이 필요하신가요?
B : 어, 문에 붙어 있는 광고를 봤어요.
A : 네. 지금 여름철 할인판매용 옷이 많아요.
B : 저는 새로운 종업원을 찾는다는 광고 얘기입니다.
A : 아, 미안합니다. 우린 여성분만 채용합니다.

9. ② 쇼핑목록을 만든다.
A : 오늘 오후에 함께 쇼핑 가는 게 어때요?
B : 좋아요. 쇼핑목록은 준비했나요?
A : 아니오, 정말로 그것이 필요한가요?
B : 물론이지요. 시간과 돈을 절약할 수 있답니다.
A : 당신은 정말 똑똑한 구매자이군요.
　　쇼핑목록을 먼저 만들어 봅시다.

10. ④ 학생 – 학생
A : 고양이가 수영하는 것을 본 적이 있니?
B : 아니, 개가 수영하는 것은 본 적이 있지만,
　　수영하는 고양이는 결코 본 적이 없어.
A : 확신하니?
　　난 인터넷에서 수영하는 고양이 사진을 봤거든.
B : 믿을 수 없어. 우리 선생님께 여쭤보지 않을래?
A : 아주 좋은 생각이야!

11. ④ No pain, no gain.
　　고통 없이 얻는 것도 없다. 뿌린 대로 거둔다.
A : 뭐가 잘못되었니? 안색이 아주 좋지 않아 보여.
B : 어, 시험을 통과하지 못했다고 선생님이 말씀하셨어.
A : 또? 시험 준비를 얼마나 오래 했는데?

B : 사실은 약 한 시간 정도. 그게 다 그 영화 때문이야.
A : 무슨 말이니?
B : 내가 가장 좋아하는 영화를 어젯밤에 TV에서 했거든, 그래서 TV를 끌 수 없었어.
A : 이봐, 그건 네 잘못이야. 넌 최선을 다하지 않았잖아.

12. ③ nervous
A : 준비되었니?
B : 네. 그러나 좀 긴장이 돼요.
A : 걱정하지 마. 시합에서 잘 할거라 확신해.

13. ③ Same here. : 저도요. 동감입니다.
A : 저 좀 도와주시겠어요?
B : _____

14. ① invited(초대된) : 뒤에서 people을 수식하는 과거분사
파티에 초대된 사람들은 꽃을 가져 왔다.

15. ② 절반 이상의 학생들이 아침 식사를 거른다.

16. ②
Rex 영화관에서 재미있는 영화를 한다. (린다는 친구 만나기를 좋아한다.) 그것은 "귀여운 여인"이란 제목의 사랑 영화이다. 그녀는 그 영화를 보러 가고 싶다.

17. ④ 칼로리
이것은 음식이 만들어 내는 에너지의 양을 측정하는 데 사용되는 단위이다. 뚱뚱해지는 것이 걱정인 사람들은 음식에 포함된 이 수치에 많은 주의를 기울여야 한다.

[18~19]
신사 숙녀 여러분, 나는 민주주의로 가는 첫걸음은 다른 이들의 권리와 자유에 대한 존중이라 정말로 믿습니다. 다른 사람을 위해 당신의 자유를 제한해 보세요, 그러면 그들도 당신을 위해 똑같이 할 것입니다. 오직 그때가 되어야, 우리는 정말로 자유로운 것이며 민주주의를 가질 자격이 됩니다. 들어주셔서 고맙습니다.

18. ④ speech

19. ③ limit their freedom

20. ① disappointed 실망한
지난 토요일, 나는 엄마의 오래된 옷들을 팔았다. 그날 온종일 나는 그저 단 하나의 옷을 팔아서 1000원을 벌었다. 그러나 세미는 그녀의 오래된 장난감을 전부 팔았다. 나는 정말로 실망했다.

21. ③ the superstition of the Rome 로마 시대의 미신
로마인들은 사람의 건강은 7년마다 바뀐다고 믿었다. 거울은 사람의 건강을 비추기 때문에, 거울이 깨지면, 그 사람의 건강이 7년 동안 나빠질 것으로 생각했다.

22. ① 너무 어릴 때 컴퓨터를 배울 필요는 없다.
너무 이른 나이에 아이에게 컴퓨터를 사용하도록 하게 하면 컴퓨터가 아이를 지배하게 될 것이다. 아이들은 활동적이어야 한다. 그들은 집 밖에 나가 놀아야 한다. 그들은 항상 컴퓨터 앞에 앉아있을 필요가 없다.

23. ② 언제든 통화할 수 있다.

[24~25]
한때 사람들은 "말을 하지 못하는 동물"이란 표현을 사용했다. "Dumb"은 "말할 줄 모르는"을 의미한다. 그 말은 또한 "생각할 줄 모르는"을 의미하기도 한다. 그러나 과학자들은 동물이 말을 할 줄 모르는 것이 아니라는 사실을 보여주고 있다. 동물들은 생각할 수 있다. 모든 동물은 서로 이야기를 한다. 그리고 어떤 동물들은 우리와 이야기를 한다. 여기 이런 동물들의 예가 있다.

24. ③ Therefore

25. ④ 사람과 대화하는 동물의 예

04

사회

SOCIAL STUDIES

적중! 모의고사 예상문제

01 예상문제

1. 인간과 사회를 바라보는 관점 중 현재까지의 변화된 자취를 통해 현상을 이해하고 문제를 해결하려는 관점은?

   ① 시간적 관점   ② 공간적 관점
   ③ 사회적 관점   ④ 윤리적 관점

2. 생활에서의 충분한 만족과 기쁨을 느끼는 상태는?

   ① 희생   ② 행복   ③ 절망   ④ 소원

3. 다음 중 열대지방의 의식주와 관련이 <u>없는</u> 것은?

   ① 기름에 볶은 요리 발달
   ② 스콜로 인한 평평한 지붕
   ③ 해충과 습기로 인한 고상가옥
   ④ 얇고 간편한 헐렁한 의복

4. 다음 환경에 대한 관점 중 성격이 <u>다른</u> 것은?

   ① 인간중심주의   ② 이분법적 관점
   ③ 자연의 도구적 가치 강조   ④ 생태중심주의

5. 다음 환경관련 국제 조약 중 갯벌과 습지보호를 내용으로 하는 것은?

   ① 람사르 협약   ② 몬트리얼 의정서
   ③ 교토 의정서   ④ 바젤 협약

6. 다음 중 산업화와 도시화에 대한 설명으로 옳은 것만을 고른 것은?

> ㉠ 도시화는 도시인구의 증가를 말한다.
> ㉡ 도시화와 산업화는 전혀 관련이 없는 현상이다.
> ㉢ 현재 우리나라는 이촌향도 현상이 가장 심한 단계이다.
> ㉣ 우리나라의 산업화는 1960년에 본격적으로 시작되었다.

① ㉠, ㉡   ② ㉡, ㉢
③ ㉢, ㉣   ④ ㉠, ㉣

7. 다음 중 지리조사 순서가 바르게 나열된 것은?

① 조사주제선정 – 지리정보수집 – 지리정보분석 – 조사보고서작성
② 조사보고서작성 – 지리정보수집 – 조사주제선정 – 지리정보분석
③ 조사주제선정 – 지리정보분석 – 지리정보수집 – 조사보고서작성
④ 지리정보수집 – 지리정보분석 – 조사주제선정 – 조사보고서작성

8. 인권의 특성 중 '모든 사람들이 차별 없이 인권을 누릴 수 있다'는 것은?

① 천부성   ② 항구성
③ 보편성   ④ 불가침성

9. 다음 중 권력분립에 대해서 잘못 설명한 것을 모두 고른 것은?

> ㉠ 일반적으로 입법부, 사법부, 행정부로 나뉜다.
> ㉡ 입법부는 법률의 제정과 개정을 담당한다.
> ㉢ 사법부는 법률의 집행을 담당한다.
> ㉣ 행정부는 법률의 적용을 담당한다.

① ㉠, ㉡   ② ㉡, ㉣
③ ㉡, ㉢   ④ ㉢, ㉣

10. 우리 사회의 소수자에 해당하지 <u>않는</u> 사람은?

① 탈북 새터민 ② 소수의 재벌회장님들
③ 결혼 이주 여성 ④ 다수의 저소득층

11. 다음 중 합리적 소비(=선택)와 거리가 <u>먼</u> 것은?

① 최소의 만족과 최대의 비용이 발생하는 소비 선택
② 선택 시 포기하는 것의 가치를 줄이려는 소비
③ 비용보다 편익이 더 큰 소비
④ 효율성을 추구하는 소비

12. 치안이나 국방과 같이 다수의 사람들이 함께 소비할 수 있는 재화나 서비스를 무엇이라 하는가?

① 개인재 ② 공공재
③ 세금제 ④ 보조제

13. 무역의 부정적인 부분이 <u>아닌</u> 것은?

① 기업의 경쟁이 치열해져 생산성이 향상된다.
② 경쟁력 없는 자국산업이 위축된다.
③ 일자리가 줄어든다.
④ 무역의존도가 높아져 국제적 변동에 영향을 쉽게 받는다.

14. 금융 자산 중에 일정기간 은행에 돈을 예치해 이자를 받는 것은?

① 주식 ② 채권
③ 연금 ④ 예금

15. 다음 그림의 조각상이 의미하는 것과 가장 가까운 개념은?

① 자유
② 평등
③ 정의
④ 행복

16. 다음 중 사회적 약자에 대한 설명에 해당하지 <u>않는</u> 것은?

① 사회적으로 배려와 보호의 대상이 되는 사람들이다.
② 불합리한 이유로 차별받는 사람들이다.
③ 약자의 증가는 정의사회 실현의 증거이다.
④ 약자로 여성, 노인, 장애인, 저소득층 등이 있다.

17. 각 지역 문화권의 특징이 바르게 연결된 것은?

① 동부아시아 문화권 : 이슬람문화의 발달
② 남부유럽 문화권 : 수목농업과 관광산업 발달
③ 건조 문화권 : 최근 석탄 개발로 빠른 성장세
④ 라틴아메리카 문화권 : 영국과 프랑스의 식민지 경험

18. 다음 문화병존의 사례로 보기 <u>어려운</u> 것은?

① 밥버거와 돌침대
② 불교와 가톨릭, 개신교의 공존
③ 미국 LA 코리아타운에서 살아가는 재미동포들
④ 전통주 막걸리와 소주, 맥주가 함께 판매됨

01 예상문제

19. 다음 〈보기〉의 내용은 문화이해의 태도 중 어디에 해당하는가?

───〈보기〉───
· 국수주의
· 흥선대원군의 통상수교거부정책
· 유태인의 선민의식

① 문화 사대주의   ② 자문화 중심주의
③ 극단적 문화상대주의   ④ 문화 상대주의

20. 다양한 인종, 민족, 종교, 문화를 가진 사람들이 함께 어울려 살아가는 사회는?

① 한민족 사회   ② 용광로 사회
③ 단일민족 사회   ④ 다문화 사회

21. 다음 중 세계화와 지역화의 확산 배경을 모두 고른 것은?

㉠ 지역 간 상호의존성의 증가
㉡ 교통·통신의 발달
㉢ 국가 간 빈부격차의 증가
㉣ 문화의 획일화 현상

① ㉠, ㉡   ② ㉡, ㉢
③ ㉢, ㉣   ④ ㉠, ㉣

22. 다음 중 평화의 성격이 <u>다른</u> 것은?

① 테러가 없는 상태   ② 전쟁이 없는 상태
③ 구조적 폭력이 없는 상태   ④ 물리적 폭력이 없는 상태

23. 다음 중 통일의 필요성에 해당하지 <u>않는</u> 것은?

① 인도주의적 요청

② 동북아 패권장악 필요

③ 민족동질성의 회복

④ 세계평화에 기여

24. 다음 〈보기〉의 내용은 자원의 특성 중 어디에 해당하는가?

───── 〈보기〉 ─────

앞으로 석유자원은 약 40여년, 석탄은 약 170여년, 천연가스는 약 50년 정도 사용하고 고갈될 것으로 예상된다.

① 자원의 변동성

② 자원의 편재성

③ 자원의 유한성

④ 자원의 특이성

25. 장거리 운송을 거치지 않은 지역의 농산물을 주로 소비하자는 운동은?

① 로컬푸드 운동

② 슬로우푸드 운동

③ 탄소마일리지 제도

④ 공정무역 운동

02 예상문제

1. 다음 〈보기〉는 인간사회를 이해하는 관점 중 어디에 해당하는가?

───〈보기〉───
· 화장장 건설의 최적 입지 조건은?
· 화장장 건설로 지역 공간 이용에 어떤 변화가 나타났는가?

① 통합적 관점   ② 시간적 관점
③ 윤리적 관점   ④ 공간적 관점

2. 다음 〈보기〉에 공통적으로 들어가는 말은?

───〈보기〉───
· (　　　)은 덕의 보상이 아니라 덕 그 자체이다. – 스피노자
· (　　　)은 모든 것 가운데 가장 바람직한 것이다. – 아리스토텔레스

① 욕망   ② 희망   ③ 우정   ④ 행복

3. 행복한 삶을 실현하기 위한 조건에 해당하지 <u>않는</u> 것은?

① 질 높은 정주환경   ② 성찰하는 삶
③ 민주주의 발전   ④ 경제적 불평등 확산

4. 다음 중 생태중심주의적 가치관과 가까운 주장은?

① 베이컨 : 방황하고 있는 자연을 사냥해서 노예로 만들어야 한다.
② 아퀴나스 : 신의 섭리에 따라 동물은 인간이 사용하도록 운명 지어졌다.
③ 레오폴드 : 생명공동체가 가진 아름다움의 보전에 이바지 한다면 그것은 옳다.
④ 아리스토텔레스 : 식물은 동물을 위해, 동물은 인간 생존을 위해 존재한다.

5. 오존층 파괴와 관련된 내용으로 <u>잘못된</u> 것은?

① 교토의정서로 국제적 규제가 성공했다.
② 염화플루오린화 탄소의 사용량 증가가 원인이다.
③ 자외선으로 인해 피부암과 백내장이 증가한다.
④ 원인인 프레온 가스는 주로 냉장고와 에어컨의 냉매로 사용되었다.

6. 다음 우리나라 도시화율 곡선에 대한 내용으로 <u>잘못된</u> 것은?

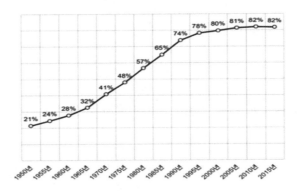

① 1960년대 산업화와 함께 본격적인 도시화가 시작되었다.
② 2000년대 들어 도시화가 정체되고 있다.
③ 1960년대에서 1980년대까지 역도시화 현상이 나타났다.
④ 1960년대 이전에는 농업사회이기 때문에 도시화율이 낮았다.

7. 여유로운 삶을 지향하고 자연환경과 문화를 보존하여 지역을 매력적인 공간으로 만들려는 움직임으로 우리나라는 전주한옥마을과 신안군 증도가 유명하다. 이 운동은?

① 신도시 확대 운동
② 슬로시티 운동
③ 대도시권 형성 운동
④ 도심 재개발 운동

02 예상문제

8. 다음 〈보기〉 중에서 정보화의 문제점에 해당하지 <u>않는</u> 것은?

〈보기〉

ㄱ 익명성을 이용한 사이버폭력의 발생
ㄴ 전자상거래를 이용한 물건 구매
ㄷ 전자 상거래에서 발생하는 사기 범죄
ㄹ 인터넷 뱅킹을 이용한 은행 거래

① ㄱ, ㄷ ② ㄴ, ㄷ
③ ㄷ, ㄹ ④ ㄴ, ㄹ

9. 어떤 지역의 자연 환경과 인문 환경이 상호작용하여 형성된 그 지역만의 고유한 특성은?

① 생태성 ② 지역성
③ 환경성 ④ 자연성

10. 인권의 종류인 '주거권'과 관련 <u>없는</u> 문제는?

① 일조권 침해 문제
② 층간소음 문제
③ 빈곤층의 주거 문제
④ 저소득층의 문화소외 문제

11. 다음 중 참정권의 사례로 적당하지 <u>않은</u> 것은?

① 재판청구권 ② 국민투표권
③ 공무담임권 ④ 선거권

12. 〈보기〉의 내용은 누구를 대상으로 하고 있는가?

〈보기〉

· 보호자가 정신적, 신체적으로 폭력을 쓰거나 학대하거나 돌보지 않고 방치하는 일이 없도록 정부는 모든 노력을 기울여야 한다.
· 위험하거나 교육에 방해가 되거나 몸과 마음에 해가 되는 노동을 해서는 안 된다.

① 노인   ② 새터민
③ 아동   ④ 외국인 노동자

13. 다음 사진은 1930년대 미국에서 발생했던 경제대공황 관련 사진이다. 이 사건을 해결하기 위해 등장했던 정책은?

① 뉴딜정책   ② 세금인상 정책
③ 장애인 구호 정책   ④ 신자유주의 정책

14. 이윤을 추구하는 기업인이 위험과 불확실성을 무릅쓰고 새로운 시장에 창의성으로 도전하는 것은?

① 보수주의 정신   ② 레드오션 정신
③ 기업가 정신   ④ 포트폴리오

04 사회

02 예상문제

15. 자유무역을 관철하기 위해 관세와 무역장벽을 완화하고 국제적 무역분쟁을 해결하기 위해 1995년에 만들어진 국제 기구는?

① 국제연합 (UN)

② 국제통화기금 (IMF)

③ 아시아-태평양 경제 협력체 (APEC)

④ 세계무역기구 (WTO)

16. 유동성이 높은 순서대로 바르게 나열된 투자 방법은?

① 부동산 – 예금 – 주식

② 예금 – 주식 – 부동산

③ 주식 – 예금 – 부동산

④ 부동산 – 주식 – 예금

17. 다음 〈보기〉의 내용은 분배 방법 중 무엇에 해당하는가?

〈보기〉

· 인간다운 삶을 보장하는 기본적인 욕구를 충족할 수 있도록 분배하는 것

· 사회적 약자를 보호하기 위해 기회의 평등을 넘어 결과의 평등을 추구하는 분배

① 능력에 따른 분배 ② 필요에 따른 분배

③ 업적에 따른 분배 ④ 절대적 평등에 따른 분배

18. 다음과 같은 현상을 무엇이라고 하는가?

· 우리나라의 서양식 결혼식 이후 전통식 폐백

· 인도불교와 그리스문화가 만나서 만들어진 간다라 불상

① 문화변화 ② 문화공존

③ 문화융합 ④ 문화동화

19. 다음 〈보기〉의 내용과 관련된 문화이해 태도는?

〈보기〉

· 중국의 전족풍습
· 이슬람의 명예살인
· 인도의 사티제도(순장제도)

① 문화상대주의   ② 자문화 중심주의
③ 문화사대주의   ④ 극단적 문화상대주의

20. 다음 중 다문화 정책 이론이 바르게 연결된 것은?

① 용광로 이론 : 무조건 주류문화를 무시하는 이론
② 국수대접 이론 : 모든 문화를 녹여서 하나로 만들어 버림
③ 샐러드 볼 이론 : 모든 문화는 평등하고 다양성 인정, 공존과 조화를 이룸
④ 모자이크 이론 : 주류, 비주류 문화를 구분하고 비주류 문화만 중시하는 이론

21. 다국적 기업에 대한 설명으로 옳지 <u>않은</u> 것은?

① 교통과 통신의 발달로 등장하게 되었다.
② 본사는 노동력이 풍부한 개발도상국에 주로 입지한다.
③ 우리나라 주요 대기업들도 대부분 다국적기업의 형태를 띠고 있다.
④ 생산공장은 대부분 인건비가 저렴한 나라에 두는 경향이 있다.

22. 영토분쟁을 바르게 연결한 것은?

① 쿠릴 열도 : 러시아와 북한과의 분쟁
② 센카쿠 열도 : 일본과 중국과의 분쟁
③ 시사 군도 : 중국과 호주와의 분쟁
④ 난사 군도 : 중국과 인도와의 분쟁

02 예상문제

23. 다음 선진국과 개발도상국의 인구구조를 바르게 비교한 것은?

		선진국	개발도상국
①	출생률	낮다	높다
②	노년층 비중	낮다	높다
③	유소년층 비중	높다	낮다
④	평균 기대수명	짧다	길다

24. 냉동액화기술의 발전으로 최근 저장이 가능해지고 장거리 수송이 가능해지면서 사용량이 증가하고 있는 지하자원은?

① 석유　　　　　　　　　　　② 석탄
③ 천연가스　　　　　　　　　④ 우라늄

25. 미래예측 방법으로 각 분야의 전문가들에게 설문을 반복해서 특정 주제에 관해 전문가 집단의 합의를 도출하는 방식은?

① 문헌연구법　　　　　　　　② 시나리오법
③ 추세외삽법　　　　　　　　④ 델파이법

03 예상문제

1. 다음 〈보기〉는 인간·사회·환경을 바라보는 관점 중 어디에 해당하는가?

〈보기〉

· 고령화로 인해 노인 부양을 위한 사회복지 비용이 점점 증가하고 있다.
· 고령화에 대비해 노인복지법의 개정이 불가피해지고 있다.

① 시간적 관점
② 사회적 관점
③ 통합적 관점
④ 윤리적 관점

2. 행복과 관련된 각 사상들이 <u>잘못</u> 연결된 것은?

① 에피쿠로스 : 고통이 없고 마음에 불안이 없는 평온한 삶이 행복
② 칸트 : 자신의 처지에 관해 만족하는 것이 행복
③ 공리주의 : 불성을 찾아 해탈의 경지에 이르는 것이 행복
④ 도교 : 자연 그대로의 모습으로 살아가는 것이 행복

3. 다음 〈보기〉에서 설명하는 행복한 삶의 조건은?

〈보기〉

　일반 백성들이 항산(恒産 : 일종의 직업)이 없으면 그로 인해 항심(恒心)을 지닐 수 없습니다. 항심이 없으면 방탕하고 편벽되며 간사하고 사치스러워져서 못하는 것이 없게 됩니다.　　　　　　　　　　　　　　　　　　　　－ 맹자 －

① 질 높은 정주환경
② 경제적 안정
③ 민주주의
④ 도덕적 실천과 성찰

03 예상문제

4. 다음 기후그래프 지역의 생활에 대한 설명으로 맞지 <u>않은</u> 것은?

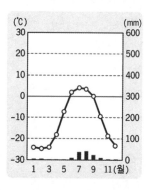

① 동물의 털이나 가죽으로 만든 옷 등을 주로 입는다.
② 폐쇄적인 가옥구조가 대부분이다.
③ 곡식재배가 원활한 편으로 밭농사 중심이다.
④ 육류를 주로 훈제, 건조, 냉동해서 보관한다.

5. 동양의 자연관이 잘 연결되어 있는 것은?

① 유교 : 천인합일
② 불교 : 무위자연
③ 도교 : 연기설
④ 한국 전통사상 : 자연 기계론

6. 다음 사진이 의미하는 환경문제와 해결책이 바르게 연결된 것은?

① 사막화 : 몬트리얼 의정서
② 지구온난화 : 교토의정서
③ 사막화 : 사막화 방지 협약
④ 산성비 : 제네바 협약

7. 산업화와 도시화의 단점들을 모두 고른 것은?

> ㉠ 주택 부족 및 집값 상승
> ㉡ 최저 임금제의 실시
> ㉢ 교통 체증과 주차난 발생
> ㉣ 도시 재개발 사업 실시

① ㉠, ㉡   ② ㉠, ㉢
③ ㉢, ㉣   ④ ㉡, ㉣

8. 다음 중 정보화로 인한 변화에 해당하지 <u>않는</u> 것은?

① 생산 과정에서의 분업체계 형성
② 전자 상거래를 이용한 물건의 구매
③ 원격 진료와 원격 교육 등이 실시
④ 인터넷을 통한 민원서류의 신청과 발급

9. 다음 〈보기〉의 내용 중 밑줄 친 내용에 해당하는 것은?

〈보기〉

　모든 인간은 <u>평등하게 태어났으며</u>, 생명과 자유 그리고 행복을 추구할 권리를 포함하여 누구도 침범할 수 없는 권리를 가진다. 바로 이러한 권리를 보장하기 위해 정부가 만들어졌다.   – 미국 독립 선언문 –

① 천부인권
② 삼권분립
③ 국민주권
④ 자유주의

03 예상문제

10. 다음 〈보기〉의 내용에 해당하는 기본권 사례는?

〈보기〉
· 기본권 침해를 바로 잡기 위한 기본권
· 수단으로서의 기본권

① 신체의 자유   ② 공무담임권
③ 재판청구권   ④ 교육권

11. 청소년 노동과 관련된 내용 중 잘못된 것은?

① 청소년이 종사하지 못하는 업종은 없다.
② 최저임금은 성인과 동일하게 적용한다.
③ 청소년 노동은 원칙적으로 보호자의 동의가 필요하다.
④ 만15세 이상만 근로행위가 원칙적으로 가능하다.

12. 선택한 대안을 위해 포기해야 하는 가치를 무엇이라 하는가?

① 선택 가치 비용   ② 평화비용
③ 기회비용   ④ 합리적 비용

13. 근로자의 인간다운 생활을 보장하기 위해 헌법에서 정한 권리로 노동조합과 같은 단체를 만들 수 있는 권한은?

① 단체 교섭권   ② 단체 행동권
③ 단체 구성권   ④ 단결권

14. 한 나라가 생산하는 상품의 기회비용이 다른 나라보다 낮은 것으로 우위에 있는 상품들을 각자 생산해 교환하면 조화로운 무역발생이 가능하다는 이론은?

① 무역우위 이론   ② 비교우위 이론
③ 절대우위 이론   ④ 분업우위 이론

15. 미래에 당할지도 모를 사고에 대비해 매달 정기적으로 돈을 내고 위험한 상황이 되면 보장을 받는 제도는?

① 연금   ② 펀드   ③ 채권   ④ 보험

16. 다음 〈보기〉에서 공통적으로 말하고 있는 것은?

---- 〈보기〉 ----

· 각자가 마땅히 받아야 할 것을 받는 것이 (　　　)(이)라고 생각한다.
· 잘못한 만큼의 처벌을 받는 것이 바로 (　　　)이다.

① 정의   ② 자유   ③ 평등   ④ 의지

17. 자유주의적 정의관의 한계에 해당하지 <u>않는</u> 것은?

① 개인의 자유를 억압하는 관습과 제도가 나타난다.
② 사회적 약자에 대한 배려가 부족해진다.
③ 지나칠 경우 공동선이 사라질 수도 있다.
④ 타인에게 무관심하기 쉽다.

18. 다음 〈보기〉에 해당되는 A씨가 받을 수 <u>없는</u> 복지혜택은?

---- 〈보기〉 ----

68세의 A씨는 10년째 고령과 질병으로 실업상태이다. 집이나 자동차 등의 재산은 없고 소득과 부양의무자도 없이 홀로 공공임대주택에서 살아가고 있다.

① 기초노령연금   ② 고용보험
③ 국민기초수급제도   ④ 의료보호

19. 건조문화권에 대한 설명으로 적절하지 <u>않은</u> 것은?

① 유목과 오아시스 농업이 발달했다.
② 그늘을 만들기 위한 좁은 골목이 특징이다.
③ 주로 동물의 가죽이나 털로 만든 옷을 입는다.
④ 흙이나 돌을 이용한 집과 평평한 지붕이 특징이다.

20. 다음 중 문화변동 중 내재적 요인에 해당하지 <u>않는</u> 것은?

① 바퀴의 발명   ② 활의 발명
③ 공기의 발견   ④ 목화의 전파

21. 다음 〈보기〉에서 말하는 공통적인 주제는?

〈보기〉

· 크리스트교 : 남이 너에게 해 주기를 바라는 대로 너도 다른 사람을 대하라.
· 유교 : 네가 원하지 않는 바를 남에게 행하지 마라.
· 힌두교 : 너에게 고통스러운 일을 다른 사람에게 강요하지 마라.

① 국수주의   ② 문화의 상대성
③ 윤리 상대주의   ④ 황금률

22. 다문화 사회에 대한 설명으로 <u>잘못된</u> 것은?

① 우리나라 다문화의 주요 원인은 국제결혼 이민자와 외국인 노동자이다.
② 노동력 부족 문제를 해결하는 데 도움이 된다.
③ 현재는 문화차이에 대한 이해도가 높아 갈등이 존재하지 않는다.
④ 외국인들의 범죄가 증가하는 추세이다.

23. 세계화의 문제점으로 지적하기 <u>어려운</u> 것은?

① 공정무역이 확대되고 있다.
② 선진국과 개도국 간의 소득격차가 심해지고 있다.
③ 문화교류가 많아지면서 전 세계의 문화가 획일화되고 있다.
④ 국내 일자리가 줄어드는 경우가 나타나고 있다.

24. 다음 중 성격이 <u>다른</u> 국제사회의 행위주체는?

① 국제연합(UN) ② 그린피스(Green Peace)
③ 국경없는 의사회(MSF) ④ 월드비젼(World Vision)

25. 다음 〈보기〉의 내용에 해당하는 국제적 이동은?

〈보기〉

· 시리아 내전을 피해 많은 사람들이 유럽으로 이동했다.
· 베트남 전쟁 때 전쟁을 피해 많은 사람들이 작은 보트를 타고 해외로 망명을 시도했다.
· 한국전쟁 때 공산주의를 피해 부산으로 많은 사람들이 피난을 왔다.

① 강제적 이동 ② 정치적 이동
③ 경제적 이동 ④ 사회적 이동

04 예상문제

1. 기피시설 건설을 둘러싼 갈등을 해결하기 위해 시민으로서 지녀야 할 바람직한 태도 등에 관한 관점은?

   ① 사회적 관점   ② 부분적 관점
   ③ 윤리적 관점   ④ 시간적 관점

2. 시대별 행복의 기준이 <u>잘못</u> 연결된 것은?

   ① 선사 시대 : 나라의 건설이 행복의 기준
   ② 고대 그리스 시대 : 지적활동을 통한 지혜와 덕의 결과물이 행복
   ③ 서양의 중세 시대 : 종교적으로 신의 구원이 행복
   ④ 산업화 시대 : 물질적인 풍요가 행복의 기준

3. 갑과 을의 입장에 대한 설명으로 가장 적절한 것은?

   > 갑 : 행복은 주거와 소득, 고용, 수명 등과 같은 기준이 충족될 때 실현될 수 있다고 생각해요.
   >
   > 을 : 하지만 삶의 만족도나 일상생활에서 느끼는 행복감 등이 높아질 때 진정한 행복이 달성될 수 있지 않을까요?

   ① 갑은 삶의 질이나 주관적 만족감이 행복실현에 중요하다고 본다.
   ② 을은 행복의 기준을 모든 사람들이 같다고 본다.
   ③ 을은 객관적이고 물질적인 기준이 충족된다면 행복이 실현된다고 본다.
   ④ 갑과 을 모두 최소한의 인간다운 조건이 충족되지 않으면 행복실현은 어렵다고 본다.

4. 다음 (   ) 안에 들어갈 알맞은 자연재해는?

   > (   )은(는) 해저에서 발생하는 지진이나 화산폭발의 영향으로 큰 파동이 생겨 해안가를 거대한 파도가 타격해서 발생하는 큰 재앙이다.

   ① 홍수   ② 화산
   ③ 쓰나미(지진 해일)   ④ 태풍

5. 다음 중 환경 문제 해결의 주체가 <u>다른</u> 것은?

① 과대 포장의 지양   ② 에너지 고효율 제품의 생산
③ 탄소 배출권 거래제의 도입   ④ 저탄소 상품의 개발

6. 산업화, 도시화로 인한 문제와 해결방법이 바르게 연결된 것은?

① 주택부족 문제 : 대도시 주변 신도시 건설
② 교통체증 : 노인 돌봄 서비스 실시
③ 오염된 배출가스 증가 : 거주자 우선 주차제도 도입
④ 실업문제 : 대중교통 수단 확충

7. 교통, 통신의 발달에 따른 문제와 해결방법이 <u>잘못</u> 연결된 것은?

① 지역격차의 발생 : 대도시 육성 사업 실시
② 환경의 파괴 : 야생동물보호법 제정
③ 생태계 교란의 발생 : 생태통로(에코브릿지) 설치
④ 유조선 사고로 인한 해양오염의 증가 : 선박 충돌 방지 장치 설치 의무화

8. 다음 〈보기〉는 정보화의 문제 중 무엇에 해당하는가?

〈보기〉
· A씨는 익명성을 이용해 연예인 B씨에게 악성댓글을 달면서 괴롭히고 있다.
· C씨는 유해한 내용의 동영상들을 지속적으로 올리며 돈을 벌고 있다.
· D군은 아무 생각없이 인터넷에서 유명 그룹의 노래를 불법적으로 다운받았다.

① 인터넷 중독   ② 사생활 침해
③ 사이버 범죄   ④ 정보 격차

9. 촌락에서 발생하는 다양한 문제들을 해결하기 위한 대책으로 맞지 <u>않은</u> 것은?

① 지역 브랜드화   ② 도심 재개발을 통한 주택 마련
③ 특산물의 지리적 표시제   ④ 농공단지 조성

04 예상문제

10. 현대 사회에서 중시되고 있는 인권 개념이 <u>아닌</u> 것은?

① 주거권   ② 환경권
③ 안전권   ④ 차별권

11. 다음 〈보기〉의 내용에서 <u>잘못된</u> 부분은?

〈보기〉

　　헌법 37조 2항 : 국민의 모든 자유와 권리는 ⊙국가안전보장, 질서유지, 또는 ⓒ 공공복리를 위하여 필요한 경우에 한하여 ⓒ대통령의 명령으로 제한할 수 있으며, 제한하는 경우에도 자유와 권리의 ⓔ본질적인 내용을 침해할 수 없다.

① ⊙   ② ⓒ   ③ ⓒ   ④ ⓔ

12. 사회의 '시민의 참여'에 대한 내용으로 옳지 <u>않은</u> 것은?

① 1인 시위는 자신의 소신과 요구를 나타내는 개인적인 참여 방법이다.
② 시민 불복종은 가장 합법적인 방법으로 우선적으로 고려되어야 한다.
③ 합법적인 참여 방법으로 선거와 청원 등이 있다.
④ 사회 구성원 모두의 권리와 이익이 존중되는 방법으로 이루어져야 한다.

13. 다음 청소년 갑(18세)이 체결한 아르바이트 계약서 내용이다. <u>잘못된</u> 부분은?

근로계약서

1. 계약기간 : 2020년 1월 1일 ~ 2020년 6월 30일
2. 근무시간 : ⊙오전 9시~오후 5시
3. 업무내용 : 매장정리와 물품보급
4. 근무일 및 휴일 : ⓒ주 5일 평일 근무, 매주 ⓒ토요일과 일요일은 휴무
5. 임금 : ⓔ성인 법정 최저 임금의 2/3를 현금으로 월급여 형태로 지급한다.

① ⊙   ② ⓒ   ③ ⓒ   ④ ⓔ

14. 다음 자본주의 전개과정에서 <u>잘못</u> 설명한 것은?

| (가) | ⇒ | 산업
자본주의 | ⇒ | 독점
자본주의 | ⇒ | (나) | ⇒ | (다) |

① (가)에는 상업자본주의가 들어간다.

② (나)는 독점자본주의에서 발생한 시장의 한계를 보완하는 성격을 갖는다.

③ (다)는 정부의 개입을 강조하는 신자유주의가 들어간다.

④ 케인즈는 (나)를 주장하며 국가의 적극적인 개입을 주장했다.

04
사
회

15. 시장에 공급자가 하나밖에 없거나 소수의 공급자가 담합하여 가격이나 생산량을 임의로 조절하는 것을 막기 위한 법이나 제도는?

① 중소기업법   ② 국민기초생활보장제도

③ 독점규제 및 공정거래에 관한 법률   ④ 사회보험법

16. 다음 자료를 통해 알 수 있는 것은?

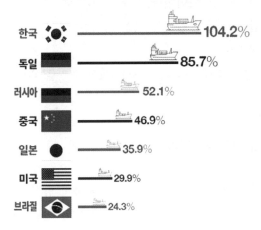

① 타국에 비해 우리나라가 무역에 의존하는 비중이 높은 편이다.

② 수입의 비중이 수출보다 높다는 것을 보여준다.

③ 무역을 대폭적으로 감소시키는 것이 경제회복의 지름길이다.

④ 무역의 비중이 높지만 국제적으로 영향은 거의 받지 않을 것이다.

04 예상문제

17. 생애주기 중 시기별 활동이 <u>잘못</u> 연결된 것은?

① 아동기 : 사회에 적응하기 위한 기본적인 교육의 시기
② 청년기 : 취업과 결혼을 하게 되는 시기
③ 중장년기 : 가족부양과 성실한 직업생활, 노후를 준비하는 시기
④ 노년기 : 소득이 가장 많은 시기이나 지출도 가장 많은 시기

18. 다음 〈보기〉의 밑줄 친 부분에 대한 설명으로 바른 것은?

〈보기〉

·롤스의 정의 원칙
  제 2원칙 : 사회적, 경제적 불평등은 다음 두 가지 조건이 충족될 때 허용된다. 먼저, 그 불평등이 <u>최소 수혜자에게 최대 이익을 보장</u>해야 하고 불평등의 계기가 되는 직책이나 지위는 공정한 기회 균등의 원칙에 따라 모든 사람에게 개방되어야 한다.

① 최소 수혜자에게 자유만 보장하면 된다는 의미이다.
② 최대이익은 결과적으로 모든 사람을 똑같이 만드는 것을 의미한다.
③ 최소 수혜자는 모든 사회가 동일하다.
④ 최소 수혜자는 약자를 말하는 것이고 최대 이익은 약자에 대한 배려를 의미한다.

19. 다음 밀의 주장에서 밑줄 친 부분과 관련된 것은?

누구든지 웬만한 정도의 상식과 경험만 있다면 자신의 삶을 자기 방식대로 살아가는 것이 가장 바람직하다. 그 방식 자체가 최선의 것이기 때문이 아니라 <u>자기 방식대로 사는 것</u>이기 때문에 바람직하다고 하는 것이다.   － 밀 －

① 공동체주의   ② 자유주의
③ 평등주의   ④ 시민 불복종

20. 사회보험과 공공부조를 <u>잘못</u> 비교한 것은?

	사회보험	공공부조
①	의무 가입	강제 가입
②	본인 부담 있음	본인 부담 없음
③	상호 부조 원리 강함	소득 재분배 효과 큼
④	국민 건강보험, 국민연금	국민 기초 생활 보장제도, 의료보호

21. 각 종교문화에 대한 설명으로 <u>잘못된</u> 것은?

① 힌두교 : 소를 숭배하고 신분제에 영향을 주었다.
② 이슬람교 : 유일신 알라를 숭배하고 육식을 전면 거부한다.
③ 불교 : 불상과 탑 등의 종교적 상징을 사용한다.
④ 기독교 : 십자가와 교회가 종교적 상징이다.

22. 문화변동의 요인 중 방법이 <u>다른</u> 것은?

① 고구려 담징이 일본에 종이와 먹의 제조법을 전달
② 고려 말 문익점이 원나라에서 목화를 도입
③ 한국의 유명 그룹 뮤직비디오 영상이 인터넷을 통해 전세계로 전파
④ 구한말 커피를 외국무역상이 수입해서 전파

23. 〈보기〉의 내용을 기준으로 <u>잘못</u> 설명한 것은?

> 〈보기〉
>
> 문화를 바라보는 두 가지 시각이 있는데 첫 번째는 ㉠<u>자신의 관점과 판단을 바탕으로 바라보는 시각</u>이고, 다른 하나는 ㉡<u>상대방의 입장에서 바라보는 시각</u>이다.

① ㉠ 관점은 문화에 우열이 있다는 입장에 가깝다.
② ㉠ 관점은 자문화중심주의에 가깝다.
③ ㉡ 관점은 문화의 나름의 가치를 인정하지 않는 입장이다.
④ ㉡ 관점은 문화상대주의에 가깝다.

04 예상문제

24. 다음 중 세계도시에 대한 설명으로 <u>잘못된</u> 것은?

① 세계화 시대에 세계적인 중심지 역할을 하는 도시를 말한다.
② 경제적인 세계화와는 거리가 먼 선진국 도시들이다.
③ 생산자 서비스업이 발달하고 다국적기업의 본사 등이 위치한다.
④ 국제기구의 본부들이 입지하고 있다.

25. 지도에 제시되어 있는 센카쿠 열도는 어떤 나라 간의 영토분쟁 지역인가?

① 중국과 일본   ② 한국과 일본
③ 중국과 베트남   ④ 한국과 대만

05 예상문제

1. 다음 〈보기〉의 내용에 맞는 관점은?

〈보기〉

> 사회현상은 다양한 요인이 복합적으로 작용하기 때문에 균형 있는 관점으로 종합적으로 이해해야 제대로 파악할 수 있다.

① 시간적 관점 ② 공간적 관점
③ 윤리적 관점 ④ 통합적 관점

2. 다음 〈보기〉에서 갑, 을, 병이 공통적으로 중시하고 있는 것은?

〈보기〉

> · 갑 : 극심한 빈부격차로 인해 많은 사람들이 상대적, 절대적 박탈감에 시달리고 있다.
> · 을 : 세계적인 경제불황으로 고용시장이 불안정해져 실업의 공포가 커지고 있다.
> · 병 : 경제적으로 궁핍하게 되면 최소한의 생계를 유지하는데 급급해져 삶의 여유가 사라진다.

① 정치적으로 불안정한 지역에서 삶의 질을 확보하는 것은 어렵다.
② 경제적으로 어려운 상태의 지속은 삶의 질을 위협한다.
③ 충분한 교육이 바탕이 되지 않는다면 삶의 질 확보가 쉽지 않다.
④ 경제적인 어려움보다는 윤리적인 부분에서 삶의 질을 찾아야 한다.

3. 지구온난화로 인해 발생할 수 있는 현상이 <u>아닌</u> 것은?

① 해안 저지대 지역의 침수 위험이 점차 커질 것이다.
② 생태계에 질서가 교란되고 멸종위기 동식물 등이 나타날 것이다.
③ 이상기후 현상이 전 지구적으로 나타날 것이다.
④ 극지방의 빙하가 점차 확대되어 갈 것이다.

4. 환경문제를 해결하기 위한 개인적 노력으로 맞지 <u>않은</u> 것은?

① 일회용품 사용 자제하기 ② 대중교통 이용하기
③ 녹색소비 하기 ④ 재활용을 통한 제품 생산

05 예상문제

5. 다음 ( ) 안에 알맞은 말이 순서대로 바르게 나열된 것은?

> 각종 공간 정보들을 수치화하여 컴퓨터에 입력, 저장하고 사용자의 요구에 따라 분석해서 정보를 제공하는 시스템을 ( ) 라고 한다. 그리고 인공위성을 이용해 지구상의 위치를 정확하게 표시해 주는 시스템을 ( ) 라고 한다.

① GMO – GPS   ② GS – GMO
③ GIS – GPS   ④ GPS – GIS

6. 오른쪽 도시화 곡선에서 A단계에 대한 설명으로 적합하지 <u>않은</u> 것은?

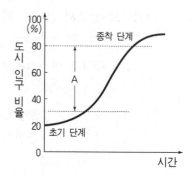

① 우리나라에서는 1960년대에서 1980년대에 나타난 현상이다.
② 촌락에서 도시로 향하는 이촌향도 현상이 본격적으로 나타나는 단계이다.
③ 급속한 도시화로 인해 각종 도시문제가 나타나는 단계이다.
④ 유턴현상이 나타나 도시탈출이 가속화 되는 단계이다.

7. 다음 그림에서 나타내는 것과 관련된 설명 중 <u>잘못된</u> 것은?

① 대도시의 인구밀집으로 인한 도시환경 낙후를 해결할 수 있는 방법이다.
② 지리적 표시제의 사례에 해당한다.
③ 촌락 지역의 발전을 위해 정부에서 적극적으로 시행하고 있다.
④ 농산물이나 가공품이 해당 지역의 지리적 특성에 기인하는 경우 그 지역의 특산품임을 인증하는 제도이다.

8. 인권보장의 역사에 대해 <u>잘못</u> 설명한 것은?

① 영국에서는 명예혁명의 결과로 '권리장전'을 제정해 왕권을 제한했다.
② 1919년 독일의 바이마르 헌법에서 최초로 자유권을 명문화 했다.
③ 프랑스는 '인간과 시민의 권리선언'을 통해 자유와 평등권을 주장했다.
④ 빈부격차와 빈곤 문제 해결을 위해 사회권 개념이 등장했다.

9. 시민 불복종의 정당화 조건에 해당하지 <u>않는</u> 것은?

① 다른 방법을 모두 사용한 후 고려하는 최후의 수단이다.
② 현행법을 어기는 것이므로 처벌을 받는 것을 감수해야 한다.
③ 법이 사회 정의, 개인 양심에 맞지 않아야 한다.
④ 최소한의 폭력은 어쩔 수 없는 경우 사용할 수 있다.

10. 다음 〈보기〉에서 공통적으로 차별받는 계층은?

〈보기〉

· 사우디의 마흐람 제도   · 인도의 사티 제도(순장풍습)
· 직장 내 '유리천장' 현상

① 저소득층   ② 외국인 노동자
③ 소비자   ④ 여성

11. 다음 〈보기〉의 내용에 맞는 효과를 무엇이라고 하는가?

〈보기〉

어떤 경제 주체의 경제활동이 다른 경제 주체에게 의도하지 않은 이익이나 피해를 주었음에도 이에 대한 경제적 대가를 받거나 치르지 않는 것

① 내부 효과   ② 외부 효과
③ 필요 효과   ④ 불완전 효과

05 예상문제

12. 다음 주장을 한 사람이 채택할 정책으로 알맞은 것은?

> 정부 기능의 확대는 자유방임에 대한 침해는 아니다. 나는 그것이 현존하는 경제 체제의 전면적인 붕괴를 막는 유일한 수단이며 개인적 창조의 성과를 거둘 수 있게 하는 유일한 환경을 조성하게 한다.   – 케인즈 –

① 국가가 적극적으로 실업자 구제를 위해 공공사업을 진행한다.
② 정부는 국방과 치안에만 집중한다.
③ 개인의 자유를 강조하고 최소한의 세금만을 걷는다.
④ 각종 복지 제도를 폐지하고 시장의 자유에 모든 것을 맡긴다.

13. 윤리적 소비에 해당하는 것을 모두 고른 것은?

> ㉠ 공정무역에 의한 코코아로 만든 초콜렛을 구매한다.
> ㉡ 수익금의 상당부분을 복지재단에 기부하는 기업의 물건을 가능하면 구매한다.
> ㉢ 아동노동에 의해 만들어진 의류를 구매하지 않는다.
> ㉣ 동물실험에 의해 만들어진 화장품을 구매하지 않는다.

① ㉠, ㉡   ② ㉡, ㉢
③ ㉠, ㉢, ㉣   ④ ㉠, ㉡, ㉢, ㉣

14. 다음 생애주기 곡선에 대한 설명으로 잘못된 것은?

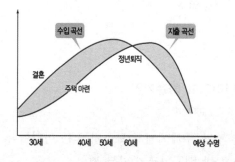

① 30세에서 60세 사이에 소득이 소비보다 많은 시기이다.
② 60세 이후 퇴직과 함께 수입은 감소하고 적자가 발생하기 시작한다.
③ 대체로 30세 전후 취업과 결혼 등의 인생에서 중요한 결정이 이루어진다.
④ 예상수명이 길어질수록 노후 적자기간이 감소하는 경향이 있다.

15. 자산관리 원칙 중 안전성이 높은 순서대로 바르게 나열한 것은?

① 예금 – 채권 – 주식　　　　② 주식 – 채권 – 예금

③ 예금 – 주식 – 채권　　　　④ 부동산 – 주식 – 예금

16. 다음 〈보기〉의 분배 방식에 해당하는 것은?

〈보기〉
· 사람들의 기여에 비례하여 분배하는 것
· 성취동기를 고취시키나 약자에 대한 배려가 부족함

① 절대적 평등 분배　　　　② 업적에 의한 분배

③ 능력에 의한 분배　　　　④ 필요에 의한 분배

17. 사회적 약자에게 실질적인 기회의 평등을 보장하기 위한 정책들을 무엇이라고 하는가?

① 최대 수혜자 보장정책　　　　② 계층 양극화 추진정책

③ 역차별 정책　　　　④ 적극적 우대 정책

18. 문화동화의 사례에 해당하는 것은?

① 우리나라 절에는 산신을 모시는 산신각이 존재한다.

② 김치가 들어간 스파게티

③ 서양식 결혼식 이후 폐백이라는 절차

④ 남미지역에 기존 원시신앙이 사라지고 가톨릭으로 변화되었다.

19. 남부아시아 문화권에 대해 <u>잘못</u> 말한 것은?

① 신분제도인 카스트 제도가 완전히 사라졌다.

② 신성한 강인 갠지스에서 목욕하는 풍습이 존재한다.

③ 힌두교는 대표적인 다신교 종교로 소를 숭배해 먹지 않는다.

④ 남부아시아에는 불교와 이슬람, 힌두교가 공존하고 있다.

05 예상문제

20. 다음 〈보기〉에서 문화이해의 바른 태도를 가진 학생은?

〈보기〉

철수 : 어제 아마존 관련 다큐멘터리 프로그램 봤니? 정말 한심하게 살고 있더라. 이상한 벌레 주워 먹던데.

영희 : 맞아. 옷은 어떤데. 거의 벗고 다녀서 보는 내내 민망했어. 옷도 없나봐.

정수 : 무슨 말도 안 되는 소리야! 그 사람들은 그 곳 환경에 잘 적응한 것일 뿐이야.

민희 : 맞아, 먹는 것도, 입는 것도 그 곳 입장에서는 당연한 것이지. 우리는 그들 입장에서 문화를 봐야해.

① 철수, 민희 ② 영희, 정수

③ 정수, 민희 ④ 철수, 영희

21. 다음 〈보기〉에서 갑, 을의 입장에 대한 <u>잘못된</u> 해석은?

〈보기〉

갑 : 외국인들이 주류문화인 우리문화를 완전히 받아들일 수 있도록 강력한 정책을 펴야 합니다.

을 : 안됩니다. 외국인들의 문화는 문화대로 존중하면서 함께 공존할 수 있는 방법을 찾는 것이 중요합니다.

① 갑의 주장은 용광로 이론에 가깝다.

② 을의 주장은 외국인과의 갈등을 많이 불러일으킬 수 있다.

③ 갑의 주장은 문화 동화주의와 같은 주장이다.

④ 을의 주장은 현재 우리나라가 추구하는 방향과 일맥상통한다.

22. 국가 간의 (또는 국가와 지역블록 간) 무역장벽을 없애거나 줄여서 상품과 서비스를 자유롭게 수출입할 수 있도록 협정을 맺는 것은?

① ODA ② MSF ③ FTA ④ OPEC

23. 국제평화에 기여하고 있는 대한민국의 모습에 해당하지 <u>않는</u> 것은?

① 저개발국에 KOICA를 통한 해외봉사단의 파견
② UN의 평화유지군에 군대 파견으로 분쟁 중재에 노력
③ UN 안전보장이사회의 비상임이사국을 역임하는 등 국제사회에 적극 참여
④ 동북공정을 통한 역사 바로 세우기 활동 전개

24. 다음 중 통일관련 비용 중 바르게 설명한 것은?

① 통일비용과 분단비용이 많이 발생할수록 통일에 긍정적이다.
② 평화비용이 증가할수록 분단비용과 통일비용을 감소시킬 수 있다.
③ 분단비용은 통일 후 북한 재건비용이다.
④ 외교비용이나 군사비용은 통일비용의 대부분을 차지한다.

25. 다음 지도에서 나타나는 자원에 대한 설명으로 옳은 것은?

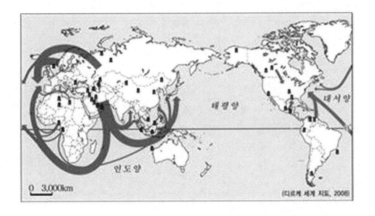

① 편재성이 약한 편이어서 세계 어디서나 구할 수 있는 자원이다.
② 산업혁명 초기 가장 많이 사용된 자원으로 현재는 사용량이 거의 없다.
③ 고생대 지층에서 주로 발견되는 자원으로 최근 액화되어 사용이 늘고 있다.
④ 우리나라는 이 자원의 대표적인 수입국가이다.

04

정답 및 해설

사회 SOCIAL STUDIES

적중! 모의고사 예상문제

1회 예상문제 · 사회				
1. ①	2. ②	3. ②	4. ④	5. ①
6. ④	7. ①	8. ③	9. ④	10. ②
11. ①	12. ②	13. ①	14. ④	15. ③
16. ③	17. ②	18. ①	19. ②	20. ④
21. ①	22. ③	23. ②	24. ③	25. ①

1. '현재까지의 변화된 자취'라는 표현에서 시간의 흐름, 역사와 관련되어 있다는 것을 알 수 있다. 따라서 시간적 관점에 해당한다.

3. 열대지방은 높은 기온과 습도로 인해 음식물이 쉽게 상해 기름에 볶거나 향신료를 이용, 또는 염장 등의 방법으로 음식물을 보관, 조리하고 있다. 고상가옥은 지면에서 올라오는 지열과 습기, 해충 등을 막기 위해 만들어졌다. 의복 역시 더위 때문에 얇고 간편한 옷들이 대부분이다. 스콜이 거의 매일 내리는 열대우림 지역의 가옥은 빗물을 빠르게 떨어뜨리기 위해 급경사의 지붕 형태를 취하고 있다.

4. 인간중심주의는 인간만이 내재적 가치를 가진다는 주장인데 비슷한 주장이나 관점으로는 자연을 도구로 여기는 도구적 가치, 자연과 인간을 별개의 것으로 판단하는 이분법적 관점 등이 있다.

5. 람사르 협약은 갯벌과 습지를 보호하자는 것이고 몬트리얼 의정서는 프레온 가스 배출을 규제해 오존층 파괴를 막자는 국제협약이다. 교토의정서는 지구 온난화를 막기 위한 협정으로 1997년에 시작되었으나 주요 국가들의 불참과 탈퇴로 의미가 퇴색되었다. 바젤협약은 국제폐기물의 이동을 규제하는 협약이다.

8. 인권의 특성 중 천부성은 인권을 가지고 태어났다는 의미이고 항구성은 인권이 영원하다는 의미이다. 보편성은 인권을 누구나 가지고 있는 권리라는 의미이고 불가침성은 어떤 경우에도 인권은 뺏기거나 빼앗아서는 안 된다는 의미이다.

9. 권력분립이란 보통 법률과 관련해 입법부, 사법부, 행정부로 구분한다. 입법부는 법률의 제정과 개정, 사법부는 법률의 적용과 해석, 행정부는 법률의 집행을 담당한다.

10. 사회적 소수자는 그 숫자가 무조건 적다는 조건만으로 될 수 없다. 사회적 소수자는 평소 여러 가지 권리행사에서 소외되거나 제한되는 약자들을 말하는 것이다. 보기에 제시된 '소수의 재벌회장님들'은 그런 의미에서 사회적 소수자가 될 수 없다.

11. 합리적 소비란 '최소의 비용으로 최대의 만족을 얻는 것'을 말한다.

13. 무역을 통해 기업의 경쟁이 치열해져 생산성이 높아지는 것은 부정적인 부분이라기보다는 긍정적인 효과에 해당한다.

14. 주식은 회사에서 자본금을 확보할 목적으로 발행하는 회사의 가치를 주식으로 평가한 것이다. 주식은 시장에서 거래를 통해 이익을 얻거나 회사 경영의 댓가로 배당금을 받는 방법으로 이윤을 추구한다. 채권은 국가와 지방자치단체, 공기업, 사기업 등이 발행하는 증서로 역시 자본확보, 물가조절 등의 목적으로 발행한다. 연금은 일정비용을 적립한 후 특정시점이 지나면서 정기적으로 받게 되는 금융자산을 말한다.

15. 그림의 조각상은 정의의 여신상 '디케'이다. 저울은 공정함을, 칼은 엄정함을 의미한다. 조각상에 따라서는 눈을 가린 것과 가리지 않은 것이 있는데 이는 해석이 각각 다양하다. 눈을 가리지 않은 것은 똑바로 상황을 보겠다는 의미이고 눈을 가린 경우는 판단상대가 누구인지 상관하지 않겠다는 의지의 표현으로 해석하기도 한다.

16. 약자의 증가를 '정의사회 실현의 증거'로 보는 것은 지나친 논리의 비약이다.

17. 동부아시아 문화권은 한자와 유교, 불교, 율령, 젓가락 등을 공유하고 있다. 건조 문화권은 이슬람, 아랍어, 석유 등을 공유하고 있다. 라틴아메리카의 경우 스페인과 포르투갈의 식민지 경험의 흔적을 많이 가지고 있는데 가톨릭과 언어, 혼혈인종 등이 그 증거이다.

18. 문화병존은 기존문화와 새로운 문화가 함께 존재, 공존하는 것을 의미하는 것이다. '밥버거'와 '돌침대'는 기존문화와 새로운 문화가 합쳐져서 새로 만들어진 문화에 해당하

는 것으로 볼 수 있는데 이를 문화융합이라고 한다.

19. 자문화 중심주의는 자기문화의 우수성을 높이 평가한 나머지 다른 문화를 낮게 보는 현상을 말한다. 대표적인 사례로 대원군의 통상수교거부정책, 유태인의 선민의식, 중국인의 중화사상, 국수주의 등이 있다.

21. 세계화와 지역화의 공통적인 등장배경은 교통과 통신의 발달, 이로 인한 지역 간 상호의존성의 증가를 원인으로 꼽을 수 있다.

22. 평화는 소극적 평화(테러와 전쟁, 물리적인 폭력이 없는 상태), 적극적 평화(물리적인 폭력은 물론이고 구조적이고 문화적인 폭력까지도 없는 상태)로 구분된다.

23. 통일은 인도주의적 요청(이산가족문제, 탈북민, 실향민 문제), 민족동질성의 회복, 동북아평화는 물론 세계평화에 기여하는 점, 국가경쟁력 강화 측면에서 그 필요성을 찾을 수 있다.

24. 〈보기〉에서 제시하고 있는 앞으로 석유자원 40여년, 석탄 170여년 등은 가채연수를 말하는 것으로 현재기준으로 앞으로 채굴해서 이용가능한 남은 기간을 의미한다. 이는 자원의 유한성을 지적하는 개념이다.

25. 슬로우푸드 운동은 패스트푸드에 반대되는 개념으로 좋은 식재료를 이용해 천천히 조리해서 제대로 음식을 먹자는 운동이고 탄소마일리지 제도는 탄소배출정도를 마일리지 개념을 도입해 탄소배출을 줄여보자는 취지의 제도이다. 공정무역은 착한 소비에 해당하는 윤리적 소비운동으로 개발도상국에 정당한 대가를 지불하고 무역을 하자는 취지의 움직임이다.

1. 건설의 최적입지, 공간이용의 변화 등을 물어보는 질문이므로 공간적 관점이 가장 적당하다.

3. 행복한 삶을 위한 조건에는 질 높은 정주환경, 민주주의 발전, 경제적인 안정, 도덕적 실천과 성찰하는 삶을 들 수 있다.

4. 베이컨과 아퀴나스, 아리스토텔레스, 데카르트, 칸트 등의 철학자는 공통적으로 인간중심주의에 입각한 주장을 했다. 레오폴드는 대지윤리를 주장하면서 생명과 생태계 전체를 중시하는 생태중심주의적 입장을 주장했다.

5. 오존층 파괴물질인 프레온가스(염화플루오린화 탄소)를 줄이기 위해 몬트리올 의정서를 국제적으로 합의했다. 교토의정서는 지구온난화 물질인 이산화탄소를 줄이기 위한 국제협정이었다.

6. 우리나라는 도시화와 산업화가 1960년대에 본격적으로 시작해서 1980년대까지 이어졌다. 이때 대규모의 이촌향도 현상이 나타났고 도시문제도 심각해졌다. 1990년대 이후 도시화가 정체되면서 오히려 원교농촌이나 근교농촌지역으로 대도시 사람들이 이동하는 역도시화(U턴, J턴) 현상이 나타났다.

8. 정보화의 문제점으로는 사이버폭력, 전자 상거래에서 발생하는 사기 범죄, 정보격차, 인간소외현상 등이 나타난다.

10. 저소득층의 문화소외 문제는 주거권과 직접적으로 관련이 없다.

11. 참정권에는 선거권, 피선거권, 공무담임권, 국민투표권 등이 있다. 재판청구권은 청구권에 해당한다.

12. 〈보기〉의 내용은 아동을 보호하기 위한 내용이다.

13. 경제대공황을 해결하기 위해 1932년 루스벨트 대통령은 국가의 적극적인 경제 개입을 내용으로 하는 뉴딜정책을 전개하였다.

14. 기업가의 도전정신을 기업가 정신이라고 한다. 레드오션은 경쟁이 치열한 산업부분을 말하는 것으로 미개척지를 의미하는 블루오션과 반대 개념으로 사용된다. 포트폴리오는 자산관리 방법 중에 분산투자를 의미한다.

2회 예상문제 · 사회				
1. ④	2. ④	3. ④	4. ③	5. ①
6. ③	7. ②	8. ④	9. ②	10. ④
11. ①	12. ③	13. ①	14. ③	15. ④
16. ②	17. ②	18. ③	19. ④	20. ③
21. ②	22. ②	23. ①	24. ③	25. ④

16. 유동성은 현금화를 할 수 있는 정도를 말하는 것으로 예금이 가장 높고 그 다음으로 채권과 주식이 비슷한 정도로 현금화가 가능하다. 부동산이 가장 유동성이 떨어진다.

17. 사회적 약자들을 배려해서 기본적인 욕구충족을 가능하게 하는 분배 방식은 필요에 의한 분배이다. 능력에 따른 분배는 능력이 있는 사람에게 더 많은 분배를 해 주는 것을 의미하고 업적에 의한 분배는 결과적으로 많은 성과를 낸 사람에게 더 많은 분배를 해주는 것을 의미한다. 절대적 평등에 의한 분배는 기계적으로 무조건 똑같이 분배하는 것을 의미한다.

18. 기존의 문화와 새로운 문화가 합쳐져 새로운 것이 만들어 지는 현상을 문화융합이라고 한다.

19. 〈보기〉의 주장은 인권을 유린하고 생명을 위협하는 것으로 이를 주장하는 것을 극단적 문화상대주의라고 한다.

20. 용광로 이론은 주류문화에 외국인들의 문화를 강제적으로 통합시키는 다문화 이론이고 국수대접 이론은 주류와 비주류 문화를 구분은 하나 주류와 비주류 문화의 공존을 주장하는 이론이다. 모자이크 이론은 샐러드 볼 이론과 거의 같은 내용으로 모든 문화의 평등한 공존을 주장하는 이론이다.

21. 다국적 기업의 본사는 대부분 선진국에 위치하는 편이다. 저렴한 노동력이 풍부한 개발도상국에는 대체로 생산 공장이 위치하는 편이다.

22. 쿠릴 열도 분쟁은 러시아와 일본 간의 영토분쟁이고 시사군도는 중국과 베트남 간의 분쟁이다. 난사 군도는 중국과 인근 베트남, 브루나이, 말레이시아, 필리핀 등이 서로 영유권을 주장하고 있는 곳이다.

23. 선진국은 유소년층의 비중에 비해 노년층의 비중이 높은 고령화 현상이 뚜렷하다. 이에 비해 개발도상국은 높은 출산율로 인해 젊은 층의 비중이 높은 편이다. 기대수명은 의학이 발달한 선진국이 높은 편이다.

25. 전문가들의 합의에 의한 예측방법을 전문가 합의법, 또는 델파이법이라고 한다. 문헌연구법은 사회적 자료수집방

법으로 미래예측과는 직접적 관련이 없다. 시나리오법은 미래에 나타날 수 있는 여러 대안들의 전개 과정을 가설적으로 추정해서 미래를 예측하는 방법이고, 추세외삽법은 지나간 추세가 앞으로도 계속될 것이라는 가정하에 미래의 상황을 예측하는 방법을 말한다.

3회 예상문제 · 사회				
1. ②	2. ③	3. ②	4. ③	5. ①
6. ③	7. ②	8. ①	9. ①	10. ③
11. ①	12. ③	13. ④	14. ②	15. ④
16. ①	17. ①	18. ②	19. ③	20. ④
21. ④	22. ③	23. ①	24. ①	25. ②

1. 사회복지비용과 노인복지법 등을 언급하는 것을 보아 사회적 관점에서 접근하고 있음을 알 수 있다.

2. 불성을 찾아 해탈의 경지에 이르는 것을 행복으로 파악하는 것은 불교의 입장이다.
공리주의는 쾌락을 늘리고 고통을 감소시키는 것을 행복의 기준으로 보고 있다.

3. 맹자가 주장한 항산(恒産)은 백성들이 먹고 살 수 있는 직업이 있어야 함을 강조하는 것으로 경제적 안정과 관련된 사례이다.

4. 기후그래프에서 꺾은선 그래프가 기온이다. 최고기온이 5도 이하를 보이고 있고 최저기온이 영하 25도에 가까운 것을 보아 한대기후라는 것을 알 수 있다. 한대기후에서는 곡물재배가 어렵다.

5. 불교는 연기설을 주장하고 도교가 무위자연을 주장한다. 기계론은 서양의 자연을 도구로 보는 사상에서 주장하는 것이다.

6. 사진 속 상황은 사막화 현상이다. 몬트리얼 의정서는 프레온가스 배출을 규제한 오존층파괴방지 협약이다.

7. 최저임금제는 산업 · 도시화와 직접적 관련이 떨어지고,

도시재개발 사업 자체는 단점으로 보기는 어렵다.

8. 생산과정에서 분업체계 형성은 정보화 이전에 산업화 과정에서 나타난 것이다.

9. 평등하고 자유롭게 태어났다는 표현은 전형적인 '천부인권'의 개념에 해당한다.

10. 기본권 침해를 바로잡기 위한 수단적 기본권은 청구권이다. 청구권에는 재판청구권, 청원권 등이 있다.

11. 청소년은 유해업종으로 지정된 업종에는 종사할 수 없다.

12. 선택을 위해 포기한 가치를 기회비용이라고 한다.

13. 헌법에 보장된 '단결권'은 근로자들이 노동조합을 결성할 수 있다는 권리를 말하고 '단체교섭권'은 사용자와 노동조합대표가 근로조건 등에 관해 교섭할 수 있다는 권리를 말한다. '단체행동권'은 교섭이 잘 되지 않았을 때 노동자들이 파업이나 태업을 할 수 있는 권리를 말한다.

14. 절대우위는 모든 생산 조건이 한 나라에게 유리한 상황을 말하는 것이다.

15. 연금은 대체로 노후나 퇴직 후를 대비해 적립해 놓았다가 나중에 받는 것을 말하고 펀드는 투자를 하기 위해 모은 자금을 자산운용사가 운영해서 수익을 내는 금융상품을 말한다.

17. 자유주의 정의관에서는 개인의 자유를 가장 중요하게 생각한다.

18. 사례에 나온 사람은 10년 이상 실업상태이기 때문에 사회보험 중 실업급여에 해당하는 고용보험을 받을 수 없다. 고용보험은 기본적으로 퇴직 후 12개월이 지나면 대상이 되지 않는다.

19. 동물의 가죽이나 털로 만든 옷을 입는 곳은 한대기후 지역이다. 건조기후 지역은 햇빛과 모래바람을 막기 위해 온몸을 다 덮는 옷을 입는 편이다.

20. 문화변동의 내재적 원인에는 발명과 발견이 있다. 외재적 원인에는 전파가 있다.

22. 우리나라의 경우 점차 다문화 문화차이에 대한 이해도가 높아지고 있는 것은 사실이나 갈등이 완전히 사라졌다고 보기는 어렵다.

23. 공정무역이 확대되고 있는 것은 사실이지만 이것을 세계화의 문제점이라고 볼 수는 없다. 오히려 세계화로 인한 국가 간 빈부격차 문제인 남북문제를 해결하는 방법이라고 봐야 한다.

24. 국제연합만 '국가 간 국제기구'이고 나머지 단체들은 '국제 비정부기구'인 'NGO'에 해당한다.

25. 사례는 모두 내전이나 이념 등의 정치적인 이유로 이동하는 정치적 이동에 해당한다.

4회 예상문제 · 사회				
1. ③	2. ①	3. ④	4. ③	5. ③
6. ①	7. ①	8. ③	9. ②	10. ④
11. ③	12. ②	13. ④	14. ③	15. ③
16. ①	17. ④	18. ④	19. ②	20. ①
21. ②	22. ③	23. ③	24. ②	25. ①

1. 바람직한 태도라는 표현에서 윤리적 관점이라는 것을 알 수 있다.

2. 선사시대에는 나라에 대한 개념 자체가 없었다고 봐야 한다. 이 시절에는 단순히 의식주의 확보가 가장 중요한 행복의 기준이었을 것으로 판단된다.

3. 갑은 행복의 객관적 조건에 대해서 말하고 있고 을은 행복의 주관적 조건에 대해서 말하고 있다. 이 둘은 모두 최소한의 인간다운 삶의 확보가 중요함을 주장하고 있다.

5. 과대 포장 지양과 에너지 고효율 제품 생산, 저탄소 상품 개발은 모두 기업이 주체이다. 탄소 배출권 거래제 도입의 주체는 정부이다.

6. 주택부족 문제는 신도시 개발로 일부 해결될 수 있다.

7. 지역격차의 경우 대도시와 지방 지역의 발전의 차이가 커

지는 것으로 대도시 육성 정책을 도입하는 것은 문제를 더욱 악화시킬 수 있다.

9. 도심재개발은 낙후되고 슬럼화 된 도심지역을 바로 잡는 것으로 촌락문제를 해결하는 것과는 거리가 있다. 지역브랜드화나 지리적 표시제, 농공단지 조성은 촌락의 발전에 도움이 되는 제도들이다.

10. 차별권이라는 개념은 올바르지 못한 개념이다.

11. 〈보기〉의 내용은 헌법에 보장된 기본권 제한의 경우를 소개하는 것으로 기본권은 국가안전보장, 질서유지, 공공복리를 위해 법률로서 제한가능하고 제한 시에도 본질적인 제한은 불가능함을 명시하고 있다. 따라서 대통령의 명령으로 기본권을 제한할 수 없다. 국회가 제정한 법률로서만 가능하다.

12. 시민 불복종은 정의와 양심에 어긋나는 법이나 제도, 정책에 반대하는 불복종 운동으로 최후의 수단으로서만 고려되어야 한다.

13. 청소년도 성인과 동일한 최저임금을 보장받는다. 청소년은 15세 이상, 부모 동의로 일을 할 수 있고 유해한 업종에는 근무가 제한된다. 근무시간은 일일 7시간이다. 청소년 근무시간은 합의를 전제로 추가로 1일 1시간, 주당 5시간까지 연장 가능하다.

14. (가)는 상업자본주의, (나)는 수정자본주의, (다)는 신자유주의가 들어간다. 신자유주의는 정부의 간섭을 줄이고 시장에 의한 문제해결을 강조하는 흐름이다.

15. 담합이나 독점을 막기 위한 법은 공정거래법이다. 공정거래법은 '독점규제 및 공정거래에 관한 법률'의 줄임말이다.

16. 그래프는 GDP대비 무역의 비율을 보여주고 있다. 특히 한국은 다른 선진국들에 비해 높은 비중을 보여주고 있다. 무역의 비중이 높다는 것은 수출과 수입의 비중이 높다는 것을 말하는 것이고 수출입이 많을수록 국제 경제 상황의 영향을 많이 받게 된다.

17. 노년기는 소득이 대체로 크게 감소하게 되어 지출이 소득보다 높아 적자가 지속되는 경우가 많다.

18. 롤스가 말한 '최소 수혜자에게 최대 이익'이란 사회적 약자에게 적극적인 배려를 해야 한다는 것을 말하는 것으로 기회의 균등을 예로 들 수 있다. 최소 수혜자인 사회적 약자는 사회마다 다르고, 최대 이익도 모든 사람을 똑같이 만든다는 것을 의미하지 않는다.

19. '자기방식대로 사는 것'이라는 표현에서 자유주의를 지지하고 있음을 알 수 있다.

20. 사회보험은 소득이 있는 사람은 의무가입이라서 강제적 성격이 있으나 공공부조는 가입이라는 절차가 존재하지 않는다.

21. 이슬람교는 돼지고기에 종교적으로 부정한 의미를 부여해 먹지 않지만 육식 자체를 거부하지는 않는다. 할랄 과정을 거친 발굽이 있고 되새김을 하는 낙타나 소, 염소 등을 먹는다.

22. 담징과 문익점, 커피의 경우 사람이 직접 전파하는 경우이지만 인터넷을 통한 한류확산 등은 간접전파에 해당한다.

23. 자신의 관점으로 다른 문화를 판단하는 것은 자문화중심주의에 해당하고 상대방의 입장에서 바라보는 시각은 문화상대주의에 해당한다고 볼 수 있다. 문화상대주의는 모든 문화의 우열을 부정하고 나름의 가치가 있음을 인정한다.

24. 세계도시는 경제적으로 가장 세계화되어 있고 정치, 문화의 중심지 역할도 한다. 뉴욕, 런던, 파리, 도쿄 등이 대표적이다.

25. 센카쿠(중국명 '댜오위다오')는 일본이 실효지배하고 있고 중국과 대만이 자국영토임을 주장하고 있다.

		5회 예상문제 · 사회		
1. ④	2. ②	3. ④	4. ④	5. ③
6. ④	7. ①	8. ②	9. ④	10. ④
11. ②	12. ①	13. ④	14. ④	15. ①
16. ②	17. ④	18. ④	19. ①	20. ③
21. ②	22. ③	23. ④	24. ②	25. ④

1. '종합적으로 이해 한다' 는 표현이 의미하는 것은 통합적 관점이다.

2. 갑, 을, 병 모두 경제적인 어려움이 삶의 질을 위협할 수 있음을 걱정하고 있다.

3. 지구온난화로 극지방과 영구동토층의 빙하가 녹고 있다.

4. 재활용을 통한 제품 생산은 개인적 차원의 환경보호 노력이 아니라 기업차원에서 이루어지는 노력이다.

5. GIS는 지리 정보 체계, GPS는 지구상 위치파악 시스템을 의미한다.

6. A단계는 가속화 단계로 촌락의 인구가 대거 도시지역으로 이동하는 단계로 이촌향도 현상이 나타난다. 우리나라의 경우 1960년대에서 80년대까지 나타났다. 급속한 도시인구 증가로 여러 가지 도시문제도 심각하게 나타났다. 유턴현상은 종착단계에서 주로 나타나는 현상으로 도시에서 촌락으로 다시 돌아가는 역도시화 현상을 말한다.

7. 그림은 지리적 표시제의 사례를 보여주고 있다. 지리적 표시제는 촌락의 발전을 위해 시행하고 있는 제도로 도시환경 낙후와는 직접적 관련이 없다.

8. 독일의 바이마르 헌법은 최초로 사회권을 명문화 한 것으로 유명하다.

9. 시민불복종에서 절대로 사용해서는 안 되는 것은 폭력이다.

10. 〈보기〉 모두 여성들에 대한 비인도적인 제도들이다.

11. 외부 효과는 의도치 않은 이익이나 피해를 주게 되는 경우를 말하는 것으로 자원의 비효율적인 배분을 초래하게 된다.

12. 케인즈는 국가의 적극적인 시장개입을 주장하였다. 정부가 국방과 치안에만 집중하고 개인의 자유를 강조하는 것은 야경국가의 특징이다. 그리고 복지제도를 폐지하고 다시 시장의 자유에 맡기는 것을 신자유주의라고 한다.

13. 윤리적 소비란 녹색소비와 착한소비로 구성되는데 인권과 환경, 생태계를 존중하는 소비이다.

14. 예상수명이 길어질수록 노후의 적자기간이 길어지는 현상이 나타나기 쉽다.

15. 예금은 예금자보호법이 있기 때문에 가장 안전하다고 볼 수 있고, 채권은 발행 주체가 대체로 국가나 지자체, 공기업 등이기 때문에 주식보다는 안전하다고 볼 수 있다.

16. 결과적으로 기여도가 높은 사람들이 많이 가져가는 방식의 분배를 업적에 의한 분배라고 한다. 업적에 의한 분배는 약자에 대한 배려가 부족하고 과열경쟁을 가져올 가능성이 높다는 부작용이 있다.

17. 역차별은 적극적 우대정책의 시행에 반대하는 주장으로 적극적 우대정책으로 인해 또 다른 차별이 발생했다는 주장이다.

18. 문화동화란 기존문화가 새로운 문화에 의해 사라지는 현상을 말한다. 우리나라 절에 있는 산신각과 김치스파게티, 결혼식 후 폐백은 기존문화와 새문화의 결합으로 새로운 형태의 문화가 탄생했다고 볼 수 있기 때문에 문화융합의 사례로 볼 수 있다.

19. 남부아시아는 대체로 인도문화권을 의미하는데 신분제도인 카스트제도는 법제도적으로는 사라졌으나 여전히 상당수 사람들에 의해 지켜지고 있는 상황이다.

20. 타문화를 볼 때 자기문화를 기준으로 비하하는 행위는 올바른 문화 이해 태도로 보기 어렵다. 이러한 잘못된 태도를 자문화중심주의라고 한다.

21. 갑의 주장은 용광로 이론에 해당하는 것으로 주류문화를 외국인들에게 강요하는 올바르지 못한 태도이다. 을의 주장

은 외국인들의 문화를 존중하는 올바른 태도로 샐러드 볼 이론과 가까워 보인다.

22. ODA는 '공적개발원조'의 약자로서 개발도상국을 국가 차원에서 지원하는 프로그램이고 MSF는 '국경없는 의사회'의 약자이다. OPEC은 '석유수출국기구'의 약자이다.

23. 동북공정은 중국이 소수민족 단속과 국경분쟁을 미연에 방지하기 위해 고구려역사와 발해역사를 자국 역사의 일부로 만들기 위한 역사왜곡 움직임이다.

24. 분단비용은 분단 상태를 유지하기 위한 군사비와 외교비용 등을 말하는 것이고 평화비용은 북한과의 교류비용으로 이 비용이 증가할수록 분단비용과 통일비용을 줄일 수 있다. 통일비용은 통일 후 북한 발전비용으로 현재 상황에서는 매우 높은 통일비용이 발생할 수 있다.

25. 그림의 자원은 석유자원이다. 석유자원은 신생대지층에서 주로 발견되고 있고 서남아시아 지역에 많이 편재되어 있는 편이다. 우리나라에는 거의 존재하지 않아서 세계적인 수입 국가이다. 최근 액화되어 많이 사용되고 있는 자원은 천연가스이다.

05

과학
SCIENCE

적중! 모의고사 예상문제

01 예상문제

1. 허블은 지구에서 멀리 떨어진 은하일수록 후퇴 속도가 빠르다는 사실을 알아냈는데 이를 허블의 법칙이라고 한다. 허블의 법칙을 옳게 나타낸 그래프는?

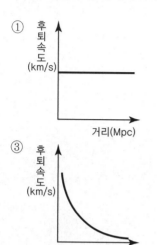

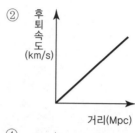

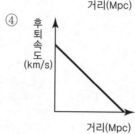

2. 그림은 원자와 원자를 구성하는 입자들을 모형으로 나타낸 것이다. 다음 중 크기가 가장 작은 입자를 고르면?

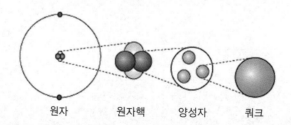

원자　　원자핵　　양성자　　쿼크

① 원자　　　　　　　　② 쿼크
③ 양성자　　　　　　　④ 원자핵

3. 그림은 지구가 형성되는 과정을 나타낸 것이다.

| 미행성 충돌 | A → | 마그마 바다 형성 | B → | 원시 지각과 바다의 형성 | C → | 생명체의 탄생 |

이에 대한 설명으로 옳은 것을 고르면?

① A과정에서 지표의 온도는 하강하였다.
② 중심부의 밀도는 A과정보다 B과정에서 더 증가했다.
③ 원시 바다는 C과정에서 형성되었다.
④ A과정에서 지구의 질량은 일정하게 유지되었다.

4. 다음 설명에 해당하는 원소를 고르면?

> · 은백색의 금속이며 가볍다.
> · 호일, 음료, 캔, 창틀 재료로 이용된다.

① 철
② 구리
③ 알루미늄
④ 질소

5. 다음은 비금속 원소인 N, O, F 의 총 전자수와 전자배치를 나타낸 것이다.

N	O	F
7개	8개	9개
7+	8+	9+

이에 대한 설명으로 옳은 것을 〈보기〉에서 모두 고른 것은?

〈보기〉

> ㄱ. 모두 17족 할로젠 원소이다.
> ㄴ. 전자 껍질수가 2개로 모두 2주기 원소이다.
> ㄷ. 원자가 전자수는 플루오린(F)이 7개로 가장 많다.

① ㄱ
② ㄷ
③ ㄱ, ㄴ
④ ㄴ, ㄷ

01 예상문제

6. 다음은 어떤 물질에 대한 성질을 조사한 것이다.

> · 실온에서는 고체이지만 전기가 통하지는 않는다.
> · 수용액은 전기를 잘 통한다.

이 물질에 대한 설명으로 옳은 것을 고르면?

① 공유 결합 물질이다.
② 금속에 해당한다.
③ 넓게 퍼지는 성질이 있다.
④ 수용액에 이온이 존재한다.

7. 다음 중 규산염 사면체(SiO_4)에 대한 설명으로 옳은 것을 모두 고르면?

〈보기〉

> ㄱ. 규산염 광물을 형성하는 기본 골격이 된다.
> ㄴ. 규소 1개에 산소 4개가 결합한 구조이다.
> ㄷ. 규산염 사면체의 결합 형태에 따라 다양한 광물이 만들어진다.

① ㄱ, ㄴ   ② ㄴ, ㄷ
③ ㄱ, ㄷ   ④ ㄱ, ㄴ, ㄷ

8. 다음 설명의 A, B에 해당하는 물질은?

> 탄수화물(녹말)을 구성하는 기본 단위체는 (A)이고, 단백질을 구성하는 기본 단위체는 (B)이다.

	A	B			A	B
①	아미노산	지방		②	아미노산	포도당
③	지방	아미노산		④	포도당	아미노산

9. 다음 중 탄소로 이루어진 신소재에 대한 설명으로 옳지 <u>않은</u> 것은?

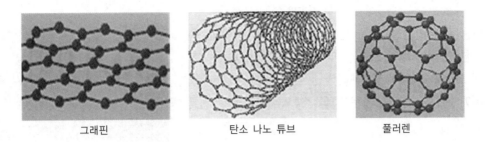

그래핀   탄소 나노 튜브   풀러렌

① 그래핀은 강철보다 강하며 유연성이 있다.

② 풀러렌은 탄소가 축구공처럼 결합해 있다.

③ 탄소 나노 튜브는 그래핀이 겹겹이 쌓인 구조이다.

④ 그래핀은 휘어지는 디스플레이 제작에 사용된다.

10. 질량이 다른 두 물체 A, B가 수평면 위에 정지해 있다.
    두 물체에 일정한 힘(F)을 작용할 때, A, B의 가속도 비 $a_A : a_B$ 는?

① 1 : 1   ② 2 : 1

③ 3 : 1   ④ 2 : 3

11. 다음 중 지구상에 있는 물체에 작용하는 중력에 대한 설명이다.
    이에 대한 설명으로 옳은 것만을 모두 고르면?

〈보기〉

ㄱ. 지구가 지구상의 물체를 끌어당기는 힘이다.

ㄴ. 중력 방향은 연직 방향인 지구 중심 쪽이다.

ㄷ. 지표면 근처에서 중력의 크기는 그 물체의 무게이다.

① ㄱ, ㄴ   ② ㄴ, ㄷ

③ ㄱ, ㄷ   ④ ㄱ, ㄴ, ㄷ

01 예상문제

12. 다음은 유리컵을 같은 높이에서 시멘트 바닥과 푹신한 방석에 떨어뜨렸을 때 유리컵에 작용하는 힘의 크기를 시간에 따라 나타낸 것이다.
이에 대한 설명 중 옳은 것을 〈보기〉에서 모두 고른 것은?

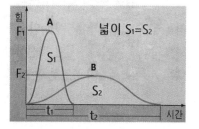

〈보기〉

ㄱ. 유리컵이 바닥에서 받은 충격량은 A가 B보다 크다.

ㄴ. A와 B의 운동량 변화량은 같다.

ㄷ. B가 푹신한 방석 위에 떨어졌을 때 그래프이다.

① ㄱ, ㄴ   ② ㄴ, ㄷ

③ ㄱ, ㄷ   ④ ㄱ, ㄴ, ㄷ

13. 다음 중 지권의 층상 구조에 대한 설명으로 옳은 것만을 모두 고르면?

ㄱ. 맨틀은 가장 넓은 면적을 차지하며, 대류가 일어난다.

ㄴ. 지구 자기장의 형성은 외핵의 운동과 관련이 있다.

ㄷ. 외핵은 고체이며, 내핵은 액체 상태이다.

① ㄱ, ㄴ   ② ㄴ, ㄷ

③ ㄱ, ㄷ   ④ ㄱ, ㄴ, ㄷ

14. 다음에서 설명하는 대기권은?

· 위로 갈수록 온도가 상승하는 곳으로 기층이 안정하다.

· 오존층이 존재하며, 하부는 비행기의 항로로 이용되는 곳이다.

① 대류권   ② 성층권

③ 중간권   ④ 열권

15. 다음 글에 나타난 지구계의 상호 작용으로 옳은 것은?

> · 봄철에 중국 내륙의 지표면이 건조하면 황사가 발생하여 편서풍을 타고 우리나라에 영향을 준다.
> · 화산 활동이 일어나면 대기 중으로 화산가스가 분출한다.

① 지권 − 기권　　　　　　② 생물권 − 지권
③ 수권 − 생물권　　　　　④ 기권 − 수권

16. 다음 중 세포의 핵에 대한 설명으로 옳은 것을 모두 고르면?

> ㄱ. 세포의 생명 활동을 조절한다.
> ㄴ. 유전 물질인 DNA가 들어 있다.
> ㄷ. 빛 에너지를 화학 에너지로 전환한다.

① ㄱ, ㄴ　　　　　　　　② ㄴ, ㄷ
③ ㄱ, ㄷ　　　　　　　　④ ㄱ, ㄴ, ㄷ

17. 다음은 인지질 2중층인 세포막의 구조와 세포막을 통한 물질 A, B의 이동을 나타낸 것이다.

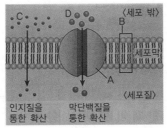

이에 대한 설명으로 옳은 것을 〈보기〉에서 모두 고른 것은?

> 〈보기〉
> ㄱ. A는 단백질이고, B는 인지질이다.
> ㄴ. 물질 C는 수용성, D는 지용성이다.
> ㄷ. 세포막은 고정되지 않고 유동성을 갖는다.

① ㄱ, ㄴ　　　　　　　　② ㄴ, ㄷ
③ ㄱ, ㄷ　　　　　　　　④ ㄱ, ㄴ, ㄷ

01 예상문제

18. 염색체에 대한 옳은 것만을 〈보기〉에서 모두 고른 것은? (단, 돌연변이는 없다.)

———〈보기〉———

ㄱ. 남자의 성염색체는 XY, 여자는 XX이다.

ㄴ. 남자의 Y염색체는 어머니로부터 받는다.

ㄷ. 사람의 체세포 1개당 염색체 수는 46개이다.

① ㄱ

② ㄴ

③ ㄱ, ㄷ

④ ㄴ, ㄷ

19. 다음 중 산화 환원 반응이 <u>아닌</u> 것은?

① 석탄의 연소

② 철의 제련

③ 광합성

④ 얼음의 융해

20. 다음 설명 중 ( )에 들어갈 말을 순서대로 옳게 배열한 것은?

산 수용액이 공통 성질을 갖는 것은 (가) 때문이고, 염기 수용액이 공통 성질을 갖는 것은 (나) 때문이다.

	(가)	(나)
①	수소이온(H^+)	산화이온(O^{2-})
②	산화이온(O^{2-})	염화이온(Cl^-)
③	수소이온(H^+)	수산화이온(OH^-)
④	수산화이온(OH^-)	수소이온(H^+)

21. 지층의 생성시대를 알려주는 표준 화석을 모두 고르면?

> ㄱ. 삼엽충   ㄴ. 매머드   ㄷ. 고사리   ㄹ. 산호

① ㄱ   ② ㄱ, ㄴ
③ ㄱ, ㄹ   ④ ㄷ, ㄹ

22. 다음은 다윈의 자연선택설을 진화의 순서에 따라 나열한 것이다.
(   )에 들어갈 용어로 옳은 것은?

> 과잉 생산 → 개체 변이 → (   ) → 자연 선택 → 진화(종의 분화)

① 환경 적응   ② 돌연 변이
③ 생존 경쟁   ④ 획득 형질

23. 다음 중 (가)~(다)에 들어갈 말을 순서대로 옳게 배열한 것은?

> · 생태계에서 (가)는 광합성을 통해 스스로 양분을 만든다.
> · (나)는 생물의 사체와 배설물로부터 에너지를 얻는다.
> · (다)는 다른 생물을 먹이로 섭취하여 에너지를 얻는다.

	(가)	(나)	(다)
①	생산자,	소비자,	분해자
③	분해자,	생산자,	소비자

	(가)	(나)	(다)
②	소비자,	분해자,	생산자
④	생산자,	분해자,	소비자

01 예상문제

24. 과거 지구의 기후 변화를 연구하는 방법으로 옳지 <u>않은</u> 것은?

① 빙하 속의 공기 방울을 조사한다.
② 나무의 나이테를 조사한다.
③ 지층의 퇴적물과 화석을 조사한다.
④ 숲속의 소나무 군락지를 조사한다.

25. 다음은 지구 대기 대순환의 모식도이다.
지표면에서 부는 바람 A, B, C의 이름을 옳게 짝지은 것은?

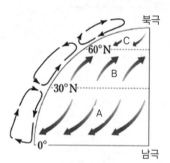

	A	B	C
①	편서풍	무역풍	극동풍
②	극동풍	무역풍	편서풍
③	무역풍	편서풍	극동풍
④	극동풍	편서풍	무역풍

02 예상문제

1. 다음 중 물질을 구성하는 기본 입자가 <u>아닌</u> 것은?

① 양성자
② 업 쿼크
③ 전자
④ 다운 쿼크

05
과
학

2. 그림은 헬륨 원자(He)를 모형으로 나타낸 것이다.
이에 대한 설명으로 옳지 <u>않은</u> 것은?

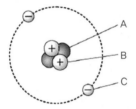

① A는 양성자이다.
② (A+B)를 원자핵이라고 한다.
③ C는 전자이며, 원자핵 주위를 원운동 한다.
④ 원자 전체는 전기적으로 중성이다.

3. 원소의 스펙트럼에 대한 설명으로 옳은 것을 고르면?

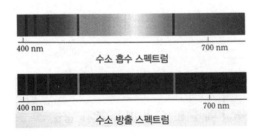

① 스펙트럼선의 개수는 원자 번호와 같다.
② 스펙트럼에 나타나는 선의 굵기는 모두 같다.
③ 원소마다 스펙트럼선의 위치는 다르지만 개수는 같다.
④ 같은 원소라면 흡수 스펙트럼과 방출 스펙트럼의 선의 위치는 같다.

02 예상문제

4. 주계열성 단계의 별에 대한 설명으로 옳은 것만을 고르면?

> ㄱ. 별의 일생 중 기간이 가장 짧다.
> ㄴ. 수소핵융합 반응으로 에너지를 생성한다.
> ㄷ. 중력과 내부 압력이 평형을 이룬다.

① ㄱ   ② ㄷ

③ ㄱ, ㄴ   ④ ㄴ, ㄷ

5. 다음은 지구가 형성되는 과정에 대한 설명이다.
이에 대한 설명으로 옳은 것을 〈보기〉에서 모두 고른 것은?

〈보기〉

> ㄱ. 철과 니켈 등의 물질이 핵을 형성하였다.
> ㄴ. 질소와 산소는 지구 초기의 화산 활동으로 생성되었다.
> ㄷ. 원시 바다가 형성된 후 이산화탄소가 감소하였다.

① ㄱ, ㄴ   ② ㄴ, ㄷ

③ ㄱ, ㄷ   ④ ㄱ, ㄴ, ㄷ

6. 주기율표의 1족 원소인 Li, Na, K에 대한 설명이다. 옳지 <u>않은</u> 것은?

① 알칼리 금속이라고 한다.

② 칼로도 잘라지는 무른 금속이다.

③ 공기 중의 산소와 쉽게 반응한다.

④ 물과 반응하지 않고, 전기가 잘 통하지도 않는다.

7. 다음은 질소 분자와 물 분자의 화학결합 그림이다.

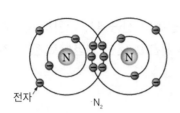
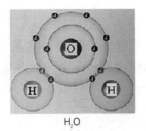

이에 대한 설명으로 옳은 것을 〈보기〉에서 모두 고른 것은?

――――――〈보기〉――――――

ㄱ. 질소 분자와 물 분자 모두 극성 분자이다.

ㄴ. 공유 전자쌍은 질소가 3쌍으로 물 분자보다 많다.

ㄷ. 비공유 전자쌍은 질소 분자가 물 분자보다 많다.

① ㄱ   ② ㄴ
③ ㄱ, ㄴ   ④ ㄴ, ㄷ

8. 그림은 어느 규산염 광물의 결합 형태를 나타낸 것이다.

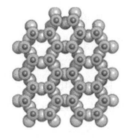

이에 대한 설명으로 옳은 것을 〈보기〉에서 모두 고른 것은?

――――――〈보기〉――――――

ㄱ. 판상 구조이다.

ㄴ. 석영에서 볼 수 있는 결합 구조이다.

ㄷ. 규산염 사면체가 얇은 판 모양으로 결합한다.

① ㄱ, ㄴ   ② ㄴ, ㄷ
③ ㄱ, ㄷ   ④ ㄱ, ㄴ, ㄷ

02 예상문제

9. 그림과 같이 질량이 다른 세 물체를 같은 높이의 진공에서 가만히 놓았다.
A~C가 지면에 도달하는 순간까지 걸리는 시간에 대한 설명으로 옳은 것은?

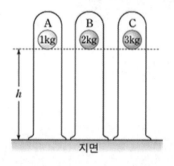

① A가 가장 짧다.
② B가 가장 짧다.
③ C가 가장 짧다.
④ 모두 같다.

10. 자동차의 에어백은 충돌 시간을 길게 하는 효과
를 낳아 충격을 완화시킴으로써 사람에게 부상의
위험이나 그 정도를 감소시킨다. 이러한 에어백의
효과와 같은 성질이 <u>아닌</u> 것은?

① 이불 위에 떨어진 접시는 깨지지 않는다.
② 야구공은 손을 뒤로 빼면서 받으면 덜 아프다.
③ 대포에서 포탄을 발사하면 포신이 뒤로 밀린다.
④ 물 풍선을 받을 때 팔을 굽혀서 받으면 터지지 않는다.

11. 그림은 수권 중 해수의 층상 구조를 나타낸 것이다.
이에 대한 설명으로 옳은 것만을 〈보기〉에서 모두 고르면?

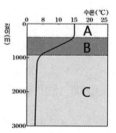

──────〈보기〉──────
ㄱ. A층은 바람의 혼합작용이 일어나는 혼합층이다.
ㄴ. B층은 해수의 연직 순환이 가장 활발한 층이다.
ㄷ. C층은 대류 현상이 가장 활발한 심해층이다.

① ㄱ   ② ㄴ
③ ㄱ, ㄷ   ④ ㄱ, ㄴ, ㄷ

12. 지구 시스템의 에너지원에 해당하지 <u>않는</u> 것을 고르면?

① 태양 복사 에너지
② 지구 내부 에너지
③ 조력 에너지
④ 중력 에너지

13. 다음 그림의 과정 A와 B는 물질대사 과정을 나타낸 것이다.
이에 대한 설명으로 옳은 것은?

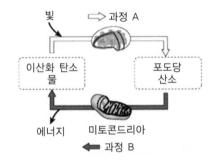

① 과정 A는 세포 호흡이다.
② 과정 B는 광합성이다.
③ 과정 A는 유기물을 합성하는 동화 작용이다.
④ 과정 B는 동물에서만 일어난다.

14. 다음 효소에 대한 설명 중 옳지 <u>않은</u> 것은?

① 효소의 주성분은 단백질이다.
② 효소는 온도의 영향을 받는다.
③ 효소는 생물체내에서 반응을 빠르게 도와준다.
④ 효소는 활성화 에너지 값을 높여준다.

15. 다음은 핵산에 대한 설명이다. (A)~(C)에 들어갈 말로 옳게 배열한 것을 고르면?

> DNA는 (A) 구조이고, RNA는 (B) 구조이며, 핵산을 구성하는 염기 중 (C)은(는) DNA에는 있지만 RNA에는 없다.

	A	B	C
①	단일 가닥	2중 나선	아데닌(A)
②	단일 가닥	2중 나선	타이민(T)
③	2중 나선	단일 가닥	유라실(U)
④	2중 나선	단일 가닥	타이민(T)

16. 다음은 여러 가지의 산화 환원 반응식들이다.

> (가) $CH_4 + 2O_2 \rightarrow CO_2 + 2H_2O$
> (나) $2CuO + C \rightarrow 2Cu + CO_2$
> (다) $Fe_2O_3 + 3CO \rightarrow 2Fe + 3CO_2$

이에 대한 설명으로 옳은 것을 〈보기〉에서 모두 고른 것은?

〈보기〉
ㄱ. (가)는 연소 반응이다.
ㄴ. (나)에서 탄소는 환원되었다.
ㄷ. (다)는 철의 제련 반응식이다.

① ㄱ, ㄴ   ② ㄴ, ㄷ
③ ㄱ, ㄷ   ④ ㄱ, ㄴ, ㄷ

17. 다음 표는 물질을 (가)와 (나)로 분류한 것이다.

(가)	(나)
HCl H_2SO_4	NaOH KOH

(가)와 (나) 물질을 구별할 수 있는 방법이 <u>아닌</u> 것은?

① 수용액에 금속 조각을 넣어 본다.
② 수용액에 지시약을 떨어뜨려 본다.
③ 수용액의 전기 전도성을 측정한다.
④ 아주 묽게 하였을 때의 맛을 조사해 본다.

18. 다음에서 설명하는 지질시대는?

> · 육상에는 고사리 등의 양치식물이 번성하였다.
> · 바다의 대표적인 생물로는 삼엽충, 갑주어 등이 있다.

① 고생대　　　　　　　　② 중생대
③ 신생대　　　　　　　　④ 선캄브리아대

19. 다음은 핀치새의 진화 과정의 단계 (가)와 (나)를 나타낸 것이다.
(가)와 (나)에 해당하는 단계를 옳게 배열한 것을 고르면?

단계	일어난 현상
(가)	부리 모양이 다양한 핀치 무리가 살고 있었다.
(나)	크고 단단한 씨앗을 잘 깨뜨릴 수 있는 부리를 가진 개체가 형질을 자손에게 물려주었다.

자연 선택과 진화에 대한 설명으로 옳은 것만을 모두 고른 것은?

    (가)　　　　　(나)
① 변이　　　　　　생존 경쟁
② 생존 경쟁　　　자연 선택
③ 생존 경쟁　　　변이
④ 변이　　　　　　자연 선택

02 예상문제

20. 다음의 상호작용 중에서 비생물적 요인이 생물에 영향을 미치는 작용이 <u>아닌</u> 것은?

① 기온이 낮아지면 단풍이 들고 낙엽이 진다.
② 바다의 수심이 깊은 곳에는 홍조류가 서식한다.
③ 사막의 파충류는 단단한 껍질의 알을 낳는다.
④ 지렁이는 낙엽을 분해하여 토양을 비옥하게 한다.

21. 다음은 지구의 기후 변화의 원인을 나타낸 것이다.

기후 변화	외적 요인	태양 활동의 변화, (가)
	내적 요인	화산 분출로 대기 투과율 변화, (나)

추가로 (가)와 (나)에 들어갈 수 있는 요인을 옳게 고른 것은?

<u>(가)</u>   <u>(나)</u>

① 자전축 경사 방향의 변화   지구 공전 궤도 모양의 변화
② 수륙 분포의 변화   빙하의 면적 변화
③ 자전축 경사 방향의 변화   댐 건설로 지표면 반사율 변화
④ 이산화탄소 농도 변화   자전축 경사 방향의 변화

22. 다음 중 무역풍의 약화로 엘니뇨가 발생했을 때 적도 부근 동태평양 해역의 변화가 <u>아닌</u> 것은?

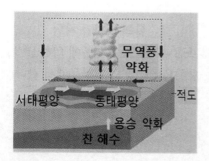

① 용승 약화
② 수온 하강
③ 홍수 발생
④ 어획량 감소

23. 철수는 쇠구슬을 공중으로 던져 올렸다. 쇠구슬의 에너지 변화에 대한 설명으로 옳은 것은? (단, 공기 저항과 마찰은 무시한다.)

① 운동 에너지는 D에서 최대이다.
② 퍼텐셜 에너지는 A에서 최대이다.
③ 역학적 에너지는 A에서 최소이다.
④ 운동 에너지가 퍼텐셜 에너지로 전환된다.

24. 다음은 두 발전 방식을 순서대로 옳게 배열한 것은?

(가) 화학 에너지 → 열에너지 → 역학적 에너지 → 전기 에너지

(나)

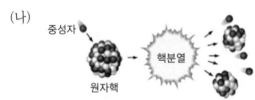

중성자
원자핵
핵분열

	(가)	(나)		(가)	(나)
①	조력 발전	화력 발전	②	수력 발전	화력 발전
③	화력 발전	핵 발전	④	핵 발전	조력 발전

25. 다음 중 그림과 같은 에너지 전환이 일어나는 장치는?

빛 에너지 ⟶ 전기 에너지

① 형광등
② 전동기
③ 광합성
④ 태양전지

03 예상문제

1. 그림은 우주 탄생 초기에 헬륨 원자핵이 생성되는 과정 중 하나를 나타낸 것이다. 헬륨 원자핵을 구성하는 입자 중 전하를 띠지 <u>않는</u> 것을 고르면?

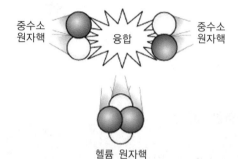

① 양성자
② 중성자
③ 헬륨 원자핵
④ 중수소 원자핵

2. 빅뱅 우주론에 대한 설명으로 옳은 것을 〈보기〉에서 모두 고른 것은?

─〈보기〉─

ㄱ. 우주는 밀도가 매우 큰 한 점에서의 대폭발로 탄생하였다.
ㄴ. 가장 먼저 기본입자인 쿼크와 전자들이 생성되었다.
ㄷ. 시간이 지남에 따라 우주의 온도는 점점 높아졌다.

① ㄱ
② ㄱ, ㄴ
③ ㄱ, ㄷ
④ ㄱ, ㄴ, ㄷ

3. 그림은 질량이 서로 다른 두 별의 진화 과정에서 생성된 원소들을 나타낸 것이다. 이에 대한 설명으로 옳은 것을 〈보기〉에서 모두 고른 것은?

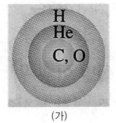
(가)

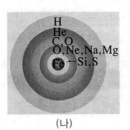
(나)

〈보기〉

ㄱ. 질량은 (가)별이 (나)별보다 작다.

ㄴ. 중심 온도는 (가)별보다 (나)별이 더 높다.

ㄷ. (나)별의 중심부 온도가 더 높아지면 핵융합 반응으로 철보다 더 무거운 원소가 합성된다.

① ㄱ, ㄴ   ② ㄴ, ㄷ
③ ㄱ, ㄷ   ④ ㄱ, ㄴ, ㄷ

4. 다음은 현대 모즐리의 주기율표에 대한 설명이다. (   )에 들어갈 말은?

현재 우리가 사용하는 모즐리의 주기율표는 원소를 (   ) 순서로 나열한 주기율표이다.

① 원자량
② 원자 크기
③ 원자 번호
④ 중성자 수

03 예상문제

5. 그림은 나트륨 원자와 염소 원자가 반응하여 염화나트륨을 형성하는 화학결합이다.

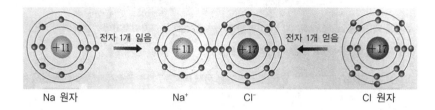

이에 대한 설명으로 옳은 것을 〈보기〉에서 모두 고른 것은?

〈보기〉

ㄱ. 나트륨(Na)과 염소(Cl) 원자는 같은 주기 원소이다.

ㄴ. 나트륨 이온(Na⁺)과 염화 이온(Cl⁻)은 옥텟 규칙을 만족한다.

ㄷ. 염화나트륨(NaCl)을 형성하는 결합은 이온결합이다.

① ㄱ, ㄴ   ② ㄴ, ㄷ

③ ㄱ, ㄷ   ④ ㄱ, ㄴ, ㄷ

6. 인체를 구성하는 물질 중 포도당, 단백질, 지질, 핵산의 공통점은?

① 탄소 화합물이다.

② 에너지원으로 사용된다.

③ 유전 정보를 저장하고 있다.

④ 미량으로 생리 기능을 조절한다.

7. 다음 중 LCD(Liquid Crystal Display)에 대한 설명으로 옳지 <u>않은</u> 것은?

① 초전도 현상을 이용한다.

② 컴퓨터 모니터에 사용될 수 있다.

③ 액정을 이용한 영상 표현 장치이다.

④ 빛의 삼원색을 합성하여 여러 색을 만든다.

8. 그림은 쇠구슬을 10m 높이에서 자유 낙하시키고
   일정한 시간 간격으로 찍은 사진이다.
   쇠구슬을 두 배 더 높은 20m에서 낙하시켰을 때
   이에 대한 설명으로 옳은 것만을 〈보기〉에서 모두 고르면?
   (단, 공기 저항은 무시한다.)

   ─────〈보기〉─────

   ㄱ. 가속도의 크기가 2배로 커진다.
   ㄴ. 바닥에 도달할 때의 속력이 증가한다.
   ㄷ. 바닥에 도달할 때까지의 시간이 길어진다.

   ① ㄱ
   ② ㄴ
   ③ ㄱ, ㄴ
   ④ ㄴ, ㄷ

9. 다음은 충격을 줄여주는 예들이다. 아래 예에 적용된 공통 원리는?

에어백, 자동차의 범퍼, 공기가 충전된 포장재, 야구장의 외야 펜스

   ① 움직이던 물체는 계속 움직이려는 관성을 갖는다.
   ② 질량과 가속도의 곱은 그 물체가 받는 힘이다.
   ③ 충돌 시간을 길게 하면 충격력이 감소한다.
   ④ 한 물체에게 힘을 가하면 그 물체도 반대인 힘을 가한다.

03 예상문제

10. 그림은 현재 대기를 구성하는 기권의 기체 분포 비율이다.

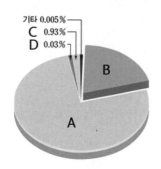

이에 대한 옳은 설명을 〈보기〉에서 모두 고르면?

〈보기〉

ㄱ. 온실 효과에 가장 큰 영향을 주는 기체는 A이다.

ㄴ. B는 광합성 생물의 출현으로 그 양이 증가하게 되었다.

ㄷ. D는 현재보다 원시 지구일 때 그 양이 더 많았다.

① ㄱ, ㄴ   ② ㄴ, ㄷ

③ ㄱ, ㄷ   ④ ㄱ, ㄴ, ㄷ

11. 지구 시스템의 주요 에너지원에 대한 설명으로 옳은 것만을 〈보기〉에서 모두 고르면?

〈보기〉

ㄱ. 지구 시스템의 에너지원 중 가장 많은 양을 차지하는 것은 지구 내부 에너지이다.

ㄴ. 태양 에너지는 지구 내부 에너지로 전환될 수 있다.

ㄷ. 조력 에너지는 달과 태양의 인력에 의한 에너지이다.

① ㄱ   ② ㄴ

③ ㄷ   ④ ㄴ, ㄷ

12. 광합성과 세포 호흡에 대한 설명이다. 옳은 것을 〈보기〉에서 모두 고른 것은?

― 〈보기〉 ―

ㄱ. 광합성은 에너지를 흡수하는 반응이다.

ㄴ. 세포 호흡은 포도당을 분해하여 에너지를 얻는 과정이다.

ㄷ. 광합성은 식물에서만, 세포 호흡은 동물에서만 일어난다.

ㄹ. 광합성은 미토콘드리아에서, 세포 호흡은 엽록체에서 일어난다.

① ㄱ, ㄴ   ② ㄱ, ㄷ

③ ㄴ, ㄹ   ④ ㄷ, ㄹ

05 과학

13. 다음은 세포 호흡과 연소 반응의 예를 나타낸 것이다.
( ) 안에 공통으로 들어갈 물질은?

· 세포 호흡 : 포도당 + ( ) → 이산화탄소 + 물

· 연소 : 에탄올 + ( ) → 이산화탄소 + 물

① 산소   ② 수소

③ 염소   ④ 질소

14. 다음 중 DNA에 대한 설명 중 옳지 <u>않은</u> 것은?

① DNA를 구성하는 염기에는 A, G, C, U가 있다.

② DNA는 2중 나선 구조이며, 인산과 당은 나선의 바깥쪽 골격을 형성한다.

③ 2중 나선을 구성하는 염기 중 A의 비율이 30%라면 T의 비율도 30%이다.

④ 염기 사이의 결합에서 A는 T, G는 C와 상보적으로 결합한다.

15. 산과 염기가 중화 반응할 때 항상 공통으로 만들어지는 물질은?

> · HCl + NaOH → NaCl + (   )
>
> · H_2SO_4 + 2KOH → K_2SO_4 + 2(   )

① NaCl   ② NaOH

③ $CaCO_3$ ④ H_2O

16. 다음 중 지층 생성 당시의 환경을 알려주는 시상화석이 될 것으로 예상되는 곳은?

① A
② B
③ C
④ D

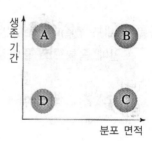

17. 다음 그림은 생물 다양성의 구성 요소를 나타낸 것이다.
(가)~(다)는 종 다양성, 생태계 다양성, 유전적 다양성 중 하나이다.

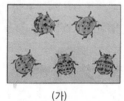  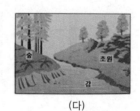

           (가)   (나)   (다)

이에 대한 설명으로 옳지 <u>않은</u> 것은?

① (가)는 유전적 다양성이다.
② (가)가 높을수록 환경 변화에 대한 적응력이 높다.
③ 새로운 종이 출현할수록 (나)가 높아진다.
④ (다)는 생태계 다양성으로 생물 종의 다양함을 말한다.

18. 다음은 생태계의 평형을 설명한 것이다. ( )에 들어갈 말은?

> 생물이 살아가기 위해서는 에너지가 필요한데, 안정된 생태계에서 한 개체군의 수가 변하면, 먹이 관계로 연결된 다른 개체군의 수도 변하므로, 생태계 평형은 결국 ( )에 의해 유지된다.

① 빛의 세기　　　　　　　② 먹이 관계
③ 환경 요인　　　　　　　④ 일조 시간

19. 다음 설명과 가장 관계가 깊은 것은?

> · 대기가 지구 복사에너지를 흡수한 후 지표면으로 재방출하기 때문에 일어난다.
> · 주로 이산화탄소, 수증기 등에 의해 일어난다.

① 엘니뇨　　　　　　　　② 온실효과
③ 오존층 파괴　　　　　　④ 라니냐

20. 다음에서 설명하는 기상이변 현상은?

> · 평년보다 무역풍의 강화가 원인이다.
> · 아시아에서는 폭우가 내린다.
> · 동태평양 해역은 평년보다 수온이 낮아지는 경우이다.

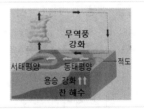

① 라니냐　　② 온실효과　　③ 엘니뇨　　④ 태풍

21. 질량이 1kg, 2kg, 3kg인 물체 A~C가 같은 높이 h에 있을 때, 각각의 물체에 작용하는 퍼텐셜 에너지의 크기가 가장 큰 것은?

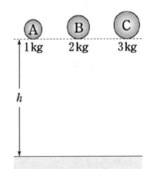

① A
② B
③ C
④ 모두 같다.

03 예상문제

22. 다음은 우리 주변의 다양한 에너지 전환 과정을 나타낸 것이다. 옳은 것은?

① 전열기 : 열 에너지 → 전기 에너지
② 전동기 : 역학적 에너지 → 전기 에너지
③ TV : 전기 에너지 → 소리, 빛 에너지
④ 태양전지 : 전기 에너지 → 빛 에너지

23. 발전소에서 생산한 전기 에너지를 송전할 때 손실 전력을 줄이기 위한 방법으로 옳지 않은 것은?

① 전기 저항이 작은 금속을 사용한다.
② 송전선을 굵고, 짧게 제작한다.
③ 송전 전류를 작게 한다.
④ 송전 전압을 작게 한다.

24. 다음 설명에 해당하지 않는 에너지는?

· 비재생 에너지원이다.
· 식물이나 동물이 지층에 매몰되어 생성된다.
· 매장 지역이 편중되어 있어 공급이 불안정하다.

① 석유   ② 석탄
③ 우라늄   ④ 천연가스

25. 다음 중 화석 연료 사용에 대한 설명으로 옳지 않은 것은?

① 석탄, 석유, 우라늄이 이에 포함된다.
② 대기를 오염시키고, 환경오염을 유발한다.
③ 자동차 배기가스는 산성비를 내리게 한다.
④ 이산화탄소(CO_2)를 배출해 지구 온난화를 유발한다.

04 예상문제

1. 다음은 물질을 구성하는 원자를 나타낸 것이다.

원자   원자핵과 전자   양성자와 중성자   쿼크

이에 대한 설명으로 옳은 것을 〈보기〉에서 모두 고른 것은?

〈보기〉

ㄱ. 원자는 원자핵과 전자로 구성된다.
ㄴ. 원자는 기본입자인 쿼크로부터 생성되었다.
ㄷ. 원자는 전기적으로 (+)전하를 띤다.

① ㄱ, ㄴ   ② ㄴ, ㄷ   ③ ㄱ, ㄷ   ④ ㄱ, ㄴ, ㄷ

2. 원자에 대한 설명으로 〈보기〉에서 옳은 것을 모두 고른 것은?

〈보기〉

ㄱ. 원자는 원자핵과 전자로 이루어져 있다.
ㄴ. 원자핵은 양성자와 중성자로 이루어져 있다.
ㄷ. 원자핵은 전자 주위를 원운동 한다.
ㄹ. 전기적으로 중성인 원자는 양성자 수와 전자 수가 같다.

① ㄱ, ㄴ   ② ㄴ, ㄷ   ③ ㄱ, ㄴ, ㄹ   ④ ㄴ, ㄷ, ㄹ

3. 다음에 설명하는 별의 진화 단계는?

질량이 태양의 20~30배인 별의 경우 초신성 폭발 후 중심부가 압축되어, 매우 강한 중력으로 인해 빛조차도 빠져나가지 못하는 상태의 별이 된다.

① 초신성   ② 주계열성
③ 블랙홀   ④ 적색거성

04 예상문제

4. 다음 그림은 행성들의 물리량을 그룹으로 표현한 것이다.
이에 대한 설명으로 옳은 것을 〈보기〉에서 모두 고른 것은?

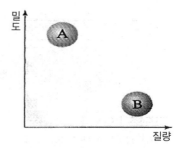

〈보기〉

ㄱ. A행성은 지구형, B행성은 목성형이다.

ㄴ. A행성이 B행성보다 반지름이 크다.

ㄷ. A행성이 B행성보다 질량이 작다.

ㄹ. A행성이 B행성보다 평균밀도가 작다.

① ㄱ, ㄴ   ② ㄱ, ㄷ   ③ ㄴ, ㄹ   ④ ㄷ, ㄹ

5. 다음은 우리 실생활에서 많이 이용하는 원소들이다.
순서대로 옳게 짝지은 것을 고르면?

(가) : 회백색이며, 자동차, 선박, 각종 건축자재로 사용되며, 부식되는 단점이 있다.

(나) : 붉은색이고, 특히 전기를 잘 통하므로 전선의 재료로 많이 이용된다.

	(가)	(나)		(가)	(나)
①	구리	알루미늄	②	텅스텐	철
③	아연	알루미늄	④	철	구리

6. 다음은 할로젠 원소에 대한 설명이다. 옳지 <u>않은</u> 것을 고르면?

① 주기율표의 17족에 속하는 F, Cl, Br의 비금속 원소이다.

② 상온에서 2원자 분자로 존재하며, 특유의 색깔을 띤다.

③ 할로젠 원소는 원자가 전자수가 7개로 음이온이 되기 쉽다.

④ 원자번호가 가장 큰 아이오딘(I)의 반응성이 가장 크다.

7. 다음은 어떤 물질의 온도에 따른 전기 저항과 초전도 현상을 나타낸 것이다.

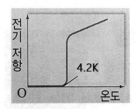 

이에 대한 설명으로 옳은 것을 〈보기〉에서 모두 고른 것은?

〈보기〉

ㄱ. 이 물질의 임계온도는 4.2K이다.
ㄴ. 4.2K 이하에서 전류가 흐를 때 전력 손실이 발생한다.
ㄷ. 이 현상을 이용하여 자기 부상 열차를 만들 수 있다.

① ㄱ, ㄴ   ② ㄴ, ㄷ
③ ㄱ, ㄷ   ④ ㄱ, ㄴ, ㄷ

8. 그림은 탄소원자로 구성된 신소재의 구조를 나타낸 것이다.

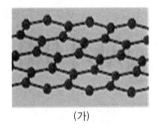 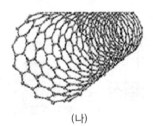

(가)   (나)

이에 대한 설명으로 옳은 것을 〈보기〉에서 모두 고른 것은?

〈보기〉

ㄱ. (가)는 탄소 나노 튜브, (나)는 그래핀이다.
ㄴ. (가)는 휘어지는 디스플레이 소재로 사용된다.
ㄷ. (나)를 이용하여 분자 크기의 물질을 잡을 수 있는 집게를 만들 수 있다.

① ㄱ   ② ㄴ   ③ ㄱ, ㄷ   ④ ㄴ, ㄷ

04 예상문제

9. 그림은 공기 중에서와 진공 상태에서 깃털과 쇠구슬을 낙하시켰을 때 같은 시간 간격으로 위치를 나타낸 것이다.
이에 대한 설명으로 옳은 것을 모두 고른 것은?

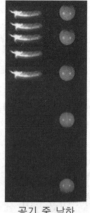
공기 중 낙하

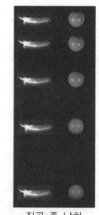
진공 중 낙하

ㄱ. 깃털과 쇠구슬에 작용하는 중력의 크기는 같다.
ㄴ. 공기 중에서는 쇠구슬이 먼저 떨어진다.
ㄷ. 진공에서 깃털과 쇠구슬은 동시에 떨어진다.
ㄹ. 진공에서 깃털과 쇠구슬의 시간당 속도 변화는 같다.

① ㄱ, ㄴ   ② ㄴ, ㄷ   ③ ㄱ, ㄷ, ㄹ   ④ ㄴ, ㄷ, ㄹ

10. 질량이 4kg인 물체가 마찰이 없는 수평면에서 5m/s의 속도로 운동하고 있다. 이 물체의 운동량은 얼마인가?

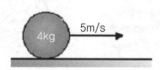

① 5kg · m/s   ② 10kg · m/s   ③ 15kg · m/s   ④ 20kg · m/s

11. 다음에서 설명하는 지구 시스템의 주요 에너지원은?

· 지구 환경 변화에 가장 영향이 크다.
· 지권에서는 풍화와 침식 작용을 일으켜 지형을 변화시킨다.
· 생물권에서는 광합성으로 생명 활동의 에너지원이 된다.

① 지구 내부 에너지   ② 조력 에너지
③ 태양 복사 에너지   ④ 중력 에너지

12. 그림은 1년 동안 육지와 바다에서 물이 증발하는 양을 100이라고 할 때 지구 전체의 평균적인 물의 순환을 나타낸 것이다.
이에 대한 설명으로 옳은 것을 〈보기〉에서 모두 고른 것은?

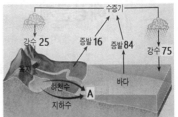

물의 순환(단위 X 1000km³/년)

〈보기〉

ㄱ. 태양 에너지에 의해 물의 순환이 일어난다.

ㄴ. 물의 증발과 강수 과정에서 에너지가 이동한다.

ㄷ. 바다에서는 증발이 강수보다 많으므로 해수의 양은 점차 감소할 것이다.

① ㄱ, ㄴ   ② ㄴ, ㄷ

③ ㄱ, ㄷ   ④ ㄱ, ㄴ, ㄷ

13. 그림은 엽록체, 미토콘드리아, 핵을 순서 없이 배열한 것이다.

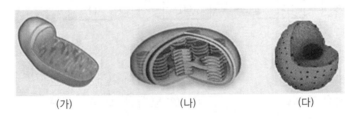

(가)   (나)   (다)

이에 대한 설명으로 옳은 것을 〈보기〉에서 모두 고른 것은?

〈보기〉

ㄱ. (가)는 포도당을 분해하는 미토콘드리아이다.

ㄴ. (나)는 엽록체이며, 광합성이 일어난다.

ㄷ. (다)는 핵이며, 유전 물질이 들어 있다.

① ㄱ, ㄴ   ② ㄴ, ㄷ

③ ㄱ, ㄷ   ④ ㄱ, ㄴ, ㄷ

14. 그림은 효소와 기질의 반응 과정을 모식적으로 나타낸 것이다.

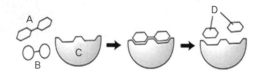

이에 대한 설명으로 옳은 것을 〈보기〉에서 모두 고른 것은?

〈보기〉

ㄱ. B는 반응물(기질), D는 생성물이다.

ㄴ. C에 의해 활성화 에너지가 감소한다.

ㄷ. C는 주성분이 단백질이며, 재사용이 가능하다.

① ㄱ, ㄴ   ② ㄴ, ㄷ

③ ㄱ, ㄷ   ④ ㄱ, ㄴ, ㄷ

15. 다음은 유전 정보의 흐름을 나타낸 것이다. (가)~(다)에 들어갈 것으로 옳은 것은?

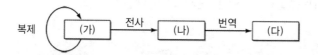

	(가)	(나)	(다)		(가)	(나)	(다)
①	DNA	단백질	RNA	②	단백질	DNA	RNA
③	RNA	DNA	단백질	④	DNA	RNA	단백질

16. 그래프는 염산과 수산화나트륨 수용액의 중화반응을 나타낸 것이다. 혼합 용액 A~D 중 물(열)이 가장 많이 생성되는 것은?

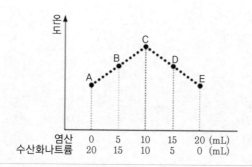

① A

② B

③ C

④ D

17. 다음 중 생물 다양성의 감소 원인에 해당하지 <u>않는</u> 것은?

① 서식지 파괴, 단편화
② 불법 포획과 남획
③ 외래종의 도입
④ 국립공원 지정확대

18. 평형을 이루던 생태계에서 1차 소비자의 개체수가 갑자기 증가했을 때, 다음의 설명 중 옳은 것은?

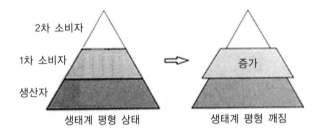

① 생산자의 개체수가 증가한다.
② 분해자와 2차 소비자의 수가 감소한다.
③ 생산자는 감소하고, 2차 소비자는 증가한다.
④ 1차 소비자를 제외한 모든 생물 수가 증가한다.

19. 다음 설명에 해당하는 것은?

> · 대기 중 온실 기체의 양이 증가하여 지구의 평균 기온이 올라가는 현상이다.
> · 이 현상으로 대륙의 빙하가 녹으면서 해수면이 상승할 수 있다.

① 라니냐   ② 산성비
③ 엘니뇨   ④ 지구 온난화

04 예상문제

20. 그림은 북반구 표층 해류의 일부를 나타낸 것이다.
A~D 중 저위도에서 고위도 쪽으로 흐르는 난류와 고위도에서 저위도 쪽으로 흐르는 한류를 옳게 짝지은 것은?

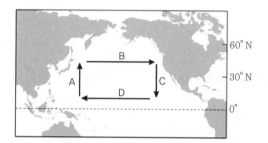

	난류	한류
①	A	B
②	B	D
③	A	C
④	D	A

21. 고열원에서 400J의 열에너지를 공급하였더니 외부에 일(W)을 하고 저열원으로 200J의 열에너지가 빠져나가는 열기관을 나타낸 것이다. 옳지 <u>않은</u> 설명을 고르면?
(단, 열기관은 정상적으로 작동한다.)

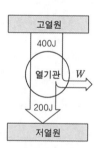

① 외부에 한 일 W는 200J이다.
② 이 열기관은 영구기관이다.
③ 이 열기관의 효율은 50%이다.
④ 저열원의 200J은 일을 하는 데 재사용할 수 없다.

22. 그림과 같이 막대자석을 코일 속에 넣었다 뺐다하면 검류계 바늘이 움직인다.
이와 같은 전자기 유도의 원리를 이용한 것은?

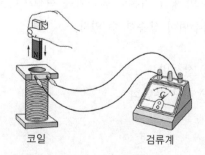

코일   검류계

① 전열기
② 발전기
③ 전동기
④ 텔레비전

23. 그림은 변압기의 구조를 나타낸 것으로 1차 코일은 400회가 감겼고, 전압은 220V이다. 2차 코일의 감은 수를 1차 코일의 절반인 200회로 줄이면 2차 코일에 유도되는 전압은?

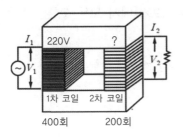

① 50V

② 110V

③ 220V

④ 440V

24. 그림은 파도로 인한 해수면의 높이 차로 공기를 압축하여 전기 에너지를 생산하는 것과 바람을 이용한 발전을 나타낸 것이다.

(가)

(나)

이에 대한 설명으로 옳은 것을 〈보기〉에서 모두 고른 것은?

〈보기〉

ㄱ. (가)는 파력 발전, (나) 풍력 발전이다.

ㄴ. (가), (나) 근본 에너지는 태양 에너지이다.

ㄷ. (가), (나) 모두 연중 안정적으로 전기를 생산할 수 있다.

① ㄱ

② ㄷ

③ ㄱ, ㄴ

④ ㄴ, ㄷ

25. 바다를 제방으로 막아 밀물과 썰물로 인한 해수면의 높이 차를 이용하여 전기를 생산하는 발전 방식은?

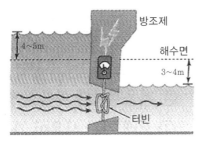

① 조력 발전

② 지열 발전

③ 풍력 발전

④ 화력 발전

05 예상문제

1. 다음 중 양성자와 중성자를 구성하는 입자들을 〈보기〉에서 모두 고른 것은?

〈보기〉

ㄱ. 업 쿼크　　　ㄴ. 전자　　　ㄷ. 뮤온　　　ㄹ. 다운 쿼크

① ㄱ, ㄴ　　　　　　　　　② ㄴ, ㄷ
③ ㄱ, ㄷ　　　　　　　　　④ ㄱ, ㄹ

2. 그림은 우주의 진화 과정에서 38만년 후 헬륨 원자가 형성되는 과정을 나타낸 것이다. (−) 전하를 띤 A에 해당하는 입자는?

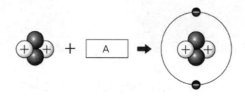

① 전자　　　　　　　　　② 쿼크
③ 양성자　　　　　　　　④ 중성자

3. 다음에서 설명하는 별의 진화 단계는?

· 헬륨핵 바깥쪽에서 수소 핵융합 반응이 일어난다.
· 중심부는 수축하나 바깥층은 팽창한다.
· 표면 온도가 낮아지며 붉은색을 띤다.

① 초신성
② 적색거성
③ 초거성
④ 블랙홀

4. 표는 태양계의 두 행성 A, B를 비교한 것이다.
이에 대한 설명으로 옳은 것은?

행성	특징	주요 구성 물질
A	물과 생명체가 존재한다.	철, 산소, 규소
B	태양계에서 가장 큰 행성이며, 표면에 대적점이 있다.	수소, 헬륨

① A는 금성이며, 구성 물질의 녹는점이 B보다 높다.
② B는 지구형 행성에 속한다.
③ B는 A보다 반지름이 크고, 위성수가 많다.
④ B는 A보다 높은 온도 환경에서 생성되었다.

5. 다음에서 설명하는 행성의 특징 중 옳은 것은?

① 수성 : 거대한 화산이나 큰 협곡, 과거에 물이 흘렀던 강의 흔적들이 있다.
② 금성 : 온실효과가 크게 일어나 온도가 높고, 밝게 보인다.
③ 화성 : 가장 크고, 적도 아래에 소용돌이 현상인 대적점이 있다.
④ 토성 : 표면에 운석 구덩이가 많으며, 낮과 밤의 기온차가 크다.

6. 현대의 주기율표에 대한 설명으로 옳은 것을 〈보기〉에서 모두 고른 것은?

─〈보기〉─

ㄱ. 원자번호가 증가하는 순서로 나열하였다.
ㄴ. 가로줄을 족, 세로줄을 주기라고 한다.
ㄷ. 같은 족 원소들은 화학적 성질이 유사하다.

① ㄱ, ㄴ   ② ㄴ, ㄷ
③ ㄱ, ㄷ   ④ ㄱ, ㄴ, ㄷ

05 예상문제

7. 다음은 고체 상태의 염화나트륨과 설탕을 나타낸 것이다.
   이에 대한 설명으로 옳은 것을 〈보기〉에서 모두 고른 것은?

─〈보기〉─

ㄱ. 염화나트륨은 금속과 비금속의 이온 결합이다.

ㄴ. 설탕은 비금속 원자 간의 공유 결합이다.

ㄷ. 염화나트륨과 설탕 모두 수용액 상태에서 전기 전도성이 있다.

① ㄱ, ㄴ   ② ㄴ, ㄷ

③ ㄱ, ㄷ   ④ ㄱ, ㄴ, ㄷ

8. 그림 (가)~(라)는 여러 형태의 탄소 화합물을 나타낸 것이다.

(가)   (나)   (다)   (라)

이에 대한 설명으로 옳은 것을 모두 고른 것은?

─〈보기〉─

ㄱ. (가)는 단일 결합, (라)는 가지 모양이다.

ㄴ. (나)는 2중 결합, (다)는 3중 결합이다.

ㄷ. (가)~(라) 모두 탄소를 중심으로 공유 결합을 형성한다.

① ㄱ   ② ㄴ

③ ㄷ   ④ ㄴ, ㄷ

9. 다음 중 단백질에 대한 설명으로 옳지 <u>않은</u> 것은?

① 에너지원으로 4kcal/g의 열을 낸다.

② 효소 항체, 호르몬의 주성분이며, 단위체는 포도당이다.

③ 인체를 구성하는 탄소 화합물 중 비율이 가장 높다.

④ 아미노산들이 펩타이드 결합으로 연결되어 있다.

10. 반도체에 대한 설명 중 옳은 것만을 모두 고른 것은?

> ㄱ. 순수한 규소에 소량의 다른 원소를 첨가한 것이다.
>
> ㄴ. 교류를 직류로 바꾸는 다이오드를 만들 수 있다.
>
> ㄷ. 자기 부상 열차, 전력 손실 없는 송전선을 만들 수 있다.

① ㄱ, ㄴ   ② ㄴ, ㄷ

③ ㄱ, ㄷ   ④ ㄱ, ㄴ, ㄷ

11. 그림은 자유 낙하시킨 쇠구슬과 수평으로 던진 쇠구슬의 운동을 일정한 시간 간격으로 나타낸 것이다. 이에 대한 설명으로 옳은 것을 모두 고른 것은? (단, 질량은 같으며, 공기 저항은 무시한다.)

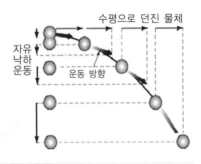

> ㄱ. 두 쇠구슬에 작용하는 중력의 크기는 같다.
>
> ㄴ. 수평 방향의 쇠구슬은 등속 직선 운동을 한다.
>
> ㄷ. 두 쇠구슬 모두 연직 방향으로는 등가속도 운동을 한다.

① ㄱ, ㄴ   ② ㄴ, ㄷ

③ ㄱ, ㄷ   ④ ㄱ, ㄴ, ㄷ

12. 다음 중 충격력이 일정할 때, 힘을 받는 시간을 길게 한 경우에 해당하는 것을 모두 고른 것은?

> ㄱ. 골프나 야구에서 골프채나 방망이에 팔로스루를 길게 한다.
> ㄴ. 대포의 포신이 길수록 포탄이 멀리까지 날아간다.
> ㄷ. 콘크리트 바닥보다 방석에 떨어진 유리컵이 깨지지 않았다.
> ㄹ. 투수가 던진 공을 손을 뒤로 빼면서 받아야 손이 덜 아프다.

① ㄱ, ㄴ   ② ㄴ, ㄷ
③ ㄱ, ㄹ   ④ ㄱ, ㄷ, ㄹ

13. 다음에서 설명하는 지구 시스템의 주요 에너지원은?

> · 암석에 포함된 방사성 원소가 붕괴할 때의 에너지이다.
> · 지권에서 맨틀 대류를 일으켜 대륙 이동, 지진, 화산 활동 등 지각 변동을 일으킨다.

① 지구 내부 에너지   ② 조력 에너지
③ 태양 복사 에너지   ④ 중력 에너지

14. 다음 설명에 해당하는 판의 경계에 해당하는 지형은?

> 대륙판과 해양판이 만나거나 해양판과 해양판이 만나는 수렴형 경계지역으로 밀도가 큰 판이 밀도가 작은 판 아래로 섭입하는 경계이다. 바다 밑에 움푹 들어간 좁고 긴 지형이 형성된다.

① 해령   ② 해구
③ 습곡산맥   ④ 변환단층

15. 생명 시스템의 구성 단계에 대한 설명으로 옳지 <u>않은</u> 것은?

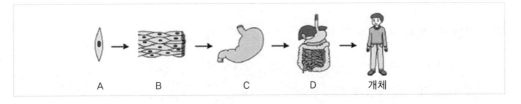

① A는 생명 시스템의 기본 단위인 세포이다.

② B는 모양과 기능이 비슷한 세포들의 모임이다.

③ C는 한 가지 조직으로 이루어진 구성 단계이다.

④ D는 식물에는 없고 동물에만 있는 구성 단계이다.

16. 다음은 식물 세포의 소기관에 대한 설명이다. 옳지 <u>않은</u> 것은?

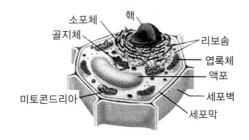

① 리보솜은 DNA의 유전 정보에 따라 단백질을 합성한다.

② 소포체는 리보솜에서 합성한 단백질을 골지체나 다른 곳으로 운반하는 물질의 이동 통로이다.

③ 골지체는 리보솜에서 전달받은 단백질을 막으로 싸서 세포 밖으로 분비한다.

④ 세포벽은 세포를 둘러싸며, 세포 안팎으로 물질의 출입을 조절한다.

17. 다음은 산소의 이동에 의한 산화 환원 반응에 대한 설명이다. 옳지 <u>않은</u> 것은?

① 물질이 산소와 결합하는 것을 산화라 한다.

② 물질이 산소를 잃는 것을 환원이라 한다.

③ 구리를 가열하면 환원되어 검은색의 산화구리가 된다.

④ 산화 환원 반응은 항상 동시에 진행된다.

05 예상문제

18. 다음 중 생활 속의 중화 반응이 <u>아닌</u> 것은?

① 벌 쏘인 곳에 암모니아수를 바른다.
② 위산 과다에 제산제를 복용한다.
③ 생선 비린내에 레몬즙을 뿌린다.
④ 수돗물에 은(Ag^+) 이온을 넣으면 뿌옇게 흐려진다.

19. 다음은 생물 다양성에 대한 설명이다. (가)와 (나)에 해당하는 말을 순서대로 옳게 배열한 것은?

> · (가)이/가 높은 생물 일수록 환경이 변했을 때 멸종할 확률이 낮다.
> · (나)이/가 높은 지역 일수록 서로 다른 환경에 적응하여 다양한 생물 종이 출현할 수 있다.

① 유전적 다양성, 종 다양성
② 생태계 다양성, 종 다양성
③ 종 다양성, 유전적 다양성
④ 유전적 다양성, 생태계 다양성

20. 그림은 위도가 서로 다른 세 지역에 서식하는 여우의 모습이다.

북극여우(한대)　　　　붉은여우(온대)　　　　사막여우(열대)

이와 같은 적응 현상과 관계있는 동일한 예를 고르면?

① 개구리 같은 변온 동물은 겨울잠을 잔다.
② 사막의 선인장은 잎이 가시로 변했다.
③ 바다 깊이에 따라 서로 다른 생물이 서식한다.
④ 파충류의 몸 표면은 비늘로 덮여 있다.

21. 다음 중 최근 지구의 평균 기온이 상승하는 가장 큰 이유는?

① 태양 활동 증가 　　　　　　② 대기 중의 먼지 증가

③ 지진 활동 증가 　　　　　　④ 화석 연료 사용 증가

22. 그림은 중국과 몽골의 사막지역 모식도이다.
이에 대한 설명으로 옳은 것을 〈보기〉에서 모두 고른 것은?

〈보기〉

ㄱ. 황사는 무역풍에 의해 이동할 것이다.

ㄴ. 현재보다 강수량이 감소할 경우 사막은 넓어질 것이다.

ㄷ. 사막화를 방지하려면, 과잉 방목, 무분별한 산림 벌채를 줄여야 할 것이다.

① ㄱ, ㄴ　　　　② ㄴ, ㄷ　　　　③ ㄱ, ㄷ　　　　④ ㄱ, ㄴ, ㄷ

23. 다음은 고열원에서 Q_1의 열을 공급받아 W의 일을 하고 Q_2의 열을 저열원으로 방출하는 열기관의 모식도이다. 옳은 설명을 모두 고른 것은?

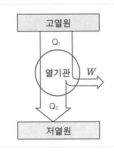

ㄱ. W 값이 클수록 효율이 좋은 열기관이다.

ㄴ. 열기관의 효율은 $\dfrac{Q_2}{Q_1} \times 100$ 이다.

ㄷ. 저열원으로 방출되는 $Q_2 = 0$인 열기관도 만들 수 있다.

① ㄱ　　　　　　　　　　② ㄴ

③ ㄴ, ㄷ　　　　　　　　④ ㄱ, ㄷ

05 예상문제

24. 그림은 발전기를 회전시켜 전구에 불을 켜는 모습을 나타낸 것이다.

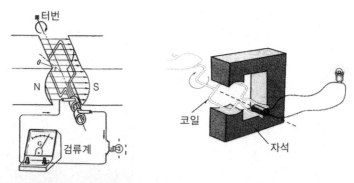

이에 대한 설명으로 옳은 것을 〈보기〉에서 모두 고른 것은?

〈보기〉
ㄱ. 전자기 유도의 원리를 이용한 것이다.
ㄴ. 자석이 셀수록 전구의 불이 밝아진다.
ㄷ. 전기 에너지를 역학적 에너지로 전환한다.

① ㄱ, ㄴ   ② ㄴ, ㄷ
③ ㄱ, ㄷ   ④ ㄱ, ㄴ, ㄷ

25. 다음에서 설명하는 에너지는?

· 중심부의 수소 핵융합 반응으로 에너지를 방출한다.
· 반응으로 감소한 질량이 에너지로 전환된다.
· 지구 생명체의 생명 활동 및 기상 현상의 근본 에너지원이 된다.

① 지구 내부 에너지   ② 지열 에너지
③ 지구 복사 에너지   ④ 태양 복사 에너지

05

정답 및 해설
과학 SCIENCE

적중! 모의고사 예상문제

1회 예상문제 · 과학

1. ②	2. ②	3. ②	4. ③	5. ④
6. ④	7. ④	8. ④	9. ③	10. ②
11. ④	12. ②	13. ①	14. ②	15. ①
16. ①	17. ③	18. ③	19. ④	20. ③
21. ②	22. ③	23. ④	24. ④	25. ③

1. 허블에 법칙에 의하면 먼 은하가 더 빠르게 멀어지므로 은하까지의 거리와 후퇴속도는 비례관계를 이룬다. 그러므로 ②가 정답이다.

2. 원자는 원자핵과 전자로, 원자핵은 양성자와 중성자로, 양성자와 중성자는 쿼크로 이루어져 있으므로 크기가 가장 작은 입자는 쿼크이다.

3. 미행성체의 충돌로 지구의 질량은 증가하였고, A과정에서 마그마 바다가 형성되므로 지구의 온도는 높아졌고, 점차 충돌이 감소하면서 B과정에서 무거운 철과 니켈이 중심부로 내려가 밀도가 증가하며 층상구조를 이루게 되었고, 바다는 C과정 이전에 형성되었다.

4. 은백색이며 가볍고, 호일, 음료, 캔 제조에 사용되는 금속은 알루미늄이다.

5. F만이 17족 할로젠 원소이며, 전자껍질은 모두 2개이므로 2주기 원소이고, 가장 바깥쪽 껍질에 배치된 원자가 전자수는 N은 5개, O는 6개, F는 7개이다.

6. 실온에서는 고체이나 전기가 통하지는 않고 수용액일 때 전기를 잘 통하는 물질은 이온 결합 물질이다.

7. Si는 원자가 전자수가 4개로 이웃한 4개의 O원자와 공유 결합이 가능하며, 규산염 광물의 사면체 기본구조를 형성한다.

8. 탄수화물은 포도당의 연속 배열로, 단백질은 아미노산의 연속 배열로 이루어져 있다. 이 때 포도당과 아미노산을 각각 탄수화물과 단백질의 단위체라고 한다.

9. 탄소 나노 튜브는 그래핀이 원통(튜브) 모양으로 말려 있는 구조이고, 그래핀이 겹겹이 쌓인 구조는 흑연이다.

10. 두 물체에 일정한 같은 힘이 작용했으므로 가속도는 질량에 반비례하므로 가속도의 비는 2 : 1이다.

11. 중력 = 질량 × 중력 가속도이므로 지표면 근처에서 그 중력의 크기는 물체의 무게라 한다.

12. 운동량의 변화량이 서로 같으므로 충격량은 두 물체가 서로 같으며, 시간이 오래 소요된 B가 푹신한 방석에 떨어진 경우이다.

13. 지구 자기장의 형성은 액체인 외핵의 철의 움직임에 의해 형성되었으며, 지구의 내핵은 고체이다.

14. 대류가 일어나지 않아 기층이 안정하고, 비행기 항로로 이용되는 곳은 성층권, 대류가 일어나 기상현상이 일어나는 곳은 대류권, 대류는 일어나나 수증기가 없어 기상현상이 없는 곳은 중간권, 오로라 현상은 열권이다.

15. 두 가지 경우 모두 지권과 기권의 상호 작용이다.

16. 세포의 생명 활동을 조절하고 유전 물질인 DNA가 들어 있는 곳은 핵이며, 빛 에너지를 화학 에너지로 전환하는 곳은 엽록체이다.

17. 물질 C는 인지질 2중층으로 이동하므로 지용성, D는 단백질 통로로 이동하므로 수용성이며, 세포막은 유동성을 갖는 인지질 2중층의 구조이다.

18. 남자의 성염색체는 XY이므로 Y는 아버지에게서 받으며, 체세포 1개당 염색체 수는 46개, 생식세포의 염색체 수는 23개이다.

19. 얼음의 융해는 산화 환원 반응이 아닌 고체에서 액체로의 상태변화이다.

21. 삼엽충은 고생대, 매머드는 신생대의 표준 화석이며, 고사리와 산호는 지층 생성 당시의 환경을 알려주는 시상 화석이다.

24. 빙하 속의 당시의 공기 조성을 연구, 온난한 기후일 때는 나이테 간격이 넓어짐 조사, 지층 퇴적물 속의 당시의 생물화석 등의 조사를 통해 과거 기후를 알 수 있다.

25. 0°~30° 지역은 해들리 순환에 의해 무역풍이, 30°~60° 지역은 페렐 순환에 의한 편서풍이, 60°~90° 지역에는 극순환에 의한 극동풍의 바람이 형성된다.

2회 예상문제 · 과학				
1. ①	2. ①	3. ④	4. ④	5. ③
6. ④	7. ②	8. ③	9. ④	10. ③
11. ①	12. ④	13. ③	14. ④	15. ④
16. ③	17. ③	18. ①	19. ④	20. ④
21. ③	22. ②	23. ④	24. ③	25. ④

1. 양성자는 기본입자가 아닌 업 쿼크와 다운 쿼크가 결합하여 만들어진다.

2. A는 중성자이고, B는 양성자이며, 원자 전체는 양성자수와 전자수가 같아서 전체는 중성상태이다.

3. 흡수선의 개수는 원자번호가 아니며, 원소의 종류에 따라 선의 위치와 굵기가 다르다. 그러나 동일한 원소라면 흡수선과 방출선의 위치는 서로 같은 위치에서 나타난다.

4. 주계열성의 별은 중심부에서 수소핵융합 반응으로 에너지를 생성하며, 안쪽으로의 중력과 내부 압력의 평형으로 별 크기가 일정하게 유지되며, 일생의 90% 기간을 주계열성으로 지낸다.

5. 원시 지구가 냉각되면서 철과 니켈 같은 무거운 성분이 아래로 내려가 핵을 형성하였고, 산소는 화산 활동이 아닌 광합성 생물의 출현으로 증가하였고, 이산화탄소는 바다에 녹아들어가 급격히 감소하였다.

6. 주기율표의 1족 원소를 알칼리 금속이라 하며, 무르고 물과 공기와도 반응성이 매우 큰 원소이다.

7. 질소 분자는 2원자의 일직선 구조인 무극성, 물 분자는 3원자인 굽은 구조의 극성 분자이며, 공유 전자쌍은 질소가 3쌍, 물은 2쌍이며, 비공유 전자쌍은 질소 분자와 물 분자 모두 2쌍으로 같다.

8. 그림은 사면체가 산소 3개를 공유하여 평면으로 넓게 판 모양을 한 구조로 흑운모이다.

9. 질량이 서로 다른 세 물체를 같은 높이의 진공에서 떨어뜨리면 공기의 저항이 없으므로, 모두 동일한 중력 가속도로 낙하하므로 지면에 동시에 도달한다.

10. 충돌 시간을 길게 하면 충격력이 작아진다는 문제이므로 대포에서 포탄을 발사할 때 포신이 뒤로 밀린다는 것은 작용 반작용에 대한 법칙이므로 충돌 시간과는 관계없는 내용이다.

11. A층은 혼합층이며, B층은 하층부의 온도가 낮아 연직 순환이 없는 안정한 수온약층이고, C층은 해수의 온도가 가장 낮은 심해층이다.

12. 태양 복사 에너지, 지구 내부 에너지, 조력 에너지가 지구 시스템의 3대 에너지이며, 가장 큰 양은 태양 복사 에너지이다.

13. A는 유기물을 합성하는 동화 작용인 광합성, B는 이화 작용인 세포 호흡, 광합성은 식물만의 고유 기능이고, 세포 호흡은 동식물 모두에서 일어난다.

14. 효소의 주성분은 단백질이고, 온도의 영향을 받으며, 활성화 에너지를 낮추어서 반응이 빠르게 일어나도록 도와준다.

16. (가)는 도시가스의 주성분인 메테인의 연소 반응식이며, (나)에서 C는 반응 후 산소(O)와 결합하여 CO_2가 되었으므로 산화된 것이고 (다)는 철광석(Fe_2O_3)이 철(Fe)로 환원된 제련 반응식이다.

17. (가)는 수용액에서 H^+를 내므로 산, (나)는 수용액에서 OH^-를 내므로 염기이다. ①, ②, ④는 모두 산·염기의 구별에 사용되나, ③ 산·염기 수용액은 모두 전기를 통하는 전해질이므로 구별이 불가능하다.

18. 삼엽충, 갑주어는 고생대, 공룡, 암모나이트는 중생대, 화폐석, 매머드는 신생대의 대표 표준화석이다.

20. ①, ②, ③은 자연(비생물적 환경요인)이 생물에 영향을 준 작용이고, ④는 생물 요소가 비생물 요소에 영향을 준 반작용에 해당한다.

21. 기후 변화의 요인 중 태양 활동의 변화, 자전축 기울기의 변화, 자전축 경사 방향의 변화, 지구 공전 궤도 모양의 변화 등은 외적 요인이고, 화산 분출에 의한 대기 투과율 변화, 수륙 분포에 따른 해류의 변화, 산림 파괴, 댐 건설 등에 따른 지표면의 반사율 변화 등은 내적 요인에 해당한다.

22. 동태평양 해역의 수온 하강은 무역풍이 강할 때 용승 강화로 나타나는 라니냐의 예이다.

23. 위로 던져 올린 경우이므로 운동 에너지는 A에서 최대, 퍼텐셜 에너지는 D에서 최대, 역학적에너지는 어느 지점에서나 모두 동일하다.

25. 형광등은 전기E → 빛E, 전동기는 전기E → 역학적E, 광합성은 빛E → 화학E로 전환시킨다.

3회 예상문제 · 과학				
1. ②	2. ②	3. ①	4. ③	5. ④
6. ①	7. ①	8. ④	9. ③	10. ②
11. ③	12. ①	13. ①	14. ①	15. ④
16. ①	17. ④	18. ②	19. ②	20. ①
21. ③	22. ③	23. ④	24. ③	25. ①

1. 헬륨 원자핵을 구성하는 입자 중 (+)전하를 띠는 것은 양성자이고, 전하를 띠지 않는 입자는 중성자이다. 양성자와 중성자를 합하여 원자핵이라고 한다.

2. 138억년 전 우주는 한 점에서 대폭발(빅뱅)로 탄생하였고, 기본입자인 쿼크들과 전자들이 생성되었으며, 팽창을 하면서 우주의 온도는 감소하였고 수소와 헬륨 원자가 생성되었다.

3. 중심부에서 철까지 생성된 (나)별이 온도가 더 높고 질량이 더 큰 별이고, 철보다 더 무거운 원소들은 초신성 폭발로 생성되었다.

5. 나트륨(Na)과 염소(Cl)원자는 3개의 전자 껍질을 가지므로 같은 3주기 원소이고, Na^+ 이온과 Cl^- 이온은 각각 비활성 기체인 Ne, Ar의 전자배치를 하므로 옥텟 규칙을 만족하며, 이온결합을 형성한다.

6. 포도당, 단백질, 지질은 에너지원이고, 핵산은 유전 물질이며, 모두의 공통점은 유기물인 탄소 화합물이다.

7. LCD는 영상 표현 장치로 전기 저항이 0이 되는 성질인 초전도 현상은 나타나지 않는다.

8. 두 배 더 높은 곳에서 낙하시키더라도 동일한 중력 가속도 운동을 하며, 낙하거리가 길어지므로 속력은 증가하고 도달시간은 길어진다.

10. 대기를 구성하는 가장 큰 비율의 A기체는 질소이며, B는 산소, C는 아르곤, D는 이산화탄소이다.

11. 지구 시스템의 에너지원 중 가장 많은 양을 차지하는 것은 태양 복사 에너지이고, 지구 내부 에너지로 전환이 불가능하다. 지구 내부 에너지는 방사성 원소의 붕괴열과 관련이 있다.

12. 광합성은 에너지를 흡수하는 동화작용, 세포 호흡은 포도당을 분해하는 이화작용, 광합성은 식물에서만, 세포 호흡은 식물, 동물 모두에서 일어나며, 광합성은 엽록체, 세포 호흡은 미토콘드리아에서 일어난다.

13. 세포 호흡과 연소 반응 모두 산소가 관여하는 산화 반응이다.

14. DNA를 구성하는 염기는 A, G, C, T이고, U는 RNA의 염기이다.

15. 중화 반응은 산과 염기의 반응이므로 알짜 반응식은 $H^+ + OH^- \rightarrow H_2O$이다.

16. 지층 생성 당시의 환경을 알려주는 시상화석은 생존기간은 길고 분포면적은 좁아야 하므로 A이고, 지층의 생성시대를 알려주는 표준화석의 위치는 C이다.

17. (가)는 유전적 다양성, (나)는 종 다양성, (다)는 생태계 다양성을 나타낸다.
④의 생물 종의 다양함은 (나)의 종 다양성에 해당한다.

19. 엘니뇨는 무역풍이 약할 때, 오존층 파괴는 냉매인 CFC 가스에 의해, 라니냐는 무역풍이 강할 때 일어난다. 보기의 설명은 온실효과에 대한 설명이다.

21. 퍼텐셜 에너지는 질량과 높이의 곱에 비례하므로 C가 가장 크다.

22. ③을 제외한 ①, ②, ④는 역방향으로 설명해야 옳은 전환 과정이 된다.

23. 송전할 때 손실 전력은 송전선에 흐르는 전류와 송전선의 저항에 관계되므로, 전압을 높이는 대신 전류가 작게 흐르도록 송전한다.

24~25. 식물이나 동물이 지층에 매몰되어 생성된 비재생 에너지를 화석 연료라 한다. 화석 연료를 연소할 경우 이산화탄소(CO_2)를 발생시키고, 연료에 불순물로 포함된 황의 연소는 산성비를 내리게 한다. 우라늄은 화석 연료가 아닌 핵에너지이다.

4회 예상문제 · 과학

1. ①	2. ③	3. ③	4. ②	5. ④
6. ④	7. ③	8. ④	9. ④	10. ④
11. ③	12. ①	13. ④	14. ②	15. ④
16. ③	17. ④	18. ③	19. ④	20. ③
21. ②	22. ②	23. ②	24. ③	25. ①

1. 원자는 기본입자인 쿼크로부터 생성되었으며, 양성자와 중성자를 더해서 원자핵이라 하고, 원자 전체는 양성자 수와 전자 수가 같아 전하를 띠지 않는 중성상태이다.

2. 원자핵이 아닌 전자가 원자핵 주위를 원운동 한다.

3. 정답은 블랙홀이고, 수소핵융합 반응으로 에너지를 생산하는 별은 주계열성, 주계열성 이후에 별이 부풀어서 적색거성이 되며, 매우 큰 별은 중심부에서 철을 만든 후 폭발하여 초신성이 된다.

4. 지구형 행성은 목성형 행성보다 밀도가 크고, 자전주기가 긴 것이 특징이며, 그 외의 것은 대체로 작거나 적거나 없다.

6. 17족 할로젠 원소의 반응성은 F > Cl > Br > I 순서이다.

7. 초전도체는 임계온도 이하에서 전기 저항이 0인 물질이며, 전류가 흘러도 에너지 손실이 없으며, 외부 자기장을 밀어내는 성질이 있어 자기 부상 열차를 만드는 데도 사용할 수 있다.

8. (가)는 그래핀 (나)는 탄소 나노 튜브이며, 그래핀은 휘어지는 디스플레이, 탄소 나노 튜브는 분자 크기의 물질도 잡을 수 있는 나노 핀셋 등의 제조에 이용될 수 있다.

9. 깃털과 쇠구슬에 작용하는 중력 가속도가 같은 것이지 중력(mg)이 같은 것은 아니며, 공기 저항력 때문에 공기 중에서는 쇠구슬이 먼저 떨어지나, 진공에서는 시간당 속도 변화가 같아 동시에 떨어진다.

10. 운동량은 물체의 운동의 정도를 표현하는 물리량으로 질량 × 속도이므로 $4 \times 5 = 20 kg \cdot m/s$이다.

12. 물 순환의 근본 에너지는 태양 에너지이며, 바다에서의 증발과 강수의 차이인 25가 육지로부터 공급되므로 해수의 양은 일정하게 유지된다.

13. (가)는 미토콘드리아, (나)는 엽록체이며, (다)는 핵으로 유전 물질이 들어 있다.

적중! 모·의·고·사

14. 효소는 기질 특이성이 있어서, A만을 생성물로 변환시키며, 주성분이 단백질이고 활성화 에너지를 낮추어서 반응을 빠르게 돕는다.

16. 산과 염기의 중화반응은 참여하는 산과 염기의 양이 1 : 1로 가장 많은 곳에서 물(중화열)이 가장 많이 생성되므로 정답은 C이다.

17. 국립공원 지정확대는 생물 다양성을 증가시켜 준다.

18. 우선 1차 소비자가 증가했으므로 생산자는 감소하고 2차 소비자는 증가한다. 그러나 생산자가 감소했으므로, 다시 1차 소비자가 감소하고 결국 2차 소비자도 감소하게 되어 다시 평형상태로 돌아온다.

19. 온실효과는 지구가 방출한 에너지의 일부를 대기가 지표로 재복사하는 현상이고, 지구의 평균 기온을 높이는 것은 이산화탄소 증가에 의한 지구 온난화이다.

20. A는 저위도에서 고위도로 이동하는 쿠로시오 해류로 난류이며, C는 반대로 고위도에서 저위도로 이동하는 캘리포니아 해류로 한류이다. B는 북태평양 해류, D는 북적도 해류이다.

21. 공급에너지인 400J 중에 200J은 일을 하는 데 사용했으므로 열효율은 50%이며, 열효율이 100%이거나 에너지 공급 없이도 일을 할 수 있는 엔진을 영구기관이라 하는데 실제로 만들 수 없다.

22. 전자기 유도는 코일을 지나는 자기력선 수의 변화로 전류가 유도되는 현상이며, 발전기, 변압기, 도난 방지기, 금속탐지기가 이를 이용한 예가 된다.

23. 변압기에서 전압은 코일의 감은 수에 의해 변화되므로 2차 코일의 전압은 110V가 된다.

24. (가)는 파력 발전, (나) 풍력 발전으로 모두 근본 에너지는 태양 에너지이며, 날씨의 영향을 받으므로, 안정적으로 전기를 생산할 수 없다.

25. 조력 발전은 달과 태양의 인력에 의한 조력 에너지가 근원이다.

5회 예상문제 · 과학				
1. ④	2. ①	3. ②	4. ③	5. ②
6. ③	7. ①	8. ③	9. ②	10. ①
11. ④	12. ①	13. ①	14. ②	15. ③
16. ④	17. ③	18. ④	19. ④	20. ①
21. ④	22. ②	23. ①	24. ①	25. ④

1. 양성자와 중성자는 모두 기본 입자인 업 쿼크와 다운 쿼크로 구성되어 있다.

2. 빅뱅 후에 원자핵이 형성된 후 전자와 결합하여 수소 원자와 헬륨 원자가 형성되었다.

3. 태양 정도의 질량을 가진 별은 주계열성 이후에 수축한 후 중심부와 바깥쪽에서 동시에 핵반응이 일어나 부풀면서 적색을 띠는 적색거성이 된다.

4. A는 지구이며, B는 목성이다. 목성형 행성은 밀도와 자전주기 이외의 모든 분류 기준들이 지구형 행성보다 크거나 많은 것이 특징이다.

5. 수성은 대기가 없어 운석 구덩이가 많으며, 금성은 반대로 95기압의 대기로 인해 온실효과가 크고 빛의 반사율이 커서 밝게 보인다. 화성은 붉은색을 띠며 극지방에 흰색의 극관과 물이 흐른 강의 흔적이 있으며, 목성은 가장 크고 적도 아래에 대적점이 있고, 토성은 고리가 뚜렷한 것이 특징이다.

6. 모즐리의 주기율표는 원자번호 순서로 배열한 것이며, 가로줄을 주기, 세로줄을 족이라 한다. 같은 주기의 원소는 전자 껍질수가 같고, 같은 족의 원소들은 화학적 성질이 유사한 것이 특징이다.

7. 염화나트륨은 이온 결합물, 설탕은 공유 결합물이며, 이온 결합물은 수용액에서 이온화되므로 이온의 이

264 과학

동에 의해 전류가 흐르나 공유 결합물은 흐르지 않는다.

8. (가)는 이중 결합, (라)는 고리 모양, (나)는 삼중 결합, (다)는 단일 결합을 하는 탄소 화합물이다.

9. 탄수화물의 단위체는 포도당이며, 단백질의 단위체는 아미노산이다.

10. 반도체는 순수한 규소에 소량의 다른 원소를 첨가(도핑)하여 n형과 p형 반도체를 만들며, n형과 p형 반도체를 접합하면 교류를 직류로 바꾸는 다이오드가 된다. 자기 부상 열차, 전력 손실 없는 송전선은 초전도체를 사용한다.

11. 두 물체의 질량이 같으므로 중력(mg)은 같고, 수평 방향으로 던진 쇠구슬은 수평 방향으로는 등속 직선 운동을, 연직 방향으로는 중력에 의한 등가속도 운동을 한다.

12. ㄱ과 ㄴ은 충격력이 일정할 때 힘을 받는 시간을 길게 하여 나중 속도를 증가시키는 경우이고, ㄷ과 ㄹ은 충격량이 일정할 때 충돌 시간을 길게 하여 충격력을 감소시키는 경우의 예이다.

14. 대륙판과 해양판이 만나는 수렴형 경계에서는 해양판이 대륙판 아래로 섭입하는 해구가, 두 대륙판이 충돌하는 곳에는 습곡산맥이, 두 해양판이 멀어지는 발산형 경계에서는 해령이 형성된다.

15. C는 여러 조직으로 이루어진 기관이며, 조직계는 동물에는 없고, 식물에 있는 구성 단계이다.

16. 세포벽은 식물 세포에만 있으며, 세포의 모양을 유지하고 보호하며, 세포 안팎으로 물질의 출입을 조절하는 역할은 세포막의 기능이다.

17. 물질이 산소와 결합하면 산화, 산소를 잃으면 환원이라 하며, 항상 동시에 일어난다. 구리를 가열하면 산소와 결합하여 산화되며 검은색의 산화구리(CuO)가 된다.

18. 수돗물에 은(Ag^+) 이온을 넣을 때 뿌옇게($AgCl$) 흐려지는 것은 앙금생성 반응이다.

20. 서로 다른 지역에 사는 여우들의 생김새가 다른 것은 온도에 적응한 결과이므로 ①이 정답이다.
②, ④는 물에 대한 적응이며, ③은 빛의 세기에 대한 적응의 예이다.

21. 최근 지구의 평균 기온이 상승하는 지구 온난화의 가장 큰 이유는 화석 연료 사용 증가에 따른 이산화탄소 증가가 그 원인이다.

22. 우리나라 봄철에 주로 영향을 주는 황사는 30°~60° 지역의 편서풍의 영향 때문이다.

23. W값이 클수록 효율이 좋은 기관이며, 열효율은 $\frac{W}{Q_1} \times 100$ 이다. 저열원으로 방출되는 $Q_2 = 0$인 영구 기관은 만들 수 없다.

24. 발전의 원리인 전자기 유도를 이용한 것으로 역학적 에너지를 전기 에너지로 전환한 것이다.

06

한국사

HISTORY

적중! 모의고사 예상문제

01 예상문제

1. 다음에서 밑줄 친 이것에 해당하는 유물은?

> 이것은 사유 재산과 계급이 발생했던 시대의 대표적 문화유산으로, 당시 지배층의 권력을 보여 주는 것입니다.

①   ②   ③  ④

2. 초기 국가 시대의 사회, 풍속을 바르게 연결한 것은?

① 부여 : 사출도, 순장
② 고구려 : 민며느리제, 가족공동무덤
③ 옥저 : 서옥제, 부경(약탈경제)
④ 동예 : 영고, 소도

3. 다음은 삼국이 주도권을 잡은 사실을 나열하고 있다. 이를 시대 순으로 옳게 나열한 것은?

> 가. 장수왕은 평양으로 천도하여 남진정책을 폈다.
> 나. 근초고왕은 요서, 산둥, 규슈에 진출하였다.
> 다. 진흥왕이 한강유역을 차지하였다.

① 가 - 나 - 다   ② 나 - 가 - 다
③ 다 - 가 - 나   ④ 나 - 다 - 가

4. 삼국통일 직후 신라 중대의 정치 현상에 해당하는 것은?

① 녹읍이 폐지되고 관료전이 지급되었다.
② 과전법이 실시되었다.
③ 4군과 6진을 개척하였다.
④ 경복궁을 중건하였다.

5. 고려 광종의 왕권강화 정책에 해당하는 것은?

① 12목에 지방관 파견
② 노비안검법 실시
③ 정략적 혼인정책
④ 국자감 설치

6. 다음에서 설명하는 고려 시대의 중앙 정치 기구는?

> 중서문하성과 중추원의 고관들이 모여 국방 문제 등의 중요한 정책을 의논하였다.

① 도병마사　　　　　　　　② 어사대
③ 화백회의　　　　　　　　④ 정당성

7. 지눌의 사상에 대한 설명으로 바르지 못한 것은?

① 정혜쌍수, 돈오점수를 중시하였다.
② 조계종을 창시하였다.
③ 교관겸수의 수행을 제시하였다.
④ 신앙정화운동을 전개하였다.

8. 다음은 조선 초기 왕들의 업적이다. 옳은 것은?

① 태종은 훈민정음을 창제하였다.
② 세종은 도읍을 한양으로 천도하였다.
③ 세조는 쓰시마섬을 정벌하였다.
④ 성종은 '경국대전'을 완성하였다.

9. 조선의 제도에 대한 설명으로 옳지 않은 것은?

① 전국을 5도와 양계로 나누었다.
② 신분은 양반, 중인, 상민, 천민 4계층이 있었다.
③ 국가 재정의 기본은 주로 농민이 부담하는 전세, 역, 공납이었다.
④ 모든 군현에 지방관을 파견하였다.

01 예상문제

10. 다음에서 설명하는 (가)와 (나) 시기에 있었던 사실은?

(가)
이순신 장군이 한산도에서 왜병에 대승을 거뒀다.

(나)
청이 조선에 침입하여 인조가 남한산성으로 들어가 항전을 하였다.

① 장보고가 청해진을 설치하였다.
② 광종이 노비안검법을 실시하였다.
③ 광해군이 중립외교를 시행하였다.
④ 영조가 탕평책을 실시하였다.

11. 다음과 같은 업적을 남긴 왕은?

· 수원 화성을 축조하였다.
· 규장각을 설치하여 학술 연구에 힘썼다.
· 신해통공을 통해 자유로운 상행위를 허용하였다.

① 광해군   ② 인조   ③ 숙종   ④ 정조

12. 조선 숙종 때 울릉도에 출몰하는 일본 어민들을 쫓아내고, 일본에 건너가 울릉도와 독도가 조선의 영토임을 확인받고 돌아온 사람은?

① 왕인   ② 강감찬   ③ 안용복   ④ 이사부

13. 다음 실학자들의 공통적인 주장 내용은?

· 박지원 : 『열하일기』에서 수레와 선박 활용의 중요성을 제시하였다.
· 박제가 : 『북학의』에서 재물을 우물에 비유하여 소비의 중요성을 강조하였다.

① 화폐 폐지론   ② 상공업 기술 혁신
③ 청과의 통상 단절   ④ 토지 제도의 개혁

14. 다음과 관련 있는 국가는?

> · 제너럴 셔먼호 사건을 일으켰다.
> · 신미양요를 일으켜 강화도를 침범하였다.
> · 서양 국가 중 우리나라 최초로 통상수교하였다.

① 프랑스   ② 독일
③ 미국   ④ 러시아

15. 다음의 사건 성격에 대한 설명으로 옳은 것은?

① 임오군란 : 반봉건적, 반외세적 민족 운동
② 갑신정변 : 최초의 근대적 정치 개혁 운동
③ 동학농민운동 : 구식군대에 대한 차별 대우 불만
④ 갑오개혁 : 구본신참의 점진적 근대개혁 운동

16. 다음 주장과 관련 있는 주권 수호 단체는?

> · 외국에 의존하지 말고 황권을 견고히 할 것
> · 예산, 결산을 국민에 공표할 것
> · 칙임관을 임명할 때는 대신과 상의할 것

① 신민회   ② 보안회
③ 독립협회   ④ 대한자강회

17. 다음에서 제시한 것들의 공통적 내용은?

> · 갑신정변   · 동학농민운동
> · 갑오개혁   · 독립협회

① 평등 사회 추구   ② 근대 문물 수용
③ 외세 배격   ④ 급진적 개혁 운동

18. 1910년대 일제의 통치에 대한 설명으로 옳은 것은?

① 한글신문 허용, 산미증식계획
② 보통경찰제, 남면북양정책
③ 민족말살정책, 병참기지화정책
④ 헌병경찰제, 토지조사 사업

19. 다음 자료의 내용과 일치하는 역사적인 사건은?

> 우리들은 이에 우리 조선이 독립국임과 조선인이 자주민임을 선언하노라.
> (중략) 유사 이래 수천 년에 처음으로 이민족 압제의 고통을 당한 지 이제 10년이
> 지난지라 …….

① 3 · 1 운동   ② 물산장려운동
③ 6 · 10 만세 운동   ④ 광주학생 항일운동

20. 〈보기〉의 내용과 관련된 독립군 부대는?

〈보기〉
· 1940년 대한민국 임시정부가 충칭에서 결성
· 본토 진입작전 및 미얀마, 인도 전선에 군대 파견

① 북로군정서   ② 조선의용군
③ 대한독립군   ④ 한국광복군

21. 일제의 국권 침략 과정 중 다음과 관련된 것은?

· 강제적인 조약 체결
· 대한제국의 외교권 박탈
· 통감부를 설치하여 보호국으로 삼음

① 한 · 일 의정서   ② 을사늑약
③ 제1차 한 · 일 협약   ④ 한 · 일 신협약

22. 다음 내용과 관련 있는 1920년대의 민족 운동 단체는?

> · 민족 유일당 운동
> · 민족주의 진영과 사회주의 진영의 이념 초월
> · 광주 학생 항일 운동 조사단 파견

① 보안회   ② 신간회
③ 독립협회   ④ 헌정연구회

23. 일제 식민 통치 체제에서 민족 교육 활동의 전개와 거리가 먼 것은?

① 문자보급 운동
② 민족주의 역사학 연구
③ 조선사 편수회의 역사 편찬
④ 민립 대학 설립 운동

24. 다음에서 설명하고 있는 기구는?

> · 제헌 국회에서 구성됨
> · 친일파를 처벌하여 민족정기를 바로잡기 위함
> · 이승만 정부의 소극적 태도로 사실상 무산됨

① 조선 건국 준비 위원회
② 좌우합작 위원회
③ 통일 주체 국민회의
④ 반민족 행위 특별 조사 위원회

25. 다음 내용이 발표된 통일의 노력과 관련된 사실은?

> · 이산가족, 친척 방문단 교환 등 인도적 문제 해결 노력
> · 남북 경제 협력 활성화 방안 합의

① 7 · 4 남북공동성명   ② 남북기본합의서
③ 남북협상   ④ 6 · 15 남북공동선언

02 예상문제

1. 다음에서 설명하는 시대의 특징은?

 옆에 보이는 유물은 서울 암사동에서 발견된 빗살무늬 토기입니다. 여러 사람들이 함께 생활하던 움집터에서 발견된 것입니다.

① 주먹도끼와 같은 뗀석기를 사용하였다.
② 농경과 목축이 시작하였다.
③ 먹을거리를 찾아 이동생활을 하였다.
④ 정치적 지배자인 군장이 출현하였다.

2. 다음 〈보기〉와 관련 있는 국가는?

─〈보기〉─

· 왕이 존재하지 않는 군장국가
· 불법적 침입에 대해서 노비나 소, 말 등으로 변상 책임을 짐
· 무천이라는 제천행사

① 고구려   ② 동예   ③ 옥저   ④ 부여

3. 다음에서 제시한 삼국 시대 왕들의 공통점은?

· 소수림왕   · 고이왕   · 법흥왕

① 한강 유역 차지   ② 불교 수용
③ 율령 반포   ④ 왕위 세습제 확립

4. 다음에서 설명하는 신라의 신분은?

· 주로 학문이나 종교 분야에서 활동
· 신라 중대 – 왕권 뒷받침
· 신라 하대 – 반신라 세력화

① 대가   ② 성골   ③ 호민   ④ 6두품

5. 고려 시대 성종과 관련 있는 것은?

① 최승로를 등용하여 유교 정치 이념을 확립하였다.
② 정략적 혼인 정책을 통해서 호족을 통합하였다.
③ 별기군을 창설하였다.
④ 전민변정도감을 설치하였다.

6. 다음 〈보기〉의 유물이 만들어진 시기에 해당하는 문화재는?

이 사진은 몽골의 침략 때 강화도에서 부처의 힘으로 나라의 어려움을 극복하기 위해 만든 팔만대장경입니다. 현재는 합천 해인사에 보관되어 있습니다.

① 금동대향로　　② 상감청자　　③ 백자　　④ 수레토기

7. 고려 말의 두 지배세력을 비교한 것이다. 다음 표에서 틀린 것은?

		권문세족	신진사대부
①	정계 진출	음서	과거
②	경제 기반	대토지 소유	중소지주
③	성향	개혁적	보수적
④	외교	친원파	친명파

8. 고려 시대의 지방 행정과 비교해 볼 때 조선의 지방행정 특징이 아닌 것은?

① 모든 군현에 지방관 파견　　② 향리 지위 격하
③ 향·소·부곡 소멸　　④ 5도 양계로 개편

02 예상문제

9. 조선 후기 다음 인물들의 공통적 주장은?

| · 효종 | · 송시열 | · 이완 |

① 북벌론   ② 북학론
③ 중립외교   ④ 사대외교

10. 다음에서 설명하는 조선 후기 상인은?

· 한강을 중심으로 활동하는 선상
· 미곡, 어물, 소금 거래

① 개성상인   ② 경강상인
③ 의주상인   ④ 동래상인

11. 다음에서 조선 시대 향촌사회에서 양반의 지위를 강화시켜 주는 조직이 <u>아닌</u> 것은?

① 향약   ② 유향소   ③ 서원   ④ 두레

12. 다음에서 동학과 관련 <u>없는</u> 것은?

① 제사 거부   ② 인내천
③ 인간평등   ④ 최제우 창시

13. 다음 조선의 실학자 중 상공업 진흥을 주장한 중상학파인 사람은?

① 유형원   ② 이익
③ 정약용   ④ 박제가

14. 다음에서 조선 시대 흥선 대원군의 개혁정치에 대한 설명으로 틀린 것은?

> 흥선 대원군은 왕권을 강화하기 위해서 ㉠비변사를 설치하고 ㉡경복궁을 중건하였다. 아울러 민생을 안정시키기 위해 ㉢서원을 정리하고 ㉣환곡제를 사창제로 개혁하였다.

① ㉠   ② ㉡   ③ ㉢   ④ ㉣

15. 다음과 관련 있는 근대화 시기의 사건은?

> · 전봉준   · 집강소
> · 폐정개혁 12개조   · 반봉건 · 반침략

① 임오군란   ② 동학 농민 운동
③ 갑신정변   ④ 갑오개혁

16. 다음 대화에서 설명하는 사건의 개혁 내용은?

군국기무처에서 과거제 폐지를 결정했대?

과부의 재가를 허용하는 등 여러 개혁안을 의결했다고 하던데.

① 신분제 폐지   ② 입헌군주제
③ 의회 설치   ④ 지계 발급

17. 다음에서 대한제국 시기 애국계몽운동과 관련이 없는 것은?

① 을사의병   ② 학교 설립
③ 보안회   ④ 신민회

02 예상문제

18. 일제 강점기의 경제적 수탈에 대한 설명으로 틀린 것은?

   ① 1910년대 – 토지조사사업
   ② 1920년대 – 산미증식계획
   ③ 1930년대 – 병참기지화 정책
   ④ 1920년대 – 회사령 공포

19. 다음에서 설명하는 일제 강점기의 항일 운동은?

   · 야학, 농촌 계몽 활동
   · 강습회, 한글보급
   · 동아일보 '브나로드' 운동

   ① 민립 대학 설립 운동   ② 문맹퇴치 운동
   ③ 조선 형평 운동   ④ 농민, 노동 운동

20. 다음에서 설명하는 인물은?

   · 민족주의 사학자로서 낭가사상 강조
   · 『조선사 연구초』, 『조선 상고사』 저술

   ① 백남운   ② 한용운
   ③ 정인보   ④ 신채호

21. 다음 내용에 해당하는 일제 강점기 민족 운동은?

   · 평양에서 시작되어 전국으로 확산
   · '내 살림 내 것으로, 조선사람 조선 것으로'
   · 민족 기업 육성 노력

   ① 형평 운동   ② 동학 농민 운동
   ③ 물산 장려 운동   ④ 민립 대학 설립 운동

22. 일제 강점기 민족 문화 수호 운동에 대한 설명으로 옳지 <u>않은</u> 것은?

① 조선어 학회 – 한글 표준어 제정
② 조선사편수회 – 민족주의 역사학을 계승·발전시킴
③ 진단학회 – 실증주의에 입각한 역사 연구
④ 조선일보 – 문자보급 운동을 전개

23. 다음에서 설명하는 지역은?

> · 러시아가 이곳의 개척을 위해 이주 허가
> · 을사조약 이후 국권 회복을 위한 무장투쟁의 중심지
> · 1937년 소련이 이 지역의 동포들을 중앙아시아로 강제 이주

① 일본   ② 미주   ③ 연해주   ④ 간도

24. 다음 내용에 해당하는 국제 회담은?

> · 최고 5년간 신탁통치 결정
> · 미·소 공동위원회 설치
> · 반탁과 지지로 민족 분열을 일으킴

① 얄타 회담   ② 모스크바 3국 외상 회의
③ 포츠담 회담   ④ 카이로 회담

25. 다음 연표에 표시된 (가) 시기에 일어난 사건은?

① 이승만 하야   ② 새마을 운동 시작
③ 6월 민주 항쟁   ④ 7·4 남북 공동 성명

03 예상문제

1. 다음 자료의 내용에 해당하는 시기는?

대표적 유물	사회 및 생활 모습
뗀석기	· 사냥과 물고기 잡이로 생활합니다. · 무리 지어 이동생활을 합니다. · 동굴이나 막집에서 생활합니다.

① 구석기 시대　　　　　　② 신석기 시대
③ 청동기 시대　　　　　　④ 철기 시대

2. (가)에 해당하는 나라는?

> 　　(가)　　은/는 동맹이라는 제천행사를 지냈습니다. 서옥제라는 혼인 풍습으로 결혼 후 일정 기간 처가살이를 합니다.

① 동예　　　　② 부여　　　　③ 고구려　　　　④ 고조선

3. 다음에서 설명하는 도교와 관련 있는 유물은?

> 도교는 삼국 시대 불교 수용 시기에 전해진 것으로 자연사상과 신선사상을 가지고 있다. 고구려 연개소문이 적극적으로 권장을 하기도 하였다.

① 빗살무늬 토기　　② 칠지도　　　　③ 상감청자
　　　　　　　　　　　　　　　　　　　운학문 매병　　④ 금동대향로

4. (가)에 해당하는 6세기 신라의 사건은?

① 평양성 공격
② 우산국 복속
③ 마립간 칭호 사용
④ 한강 유역 차지

5. 다음 고려 시대 (가)에 해당하는 것은?

> 윤관은 여진을 정벌하기 위해 특수부대인 (가)(을)를 만들어서 여진 정벌에 성공하고 동북 9성을 쌓았다.

① 삼별초   ② 별무반   ③ 9서당   ④ 장용영

6. 고려 시대 신분에 대한 설명으로 옳은 것은?

① 귀족 : 조세와 역을 부담하고 과거 시험 응시 자격
② 중류층 : 직역을 세습하던 하급의 지배층
③ 백정 : 도살업에 종사하는 천민
④ 노비 : 음서와 공음전의 특혜를 가짐

7. 다음에서 설명하는 고려 공민왕 시기에 있었던 사건은?

· 정동행성 이문소 철폐
· 전민변정도감 설치
· 몽골풍 폐지

① 쌍성총관부 탈환   ② 4군 6진 개척
③ 강동 6주 획득   ④ 천리장성 축조

03 예상문제

8. 다음에서 고려 시대 문화재를 고르면?

① 이불병좌상   ② 직지심체요절   ③ 첨성대   ④ 측우기

9. (가)에 들어갈 내용으로 가장 적절한 것은?

〈 수행 평가 계획서 〉

주제 – [(가)   ]

     – 1 모둠 : 과전법 내용

     – 2 모둠 : 직전법 목적

     – 3 모둠 : 관수관급제 목적

① 삼국의 조세 제도

② 발해의 군사 제도

③ 고려의 토지 제도

④ 조선의 토지 제도

10. 다음에서 설명하는 전쟁은?

· 이순신의 활약 : 남해 제해권 장악

· 의병의 활약 : 조헌, 곽재우, 고경명

· 명군의 도움 : 조·명 연합군 일본 격퇴

① 삼별초 항쟁   ② 임진왜란

③ 병자호란   ④ 병인양요

11. 다음 설명에 해당하는 실학자는?

> · 상공업 진흥과 기술 혁신 주장
> · 양반전, 허생전, 열하일기 저술
> · 수레와 선박의 이용, 화폐 유통의 필요성 주장

① 박지원   ② 정약용   ③ 이익   ④ 유형원

12. 다음 주제에 해당하는 조선후기 상인은?

> 주제 – [   ]
>
> · 봇짐 장수와 등짐 장수를 아울러 부름
> · 장날의 차이를 이용해 전국을 무대로 활동
> · 생산자와 소비자를 직접 이어주는 역할을 하던 행상

① 객주   ② 여각   ③ 시전   ④ 보부상

13. 광해군이 추진한 정책으로 옳지 <u>않은</u> 것은?

① 대외적으로 친명배금 정책을 실시하였다.
② 질병이 만연되자 동의보감을 편찬하게 하였다.
③ 대동법을 경기도부터 실시하였다.
④ 국가 수입 증대를 위해 양안과 호적을 작성하였다.

14. 다음 설명에 해당하는 (가)는?

> 옆의 그림은 조선 후기 널리 유행한 (가)로 당시 사람들의 일상적인 모습을 생동감 있게 표현하였습니다.

① 민화   ② 문인화
③ 풍속화   ④ 진경 산수화

06 한국사

03   예상문제

15. 다음 자료에 해당하는 인물은?

> · 강화도 조약을 반대한 위정척사 사상가
> · 단발령에 반발함
> · 을사늑약에 반대하여 의병을 일으킴

① 김구   ② 김좌진
③ 윤봉길   ④ 최익현

16. 다음에서 광무개혁과 관계없는 것은?

① 대한제국   ② 신분제 폐지
③ 원수부 설치   ④ 지계 발급

17. 다음에서 설명하는 조약은?

> · 운요호 사건이 계기
> · 우리나라 최초의 근대적 조약
> · 해안 측량권과 치외법권을 내준 불평등 조약

① 한·일 의정서   ② 강화도 조약
③ 제물포 조약   ④ 한·일 신협약

18. 을미개혁과 관련 있는 것은?

① 전봉준이 주도하여 발생하였다.
② 갑오개혁에 영향을 주었다.
③ 단발령이 내려졌다.
④ 집강소는 농민 자치 행정기구였다.

19. 다음에서 설명하는 국채보상운동과 관련된 신문은?

> 일본이 차관을 강요하여 재정 간섭을 강화하자, 1907년 국민의 성금으로 빚을 갚고 국권을 지키자는 '국채보상운동'이 대구에서 시작되었다.

① 대한매일신보   ② 한성순보
③ 독립신문   ④ 황성신문

20. 다음 설명에 해당하는 민족 말살 통치 시기에 제정된 법은?

> 1937년 일본은 중·일 전쟁을 시작하였다. 전쟁에 필요한 물자와 인력을 보충하기 위해 이 법을 제정하여 인적, 물적 수탈을 강화하였다.

① 회사령   ② 치안 유지법
③ 미쓰야 협정   ④ 국가 총동원법

21. 다음의 (가)에 해당하는 조직은?

> (가) 은/는 민족 대표 33인이 전 민족을 대표해 독립을 선언한 운동을 계기로 만들어졌다. …(중략)…
> (가) 은/는 상하이에 위치하여 외교 방면의 독립운동을 전개하였다.

① 신민회   ② 대한민국 임시정부
③ 보안회   ④ 조선 건국 동맹

22. 다음에서 설명하는 종교 단체는?

> ·민족의 시조 단군을 숭배하는 사상
> ·일제 강점기 만주에 본부를 두고 무장독립 투쟁을 주도
> ·청산리 대첩을 주도한 종교 단체

① 천도교   ② 불교   ③ 대종교   ④ 원불교

06
한국사

23. 다음에서 설명하는 의거와 관련된 인물은?

> 1932년 4월 29일, 상하이 훙커우 공원에서 일왕의 생일과 상하이 사변의 승리를 축하하는 기념식이 열렸다. 이때 기념식 단상에 폭탄을 던져 일본군 장성과 고관 다수를 처단한 의거가 일어났다.

① 윤봉길   ② 신채호   ③ 김좌진   ④ 박은식

24. 다음에서 밑줄 친 이 선거에 해당하는 것은?

> 이 선거는 1948년에 UN 감시 하에 실시된 선거입니다. 이 선거는 우리 역사상 최초로 실시된 보통 선거라는 의미가 있습니다.

① 최초로 여야의 정권 교체가 이루어졌다.
② 유신헌법이 만들어졌다.
③ 대통령 직선제가 만들어졌다.
④ 제헌 의회가 만들어졌다.

25. 다음 한국사 신문에 해당하는 사건은?

제 △△호	한국사 신문	○○○○년 □월 □일

· 자유당 정권의 부정 선거
· 경찰이 학생과 시민의 시위를 폭력으로 진압
· 이승만 대통령 하야

① 4·19 혁명   ② 5·18 민주화 운동
③ 제주 4·3 사건   ④ 6월 민주항쟁

04 예상문제

1. 청동기 시대의 유물로 옳은 것은?

① 가락바퀴　　　　② 주먹도끼　　　　③ 빗살무늬토기　　　④ 비파형 동검

2. (가)에 들어갈 국가는?

주제 – (가)

· 천군이 다스리는 소도라는 신성지역이 존재
· 종교와 정치가 분리된 제정분리 사회
· 벼농사 발달

① 부여　　　　　　　　　　② 삼한
③ 옥저　　　　　　　　　　④ 고구려

3. 다음에서 설명하는 백제의 왕은?

백제 웅진 시대의 왕으로서 지방에 22담로를 설치하고 왕족을 파견하여 지방에 대한 통제를 강화함으로써 중흥의 발판을 마련하였다. 그의 무덤으로 벽돌무덤이 있다.

① 장수왕　　　　　　　　　② 법흥왕
③ 진흥왕　　　　　　　　　④ 무령왕

04 예상문제

4. 다음에서 설명하는 역사적 사건은?

> 고구려의 을지문덕은 수의 별동대 30만이 평양성을 향해 공격하자, 살수로 유인해서 수 군사 30만을 몰살시키면서 고구려가 대승을 거두었다.

① 매소성 전투   ② 살수 대첩

③ 행주 대첩   ④ 진주 대첩

5. 다음에서 밑줄 친 이 나라에 대한 설명으로 옳은 것은?

> · 이 나라는 대조영이 만주 지역에 세운 것으로 통일신라와 더불어 남북국 시대를 이루었다.
> · 이 나라는 당과 교류하면서 문화를 발달시켜 '해동성국' 이라 불렸다.

① 고구려를 계승한 나라이다.

② 남한강 유역까지 차지하였다.

③ 대가야를 정복하였다.

④ 요서, 산둥반도, 규슈까지 진출하였다.

6. 다음에서 설명하는 (가) 제도는?

> 주제 – [　　　　　　(가)　　　　　　]
> – 진흥왕 때 국가적 조직으로 공인
> – 신분적 갈등을 완화 조절 기능
> – 원광의 세속오계 계율을 따름

① 음서 제도   ② 과거 제도

③ 골품 제도   ④ 화랑도

7. 다음 설명에 해당하는 고구려의 제도는?

> 농민 생활을 안정시키기 위해 가난한 농민에게 봄에 곡식을 빌려 주었다가 가을에 수확하여 갚게 하였다.

① 전시과
② 균역법
③ 진대법
④ 호포법

8. 다음 설명에 해당하는 고려 승려는?

> · 고려 전기에 해동 천태종을 창시하였다.
> · 교종의 입장에서 선종을 포섭하였다.
> · 수행 방법으로 '교관겸수'를 제시하였다.

① 원효
② 의상
③ 의천
④ 혜초

9. 다음에서 설명하는 지배세력은?

> · 조선의 건국을 비판하고 낙향
> · 향촌자치와 왕도정치 주장
> · 성종 때 중앙 정계 진출

① 사림
② 무신
③ 문벌귀족
④ 호족

10. 다음 〈보기〉에 나타난 시기의 경제 상황으로 옳은 것은?

〈보기〉

> · 문익점이 원나라에 갔다가 목화 씨앗을 가지고 들어와서 목화 재배가 시작되었다.
> · 최무선은 화포를 제작하여 진포 싸움에서 왜구를 격퇴시켰다.

① 한강 중심으로 경강상인이 활동
② 벽란도에서 아라비아 상인이 교역
③ 상평통보가 발행되어 시중에 유통
④ 인삼, 담배 등의 상품 작물 재배

04 예상문제

11. 다음 내용과 관련 있는 조선의 왕에 대한 설명으로 옳은 것은?

> · 훈민정음을 창제
> · 의정부서사제를 통한 왕권과 신권의 조화
> · 측우기, 자격루, 앙부일구 발명

① 비변사를 폐지하였습니다.
② 당백전을 발행하였습니다.
③ 집현전을 설치하였습니다.
④ 규장각을 설치하였습니다.

12. 조선 후기 서민 문화와 관련이 없는 것은?

① 한글 소설　　　② 상감청자　　　③ 사설시조　　　④ 판소리

13. 조선 후기 경제 활동에 대한 설명으로 옳은 것은?

① 벽란도가 번성하여 아라비아 상인들의 왕래가 빈번하였다.
② 보부상의 활약으로 장시가 발달하였다.
③ 청해진을 중심으로 중국과 일본에 중계무역이 성장하였다.
④ 이앙법은 남부 지방 일부에서 시행되었다.

14. 흥선 대원군의 정책을 〈보기〉에서 모두 고른 것은?

〈보기〉
ㄱ. 비변사 폐지	ㄴ. 서원 정리
ㄷ. 대마도 정벌	ㄹ. 수원 화성 축조

① ㄱ, ㄴ　　　　　　　　② ㄱ, ㄹ
③ ㄴ, ㄷ　　　　　　　　④ ㄷ, ㄹ

15. 다음 내용과 가장 관계 깊은 역사적 사건은?

> · 급진 개화 세력이 일으킨 근대 개혁
> · 우정총국 개소식에 일어난 사건
> · 문벌 폐지와 입헌 군주제 주장

① 갑신정변   ② 을미사변   ③ 임오군란   ④ 병인양요

16. 다음에서 설명하는 단체는?

> · 대성 학교, 오산 학교 설립
> · 자기회사, 태극서관 운영
> · 국외 독립운동 기지 건설

① 독립협회   ② 보안회   ③ 신민회   ④ 일진회

17. 다음에서 설명하는 사건은?

> 을미사변과 단발령 조치 이후 고종은 일본의 간섭을 피하기 위해 러시아 공사관으로 거처를 옮겼다. 하지만 이것으로 열강들에게 이권을 침탈당하기 시작하였다.

① 갑오개혁   ② 광무개혁
③ 아관파천   ④ 화폐정리 사업

18. (가)에 들어갈 내용으로 옳은 것은?

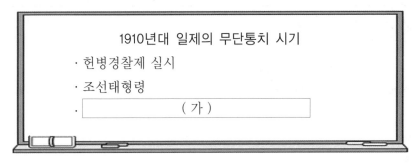

1910년대 일제의 무단통치 시기
· 헌병경찰제 실시
· 조선태형령
· (가)

① 산미 증식 계획   ② 국가 총동원법
③ 병참기지화 정책   ④ 토지조사 사업

06
한국사

04 예상문제

19. (가)에 들어갈 지역은?

> 대한 제국은 1900년에 칙령 제41호를 반포하여 울도(울릉도) 군수를 통해 (가) 을/를 관할하게 하였다. 그러나 일제는 러·일 전쟁 중에 (가) 을/를 불법으로 자국 영토에 편입시켰다.

① 간도
② 독도
③ 제주도
④ 거문도

20. 다음과 관련 있는 일제 강점기 사회운동은?

> 공평은 사회의 근본이요 애정은 인류의 본령이라. …(중략)… 이 사회에서 우리 백정의 연혁을 아는가 모르는가. 결코 천대받을 우리가 아니다.

① 형평 운동
② 물산 장려 운동
③ 문맹 퇴치 운동
④ 민립 대학 설립 운동

21. 자료에 해당하는 인물은?

> · 의병 활동
> · 하얼빈에서 이토 히로부미 저격
> · 옥중에서 〈동양평화론〉 저술

① 김상옥
② 김원봉
③ 안중근
④ 이봉창

22. 다음 〈보기〉와 관련 있는 일제의 통치방식 시기는?

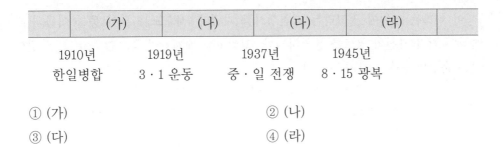

〈보기〉

· 국가 총동원법 · 내선일체
· 일본식 성명 강요 · 징용, 징병, 정신대

	(가)	(나)	(다)	(라)	

1910년 1919년 1937년 1945년
한일병합 3·1 운동 중·일 전쟁 8·15 광복

① (가) ② (나)
③ (다) ④ (라)

23. 다음 6·25 전쟁 중 (가)에 들어갈 사건은?

1950년 6·25 전쟁 발발 → 낙동강 전선 구축 → (가) → 평양과 압록강 진출 →
중국군 개입 → 서울 다시 빼앗김 → 휴전 협정 체결(1953)

① 인천상륙 작전 ② 12·12 사태
③ 봉오동 전투 ④ 청산리 전투

24. 1972년 7·4 남북 공동성명에 해당하는 것은?

① 남북 상호 간의 체제를 인정하였다.
② 이산가족의 정기적 상봉에 합의하였다.
③ 개성 공단 설치에 합의가 이루어졌다.
④ 통일에 대한 3대 원칙이 발표되었다.

25. 1990년대 김영삼 정부에서 있었던 사실로 옳은 것은?

① 삼백산업이 발달하였다.
② 경제개발 5개년 계획이 실시되었다.
③ 금융실명제가 실시되었다.
④ 한미FTA가 체결되었다.

05 예상문제

1. 다음에서 설명하는 철기 시대 국가는?

> 이 나라는 12월에 영고라는 제천행사를 지냈다. 사출도를 두어 동물 이름의 부족장이 각기 자신의 영토를 통치하였다. 그리고 지배계급이 죽으면 노비 등을 같이 묻는 순장의 풍습을 가지고 있었다.

① 동예   ② 고구려   ③ 부여   ④ 삼한

2. 다음 주제에 들어갈 국가는?

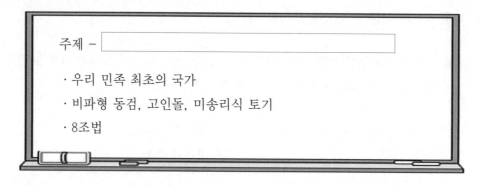

주제 –

· 우리 민족 최초의 국가
· 비파형 동검, 고인돌, 미송리식 토기
· 8조법

① 부여   ② 고구려   ③ 백제   ④ 고조선

3. 5세기 고구려 장수왕 때 일어난 사실은?

① 백제가 평양성을 공격하였다.
② 백제는 웅진으로 천도하였다.
③ 신라는 한강 유역을 차지하였다.
④ 신라는 금관가야를 정복하였다.

4. 발해가 고구려 계승국임을 증명하는 유물로 옳지 <u>않은</u> 것은?

① 연화무늬 기와   ② 굴식돌방무덤
③ 온돌 장치   ④ 주작대로

5. 다음 설명에 해당하는 역사서는?

> 고려 후기 일연은 민족의식을 고취하기 위하여 고조선을 민족국가의 시작으로 하는 역사서를 저술하였다. 설화와 향가가 수록되어 상당히 귀중한 문학사적 가치를 가지고 있다.

① 칠정산   ② 삼국유사

③ 목민심서   ④ 제왕운기

6. 다음의 문화재와 관련 있는 나라는?

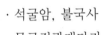

- 석굴암, 불국사
- 무구정광대다라니경
- 상원사 종, 성덕대왕 신종

① 고구려   ② 백제   ③ 통일신라   ④ 발해

7. 고려 태조 왕건의 정책으로 옳은 것은?

① 교정도감을 설치하였다.
② 수원 화성을 축조하였다.
③ 노비안검법을 시행하였다.
④ 혼인정책으로 호족 세력을 통합하였다.

8. 다음에서 설명하는 삼별초와 관련 있는 내용은?

> 삼별초는 개경 환도를 반대하면서 강화도에서 진도로 다시 제주도로 옮겨 가면서 끝까지 항쟁하였습니다. 삼별초의 항쟁은 고려 무인의 불굴의 기개를 보여주는 사건입니다.

① 몽골에 대항하였다.
② 여진을 정벌하였다.
③ 거란을 귀주에서 격퇴시켰다.
④ 홍건적과 왜구를 물리쳤다.

05 예상문제

9. 고려 서희의 강동6주 획득 과정에 대한 설명으로 옳은 것은?

① 거란과 외교 담판을 통해 획득하였다.
② 별무반의 특수부대를 편성하여 정벌하였다.
③ 강화도로 천도하여 항전하였다.
④ 남한산성에서 항전하였다.

10. 다음 내용과 관련 있는 제도는?

조선은 관리를 임명할 때 친인척은 같은 관청에서 근무하지 못하도록 하거나 출신 지역의 지방관으로 임명하지 않았다.

① 봉수제 ② 상피제
③ 역참제 ④ 임기제

11. 조선 태종이 실시한 정책을 〈보기〉에서 고른 것은?

〈보기〉

ㄱ. 호패법 실시 ㄴ. 훈민정음 창제
ㄷ. 경국대전 반포 ㄹ. 6조 직계제 채택

① ㄱ, ㄴ ② ㄱ, ㄹ
③ ㄴ, ㄷ ④ ㄷ, ㄹ

12. 다음에 해당하는 조선시대의 군사 조직은?

· 조선 후기 5군영의 핵심
· 일정한 급료를 받는 상비군
· 포수, 사수, 살수의 삼수병으로 편제

① 속오군 ② 별무반
③ 훈련도감 ④ 삼별초

13. 다음 그림에서 조선 후기의 사회 변동 모습을 설명한 것은?

① 양반은 그 수가 적었다.

② 몰락한 양반은 가난한 농민의 처지와 비슷하였다.

③ 서얼들은 양반이 될 수 없었다.

④ 노비들은 신분을 바꿀 수 없었다.

14. 실학에 대한 설명으로 옳지 <u>않은</u> 것은?

① 민생에 관련한 여러 정책에 반영되었다.

② 실증적, 실용적, 민족적, 근대 지향적인 학문이다.

③ 중농학파들은 토지 개혁을 주장하였다.

④ 북학파의 사상은 19세기 후반의 개화사상에 계승되었다.

15. 다음에 해당하는 조선 후기 조세 제도는?

① 대동법

② 균역법

③ 영정법

④ 도조법

05 예상문제

16. 다음 〈보기〉의 사건이 일어난 시기를 연표에서 옳게 고른 것은?

〈보기〉

· 항일 논설 '시일야방성대곡' 발표
· 오적 암살단 조직
· 최익현, 신돌석 등 의병 활약
· 헤이그 특사 파견

	(가)	(나)	(다)	(라)	
대한 제국 수립		한·일 의정서 체결	을사늑약 체결	고종 퇴위	한국 병합 조약 체결

① (가)   ② (나)   ③ (다)   ④ (라)

17. 다음 설명에 해당하는 사건은?

· 조선의 천주교 박해가 원인
· 프랑스가 강화도 침입
· 프랑스가 외규장각 도서 약탈

① 신미양요   ② 병인양요
③ 을미사변   ④ 운요호 사건

18. 다음 주제에 해당하는 단체는?

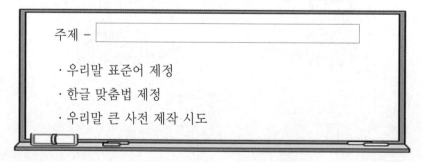

주제 –

· 우리말 표준어 제정
· 한글 맞춤법 제정
· 우리말 큰 사전 제작 시도

① 신간회   ② 진단학회
③ 조선어 학회   ④ 구미 위원부

19. 다음 내용에 해당하는 밑줄 친 '이 곳'은?

> 조선 숙종 때 이 곳에 대하여 청과 조선의 국경을 확정하기 위한 백두산정계비가 세워졌다. 대한제국 시기 이 곳에 관리사를 파견하여 관리하였다. 하지만 1909년 일본은 이곳을 청에게 양도하였다.

① 제주도   ② 독도
③ 거문도   ④ 간도

20. 다음 설명에 해당하는 독립군 전투는?

> 1920년 10월, 대규모 일본군이 북로 군정서의 근거지로 쳐들어왔다. 독립군은 백운평과 완루구와 천수평에서 일본군을 물리쳤다. 일본군은 격분하여 어랑촌에 있는 독립군을 공격했지만, 역시 독립군이 승리했다.

① 청산리 전투   ② 쌍성보 전투
③ 매소성 전투   ④ 기벌포 전투

21. 다음에서 설명하는 인물은?

> · 민족주의 사학자로서 민족의 혼(魂)을 강조
> · 대한민국 임시정부 대통령 역임
> · 『한국통사』, 『한국독립운동지혈사』 저술

① 박은식   ② 양기탁
③ 안창호   ④ 이상재

22. 다음 설명에 해당하는 것은?

> · 최초로 국제 사회에서 한국의 독립을 약속
> · '적당한 시기에' 한국의 독립을 약속함

① 톈진 조약   ② 남북 협상
③ 카이로 회담   ④ 국민 대표 회의

05 예상문제

23. 대한민국 정부 수립 후 제정한 이 법은?

> 제헌국회에서는 시급한 법안으로 반민족행위 처벌법과 <u>이 법</u>을 제정하였다. 이 법 시행으로 자영농이 늘어나게 되었다.

① 금융실명제　　　　　　　② 농지개혁법

③ 치안유지법　　　　　　　④ 국가 총동원법

24. 다음 내용의 결과로 일어난 민주화 운동은?

> 전두환 등 신군부 세력은 12 · 12 사태를 일으켜 권력을 실질적으로 장악하였다. 이에 학생과 시민들이 신군부 퇴진을 요구하며 시위를 전개하였다.

① 4 · 19 혁명　　　　　　　② 10월 유신

③ 6월 민주 항쟁　　　　　　④ 5 · 18 민주화 운동

25. (가)에 들어갈 내용으로 가장 적절한 것은?

1950년대	1960년대	1970년대	1980년대	1990년대
삼백산업 발달 전후 복구 작업	노동집약적 경공업 육성	(가)	3저 호황 고도 성장	OECD 가입

[대한민국의 경제 발전 과정]

① 여러 국가와 자유 무역 협정 체결

② 기업 구조 조정으로 대량 실업

③ 수출 주도형 중화학 공업화 정책 추진

④ 국제 통화 기금(IMF)으로부터 긴급 자금 지원

06

정답 및 해설
한국사 HISTORY

적중! 모의고사 예상문제

1회 예상문제 · 한국사

1. ③	2. ①	3. ②	4. ①	5. ②
6. ①	7. ③	8. ④	9. ①	10. ③
11. ④	12. ③	13. ②	14. ③	15. ②
16. ③	17. ①	18. ④	19. ①	20. ④
21. ②	22. ②	23. ③	24. ④	25. ④

1. <보기>의 시대는 청동기 시대 고인돌에 대한 설명이다.
① 빗살무늬토기 : 신석기 시대, ② 칠지도 : 백제와 왜의 교류관계, ③ 고인돌 : 청동기 시대, ④ 뗀석기 : 구석기 시대

2. ② 고구려 : 서옥제, 약탈경제, ③ 옥저 : 민며느리제, 가족공동무덤, ④ 동예 : 무천, 책화

3. 가 : 장수왕 평양천도는 5세기, 나 : 근초고왕 해외진출은 4세기, 다 : 진흥왕의 한강유역 차지는 6세기

4. ② 과전법 : 조선 태조, ③ 4군 6진 : 조선 세종, ④ 경복궁 중건 : 흥선 대원군

5. ① 지방관 파견 : 고려 성종, ③ 혼인정책 : 고려 태조, ④ 국자감 설치 : 고려 성종

6. ② 어사대 : 고려의 관리감찰, ③ 화백회의 : 신라의 귀족회의, ④ 정당성 : 발해의 최고회의 기구

7. ③ 교관겸수 : 고려 의천의 주장

8. ① 훈민정음 창제 : 조선 세종, ② 한양천도 : 조선 태조, ③ 쓰시마섬 정벌 : 조선 세종

9. ① 5도 양계 : 고려의 지방제도

10. 가 : 임진왜란, 나 : 병자호란
임진왜란 이후 광해군이 집권하여 명과 후금 사이에 중립 외교를 시행

12. ① 왕인 : 백제에서 일본에 유학 전파, ② 강감찬 : 고려 귀주대첩, ④ 이사부 : 신라 우산국 정복

13. 다음의 실학자들은 중상학파 실학자들이다.

14. ① 프랑스 : 병인양요, ④ 러시아 : 아관파천

15. ① 임오군란 : 구식군대에 대한 차별대우 불만과 개화정책 반대, ③ 동학농민운동 : 반봉건적 반외세적 민족운동, ④ 갑오개혁 : 급진적 근대개혁

16. 다음의 주장은 독립협회가 주최한 관민공동회의 헌의 6조 내용이다.

17. 갑신정변, 동학농민운동, 갑오개혁의 공통점은 신분제 폐지이다. 독립협회의 활동으로 사회적으로 평등의식이 더욱 확산되었다.

18. 1920년대 : 한글신문 허용, 보통경찰제, 산미증식계획
1930년대 : 민족말살정책, 남면북양정책, 병참기지화정책

19. ② 물산장려운동 : 국산품 애용 운동, ③ 6·10 만세 운동 : 학생 중심의 일제에 대항한 시위, ④ 광주학생 항일운동 : 식민지 민족차별에 대한 학생시위

21. ① 한·일 의정서 : 일본이 전략적 요충지 확보, ③ 제1차 한·일 협약 – 일제의 고문정치, ④ 한·일 신협약 : 일제의 차관정치

22. ① 보안회 : 일제의 황무지 개간권 반대
③ 독립협회 : 근대 민주사상 고취

23. ③ 조선사 편수회 : 친일역사 연구단체

24. ① 조선 건국 준비 위원회 : 여운형 주도, 대한민국 정부수립 준비 ② 좌우합작 위원회 : 여운형, 김규식 등이 주도하여 임시정부 수립 주장 ③ 통일 주체 국민회의 : 유신헌법 시기 대통령 선출기관

25. ① 7·4 남북공동성명 : 통일의 3대원칙 발표, ② 남북기본합의서 : 화해와 교류 협력방안논의, ③ 남북협상 : 김구, 김규식의 통일정부 수립노력

2회 예상문제 · 한국사

1. ②	2. ②	3. ③	4. ④	5. ①
6. ②	7. ③	8. ④	9. ①	10. ②
11. ④	12. ①	13. ④	14. ①	15. ②
16. ①	17. ①	18. ④	19. ②	20. ④
21. ③	22. ②	23. ③	24. ②	25. ①

1. 다음 내용은 신석기 시대이다.
① 주먹도끼 : 구석기 시대, ③ 이동생활 : 구석기 시대, ④ 군장의 출현 : 청동기 시대

2. ① 고구려 : 동맹, 서옥제, ③ 옥저 : 민며느리제, 가족공동무덤, ④ 부여 : 영고, 사출도

3. ① 한강 유역 차지 : 장수왕, 진흥왕, ② 불교 수용 : 소수림왕, 침류왕, 법흥왕

4. ① 대가 : 부족장, ② 성골 : 신라의 왕족, ③ 호민 : 부유한 피지배층

5. ② 혼인 정책 : 고려 태조, ③ 별기군 : 개화기 신식군대, ④ 전민변정도감 : 고려 공민왕

6. 〈보기〉는 고려시대이다.
① 금동대향로 : 백제, ② 상감청자 : 고려, ③ 백자 : 조선, ④ 수레토기 : 가야

7. 권문세족은 보수적인 성향이고, 신진사대부는 개혁적 성향이다.

8. ④ 5도 양계 : 고려의 지방행정

9. 〈보기〉의 인물들은 병자호란 이후 북벌론을 주장한 사람들이다.

10. ① 개성상인 : 인삼 독점권, ③ 의주상인 : 청과 무역, ④ 동래상인 : 일본과 무역

11. ④ 두레 : 농민의 공동 노동조직

12. ① 제사 거부 : 천주교

13. ① 유형원, ② 이이, ③ 정약용 모두 중농학파이다.

14. 흥선 대원군은 왕권강화를 위해 비변사를 폐지하였다.

15. ① 임오군란 : 구식군대에 대한 차별대우, ③ 갑신정변 : 최초의 근대국가 수립을 위한 정치개혁, ④ 갑오개혁 : 근대적 급진개혁

16. 다음 대화는 갑오개혁에 대한 내용이다.
② 입헌군주제 : 갑신정변, ③ 의회 설치 : 독립협회, ④ 지계 발급 : 광무개혁

17. 애국계몽운동은 교육과 산업 진흥에 중심을 두었다.
① 을사의병 : 을사늑약에 대한 무장투쟁

18. ④ 회사령 공포 : 1910년대

19. ③ 형평 운동 : 백정에 대한 차별 철폐

22. ② 조선사 편수회 : 친일 역사 연구 단체, 식민지 역사관 강조

23. ① 일본 : 유학생, 관동대지진, ② 미주 : 농업이민, ④ 간도 : 독립운동기지, 무장독립투쟁

24. ③ 포츠담 회담 : 한국의 독립 재확인, ④ 카이로 회담 : 한국의 독립 최초약속

25. ① 이승만 하야 : 1960년, ② 새마을 운동 : 1970년, ③ 6월 민주 항쟁 : 1987년, ④ 7 · 4남북 공동 성명 : 1972년

3회 예상문제 · 한국사

1. ①	2. ③	3. ④	4. ④	5. ②
6. ②	7. ①	8. ②	9. ④	10. ②
11. ①	12. ④	13. ①	14. ③	15. ④
16. ②	17. ②	18. ③	19. ①	20. ④
21. ②	22. ②	23. ①	24. ④	25. ①

2. ① 동예 : 무천, 책화 ② 부여 : 영고, 사출도 ④ 고조선 :

단군왕검, 8조법

3. ① 빗살무늬 토기 : 신석기 시대, 농경 생활과 관련
② 칠지도 : 삼국시대 백제와 왜의 교류관계
③ 상감청자 운학문 매병 : 고려 귀족사회 모습

4. (가)에 해당하는 시기는 6세기 신라 진흥왕 때이다.
① 평양성 공격 : 백제 근초고왕(4세기), ② 우산국 복속 : 6세기 지증왕, ③ 마립간 : 내물왕(4세기)

5. ① 삼별초 : 몽골 항쟁, ③ 9서당 : 통일신라 중앙군, ④ 장용영 : 정조 친위부대

6. ① 귀족 : 음서와 공음전, ③ 백정 : 일반농민, ④ 노비 : 매매와 상속의 대상

7. ② 4군 6진 : 세종, ③ 강동 6주 : 고려 서희, ④ 천리장성 : 고려 강감찬

8. ① 이불병좌상 : 발해, ③ 첨성대 : 신라, ④ 측우기 : 조선 세종

9. ③ 고려의 토지 제도 : 전시과, 공음전

10. ① 삼별초 항쟁 : 몽골, ③ 병자호란 : 청의 침입, ④ 병인양요 : 프랑스의 강화도 침략

12. ① 객주, ② 여각 : 포구거래 상인, ③ 시전 : 종로가게

13. ① 광해군은 명과 후금 사이에서 중립외교를 실시하였다.

14. ① 민화 : 서민의 기원을 그림, ② 문인화 : 사대부의 그림, ④ 진경 산수화 : 정선

15. ① 김구 : 대한민국 임시정부 주석, ② 김좌진 : 청산리 대첩, ③ 윤봉길 : 상하이 홍커우 공원 의거

16. ② 신분제 폐지 : 갑오개혁

18. ①, ②, ④는 동학농민운동과 관련된 내용이다.

19. ② 한성순보 : 최초의 근대 신문, ③ 독립신문 : 독립협회 창간, ④ 황성신문 : 시일야방성대곡 발표

21. ① 신민회 : 교육과 문화 사업, 국외독립운동기지 설립, ③ 보안회 : 일제의 황무지 개간권 반대, ④ 조선 건국 동맹 : 국내에서 여운형에 의한 건국 준비 단체

22. ① 천도교 : 동학의 개칭, 3·1 운동 주도
④ 원불교 : 일제 강점기 생활불교를 표방한 종교 단체

24. 이 선거는 1948년 5·10 선거이고, 우리나라 최초의 선거이다.
① 최초로 여야 정권 교체 : 1997년 대통령 선거, ② 유신헌법 : 1972년 헌법, ③ 대통령 직선제 : 1987년 헌법

25. ② 5·18 민주화운동 : 전두환, 신군부의 반대, ③ 제주 4·3 사건 : 남한만의 단독선거 반대, ④ 6월 민주항쟁 : 대통령 직선제 요구

4회 예상문제 · 한국사				
1. ④	2. ②	3. ④	4. ②	5. ①
6. ④	7. ③	8. ③	9. ①	10. ②
11. ③	12. ②	13. ②	14. ①	15. ①
16. ③	17. ③	18. ④	19. ②	20. ①
21. ③	22. ③	23. ①	24. ④	25. ③

1. ① 가락바퀴 : 신석기 시대, ② 주먹도끼 : 구석기 시대
③ 빗살무늬 토기 : 신석기 시대

2. ① 부여 : 영고, 사출도 ③ 옥저 : 민며느리제, 가족공동무덤 ④ 고구려 : 동맹, 서옥제

3. ① 장수왕 : 남한강유역 차지, 평양천도, ② 법흥왕 : 신라, 율령반포, 불교수용, ③ 진흥왕 : 신라 한강유역 차지

4. ① 매소성 전투 : 나·당 전쟁 ③ 행주 대첩 : 임진왜란,

권율 ④ 진주 대첩 : 임진왜란, 김시민

5. 이 나라는 발해이다. ② 남한강 유역 차지 : 고구려 장수왕 ③ 대가야 정복 : 신라 진흥왕 ④ 요서, 산둥반도, 규슈 진출 : 백제 근초고왕

6. ① 음서 제도 : 고려 귀족의 세습적 지위 계승 ② 과거 제도 : 능력에 따른 관리 선발제도 ③ 골품 제도 : 신라의 엄격하고 폐쇄적인 신분제도

7. ① 전시과 : 고려 토지제도 ② 균역법 : 조선 영조, 군역개혁 ④ 호포법 : 흥선 대원군

8. ① 원효 : 통일신라, 불교대중화 ④ 혜초 : 왕오천축국전

10. 〈보기〉 설명은 고려 시대를 말한다.
① 경강상인 : 조선후기 ③ 상평통보 : 조선후기 ④ 상품 작물 재배 : 조선후기

11. ① 비변사 폐지 : 흥선 대원군 ② 당백전 발행 : 흥선 대원군 ④ 규장각 설치 : 정조

12. ② 상감청자 : 고려

13. ① 벽란도는 고려 시대 무역항 ③ 청해진은 신라 하대 장보고가 설치하여 해상무역을 장악한 곳 ④ 이앙법이 남부지방 일부에서 시행된 시기는 고려말에서 조선 전기의 상황

14. ㄷ. 대마도 정벌 : 세종, ㄹ. 수원 화성 축조 : 정조

15. ② 을미사변 : 일제의 명성황후 시해사건 ③ 임오군란 : 구식군대 차별대우에 대한 불만 ④ 병인양요 : 프랑스 강화도 침략

16. ① 독립협회 : 근대 민주의식 고취 ② 보안회 : 일제의 황무지 개간권 요구 반대 ④ 일진회 : 친일단체

17. ① 갑오개혁 : 급진적 근대개혁 ② 광무개혁 : 점진적 근대개혁 ④ 화폐정리 사업 : 일제의 한국 금융자본 붕괴

18. ① 산미 증식 계획 : 1920년대 ② 국가 총동원법 : 1938년 ③ 병참기지화 정책 : 1930년대 이후

20. ② 물산 장려 운동 : 국산품 애용 운동 ③ 문맹 퇴치 운동 : 문자보급운동 ④ 민립 대학 설립 운동 : 고등 교육기관 설립 운동

22. 〈보기〉의 내용은 1930년대 중·일 전쟁 이후 일제의 통치내용이다.

23. ② 12·12 사태 : 전두환 등 신군부 쿠데타 ③ 봉오동 전투 : 1920년 간도 지역 독립군 전투 ④ 청산리 전투 : 1920년 김좌진 장군이 이끈 독립군 연합부대가 일본군에 대해 대승을 거둔 전투

24. ① 남북 상호 체제 인정 : 1991년 남북 기본합의서 ② 이산가족 정기적 상봉 : 2000년 6·15 남북공동선언 ③ 개성공단 설치 합의 : 2000년 6·15 남북공동선언

25. ① 삼백산업 : 1950년대 ② 경제 개발 5개년 계획 : 1960~70년대 ④ 한미FTA : 2007년 체결, 2012년부터 효력 발생

5회 예상문제 · 한국사

1. ③	2. ④	3. ②	4. ④	5. ②
6. ③	7. ④	8. ①	9. ①	10. ②
11. ②	12. ③	13. ②	14. ①	15. ①
16. ③	17. ②	18. ③	19. ④	20. ①
21. ①	22. ③	23. ②	24. ④	25. ③

1. ① 동예 : 무천, 책화 ② 고구려 : 동맹, 서옥제, 제가회의 ④ 삼한 : 소도, 벼농사 발달

2. ① 부여 : 영고, 사출도 ② 고구려 : 동맹, 서옥제 ③ 백제 : 고구려 계통, 한강 유역에서 성장

3. ① 백제 평양성 공격 : 4세기 백제 근초고왕 ② 백제 웅진 천도 : 5세기 고구려 장수왕에게 한강 유역 빼앗김 ③ 신라 한강 유역 차지 : 6세기 신라 진흥왕 ④ 신라 금관가야 정복 : 6세기 신라 법흥왕

4. ④ 주작대로는 발해가 당의 문화를 수용한 예이다.

5. ① 칠정산 : 조선 세종 때 역법 ③ 목민심서 : 조선 후기 정약용 ④ 제왕운기 : 고려 후기 이승휴, 고조선의 건국 기록

7. ① 교정도감 : 고려 무신정권 시기 최씨 정권 핵심기구 ② 수원 화성 : 조선 정조 ③ 노비안검법 : 고려 광종

8. ② 여진 정벌 : 고려 윤관 ③ 거란 귀주에서 격퇴 : 고려 강감찬 ④ 홍건적, 왜구 격퇴 : 고려 말 최영, 이성계

9. ② 별무반 편성 : 고려 여진 정벌, 윤관 ③ 강화도 천도 : 고려 몽골 항쟁 ④ 남한상성 항쟁 : 조선 병자호란

10. ① 봉수제 : 횃불이나 연기를 이용하여 통신 ③ 역참제 : 조선의 교통, 통신 제도로 100리마다 말을 관리하는 곳을 두어 관리가 빠르게 교통을 이용할 수 있게 한 제도 ④ 임기제 : 지방의 근무 기간을 일정 기간 넘길 수 없도록 한 제도

11. ㄴ. 훈민정음 창제 : 세종 ㄷ. 경국대전 반포 : 성종

12. ① 속오군 : 조선 후기 지방군 ② 별무반 : 고려 여진 정벌을 위한 특수군 ④ 삼별초 : 고려 몽골에 끝까지 항쟁한 부대

13. 조선 후기는 양반의 수가 급증하였다. 양반의 사회적 지위가 하락하였다. 서얼 등은 양반으로 지위 상승이 가능했고, 농민과 노비도 양반으로 상승이 가능했다.

14. 실학은 성리학을 비판하며 사회문제를 해결하려 했지만 정책에 반영되지 못하였다.

15. ② 균역법 : 영조 때 군역을 개혁한 법. 1년 1필 ③ 영정법 : 전세를 4~6두로 고정해서 징수 ④ 도조법 : 정액 소작제

16. 〈보기〉의 내용은 을사늑약에 대해 민족이 항거하는 모습을 보여주는 것들이다.

17. ① 신미양요 : 제너럴 셔먼호 사건을 계기로 미국의 강화도 침략 ③ 을미사변 : 일제의 명성황후 시해 사건 ④ 운요호 사건 : 강화도 조약의 원인

18. ① 신간회 : 민족 유일당 운동으로 결성 ② 진단학회 : 실증적인 역사 고증을 통한 연구 ④ 구미 위원부 : 미국에서 이승만 외교 담당 업무

20. ② 쌍성보 전투 : 1930년대 한·중 연합에 의한 전투 ③ 매소성 전투 : 나·당 전쟁에서 당군을 격퇴한 전투 ④ 기벌포 전투 : 나·당 전쟁에서 당군을 격퇴한 전투

21. ② 양기탁 : 대한매일신보 사장, 신민회 참여 ③ 안창호 : 만민공동회, 신민회, 대한민국 임시정부 등 독립운동에 많은 참여 ④ 이상재 : 독립협회, 신간회 활동

22. ① 톈진 조약 : 청과 일본의 조약 ② 남북 협상 : 1948년 분단 조국을 막으려 김구와 김규식이 평양의 김일성과 협상하였으나 실패 ④ 국민 대표 회의 : 대한민국 임시정부의 문제를 해결하기 위한 회의

23. ① 금융실명제 : 1993년 제정 ③ 치안유지법 : 1925년 일제가 사회주의 처벌을 위한 법 ④ 국가 총동원법 : 1938년 물적, 인적 지원을 하기 위한 법

24. ① 4·19 혁명 : 자유당 부정부패와 부정 선거 항거. 이승만 하야 ② 10월 유신 : 1972년 박정희 정부 장기집권 헌법 개정 ③ 6월 민주 항쟁 : 대통령 직선제 개헌 주장

25. ① 자유 무역 협정 : 2000년대 ② 기업 구조 조정 : 1997년 IMF 체제 이후 기업 건전성 조정 ④ IMF 긴급 자금 지원 : 1998년

07

도덕

ETHICS

적중! 모의고사 예상문제

01 예상문제

1. 다음 중 윤리학에 대한 설명으로 옳지 <u>않은</u> 것은?

① 도덕을 연구 대상으로 삼는다.
② 도덕적 행위의 실천을 목표로 한다.
③ 가치 있는 삶의 방향 제시를 목표로 삼는다.
④ 자연 현상의 법칙이나 원리를 설명하고자 한다.

2. 다음 중 〈보기〉에서 나타나는 현대 사회의 문제점에 대한 도가의 해결 방안으로 옳은 것은?

〈보기〉

오늘날 지나친 이기주의나 물질 만능주의와 같은 문제가 발생하고 있다.

① 자연의 질서를 따르는 무위(無爲)의 삶을 추구해야 한다.
② 연기(緣起)를 깨닫고 차별이 없는 사랑을 실천해야 한다.
③ 사욕(私慾)을 극복하고 진정한 예(禮)를 회복해야 한다.
④ 쾌락과 행복을 가져다주는 행위를 옳은 행위로 간주한다.

3. 다음 〈보기〉와 같이 주장한 서양 윤리 사상가는 누구인가?

〈보기〉

· '최대 다수의 최대 행복'을 도덕과 입법 원리로 삼아야 한다.
· 모든 쾌락은 질적으로 동일하며, 쾌락의 양적 차이만 존재한다.

① 벤담 ② 밀
③ 칸트 ④ 하버마스

4. 도덕적 탐구 과정에서 가정 먼저 해야 할 것은?

① 최선의 대안 도출
② 자료 수집 및 분석
③ 반성적 성찰 및 정리하기
④ 윤리적 쟁점 또는 딜레마 확인

5. 다음 중 안락사를 찬성하는 입장으로 옳은 것은?

① 죽음은 인간이 선택할 수 없는 문제이다.
② 유용성보다 생명의 절대적 가치가 중요하다.
③ 인위적으로 생명을 단축하는 것은 비도덕적이다.
④ 환자는 무의미한 연명 치료를 거부할 권리가 있다.

6. 인간 개체 복제의 문제점을 〈보기〉에서 있는 대로 고른 것은?

〈보기〉

ㄱ. 인간이 지닌 고유성을 상실하게 만든다.
ㄴ. 인간을 대체 가능한 존재로 여기게 만들어 인간의 존엄성을 훼손한다.
ㄷ. 난임 부부들에게 자녀 출산의 희망을 준다.
ㄹ. 출산율이 증가하여 사회를 유지할 수 있게 해준다.

① ㄱ, ㄴ   ② ㄱ, ㄷ
③ ㄴ, ㄹ   ④ ㄷ, ㄹ

7. 〈보기〉에서 설명하는 성과 사랑의 관점은?

〈보기〉

성은 부부 간의 신뢰와 사랑을 전제로 할 때에만 도덕적입니다.

① 보수주의   ② 중도주의
③ 자유주의   ④ 진보주의

01 예상문제

8. 유교 사상에서 강조하는 오륜(五倫)에 해당되지 <u>않는</u> 것은?

① 부자유친(父子有親)
② 부부유별(夫婦有別)
③ 장유유서(長幼有序)
④ 죽마고우(竹馬故友)

9. (가)에 들어갈 말로 옳은 것은?

> (가) 은/는 프랑스 어로 귀족의 의무를 의미한다. 보통 부와 권력, 명성은 사회에 대한 책임과 함께 해야 한다는 의미로 쓰인다. 즉 사회 지도층에게 사회에 대한 책임이나 국민의 의무를 모범적으로 실천하는 높은 도덕성을 요구하는 말이다.

① 똘레랑스
② 노블리스 오블리주
③ 데모크라시
④ 세니오르 오블리주

10. 기업의 사회적 책임의 내용으로 볼 수 <u>없는</u> 것은?

① 고객에 대한 배려
② 소비자 권리의 존중
③ 불공정한 이윤 추구
④ 사회 복지 시설 운영

11. 다음 중 니부어의 입장으로 옳지 <u>않은</u> 것은?

① 개인과 사회의 도덕성은 일치하지 않을 수 있다.
② 사회 집단의 도덕성은 개인의 도덕성보다 탁월하다.
③ 사회 문제는 개인의 도덕성만으로 해결이 불가능하다.
④ 사회 구조와 정책의 개선을 통해 문제를 해결해야 한다.

12. 다음에서 설명하는 덕목은?

> · 옳고 그름에 대한 기준
> · 사회 재화의 정당한 분배 기준
> · 사회 제도가 갖추어야 할 가장 기본적인 덕목

① 절제   ② 정의

③ 우애   ④ 평화

13. 〈보기〉에서 설명하는 분배의 기준은?

〈보기〉

> 큰 재난이 닥쳐 많은 피해를 입은 지역 주민들에게 정부에서는 긴급 구호물자를 지급하는데 어린아이나 어른 할 것 없이 <u>똑같은 양의 구호물자를 지급</u>하는 원칙을 세웠다.

① 절대적 평등   ② 필요

③ 업적   ④ 능력

14. 롤스(Rawls, J.)의 사상을 표현한 것이다. (　　) 안에 들어갈 말로 알맞은 것은?

> 정의로운 사회란 사회·경제 불평등은 최소 수혜자에게 최대의 이익을 보장하되, 후세를 위한 절약의 원칙에 위배되지 않도록 조정되고, 그 불평등의 계기가 되는 지위는 공정한 (　　　　　　　)에 따라 모든 사람에게 개방되는 사회이다.

① 자유의 원칙

② 평등의 원칙

③ 차등의 원칙

④ 기회 균등의 원칙

01 예상문제

15. 다음 〈보기〉에서 설명하고 있는 국가 권위에 대한 관점은?

〈보기〉

국가가 여러 가지 혜택을 제공하기 때문에 국가에 복종해야 한다.

① 동의론   ② 혜택론   ③ 계약론   ④ 본성론

16. 민본 정치에 대한 설명으로 옳지 <u>않은</u> 것은?

① 백성을 정치의 근본으로써 존중해야 한다.
② 군주를 백성이 직접 선출하는 민주적인 정치이다.
③ 백성의 경제적 안정을 위해 책임을 다해야 한다.
④ 억압과 폭력을 일삼는 군주는 교체할 수 있다.

17. 과학 기술의 긍정적 측면으로 옳지 <u>않은</u> 것은?

① 물질적 풍요를 누리게 해 주었다.
② 인류의 식량난 해결에 기여하고 있다.
③ 자연을 도구적 가치로 이해하게 하였다.
④ 건강과 장수에 대한 인간의 꿈을 실현시키고 있다.

18. 다음 글의 빈칸에 들어갈 알맞은 개념은?

포털 사이트는 사용자가 일단 정보를 올리면 그에 대한 재산권을 소유한다. 이를 통해 엄청난 개인 정보를 확보한 포털 사이트는 게임과 뉴스, 광고 비즈니스를 벌이며 막대한 수입을 올리고 있다. 따라서 이러한 포털 사이트의 정보 독점 및 남용 횡포에 반대하며, 개인에게 자신이 올린 정보의 삭제권을 부여하는 (   )을(를) 주장하는 움직임이 나타나게 되었다.

① 매체 윤리   ② 잊힐 권리
③ 인격권   ④ 알 권리

19. 다음 중 싱어의 동물 중심주의에 대한 설명으로 옳은 것은?

① 도덕적 고려의 대상은 인간으로 한정한다.

② 무생물적 자연관도 내재적 가치를 지닌다.

③ 쾌고 감수 능력을 지닌 동물을 차별해서는 안 된다.

④ 자연의 모든 생명은 고유의 선을 지닌 존재이다.

20. 다음 〈보기〉에서 설명하는 관점은?

─── 〈보기〉 ───

· 예술 작품은 어릴 때부터 곧장 자기도 모르는 사이에 아름다운 말을 닮고 사랑하고 공감하도록 그들을 이끌어 준다."

· "예(禮)에서 사람이 서고 악(樂)에서 사람의 인격이 완성된다."

① 절대주의   ② 심미주의

③ 예술 지상주의   ④ 도덕주의

21. 윤리적 소비를 실천하는 태도로 보기 어려운 것은?

① 비윤리적인 기업의 상품을 구매하지 않는다.

② 친환경 상품이나 공정 무역 상품을 구매한다.

③ 옷이나 물건 등을 되도록 오래 사용하려고 한다.

④ 소유에 치중된 삶을 살기 위해 물건을 버리지 않는다.

22. 다음에서 공통적으로 나타나는 문화 이해 태도는?

· 중국인들의 중화사상

· 히틀러의 게르만 문화 우월주의

① 문화 사대주의

② 문화 상대주의

③ 자문화 중심주의

④ 극단적 문화 상대주의

01 예상문제

23. 다음 〈보기〉의 ㉠에 들어갈 말로 알맞은 것은?

─〈보기〉─

(㉠)은/는 막히지 않고 잘 통한다는 의미로, 결정된 것을 상대방에게 전하고 상대방이 받아들이도록 하는 것이 아니라, 나와 상대방이 서로 의견을 주고받는 공유의 과정이다.

① 공존

② 평화

③ 소통

④ 합의

24. 분단 비용에 해당하는 것을 〈보기〉에서 모두 고르면?

─〈보기〉─

㉠ 대북 지원에 소요되는 비용

㉡ 남북 경제 협력에 쓰이는 비용

㉢ 남북 분단으로 지출하는 방위비

㉣ 남북한이 외교 경쟁에 필요 이상으로 쓰는 외교비

① ㉠, ㉡

② ㉠, ㉢

③ ㉡, ㉣

④ ㉢, ㉣

25. 다음 〈보기〉에서 설명하는 원조의 근거는?

─〈보기〉─

도덕적으로 중요한 일들을 희생시키지 않고 절대 빈곤을 감소시킬 수 있는 사람들은 절대 빈곤에 빠진 사람들을 도울 의무가 있다. 이익 평등 고려의 원칙에 따라 빈곤으로 고통받는 모든 사람들에게 원조해야 한다.

① 자선적 관점

② 상대적 관점

③ 의무적 관점

④ 절대적 관점

예상문제

1. ㉠의 사례에 해당하는 것은?

> (㉠)은/는 윤리적 판단과 행위를 탐구하고 이에 대한 정당화에 초점을 두는 학문이다.

① 덕 윤리　　　　　　　② 생명 윤리
③ 정보 윤리　　　　　　④ 평화 윤리

2. 다음 중 유교의 내용으로 옳지 <u>않은</u> 것은?

① 백성을 오로지 상과 벌로써 다스려야 한다고 본다.
② 인(仁)을 바탕으로 매사에 정성을 다해야 한다고 본다.
③ 충(忠)과 서(恕)를 강조하여 선한 본성을 확충할 것을 강조한다.
④ 자기 수양을 통해 도덕적으로 완성된 사람을 군자라 한다.

3. 다음 〈보기〉의 ( ) 안에 들어갈 말은?

〈보기〉

> 진화 윤리학에서는 이타적 행동 및 성품과 관련된 도덕성은 자연 선택을 통한 ( )의 결과라고 주장한다.

① 공감　　　　　　　　② 책임
③ 진화　　　　　　　　④ 배려

07
도덕

02 예상문제

4. 다음 ( ) 안에 들어갈 내용으로 적절한 것은?

> · 도덕 원리 : 인권을 침해하는 것은 옳지 않다.
> · 사실 판단 : 공공장소에서 흡연하는 것은 인권을 침해하는 것이다.
> · 도덕 판단 : ( )

① 공공장소에서 흡연하는 것은 옳지 않다.
② 인권을 침해하는 행위는 하지 않아야 한다.
③ 흡연을 제한하는 것은 인권을 침해하는 것이다.
④ 청소년 흡연을 방지하는 것은 도덕적으로 옳지 않다.

5. 다음 중 낙태를 옹호하는 입장만 〈보기〉에서 있는 대로 고른 것은?

> ───〈보기〉───
> ㉠ 기본적인 생명권은 언제나 존중되어야 한다.
> ㉡ 임신부는 자신의 신체에 대한 권리를 가지고 있다.
> ㉢ 아직 태어나지 않는 태아는 임신부의 신체 중 일부이다.

① ㉠   ② ㉡   ③ ㉠, ㉢   ④ ㉡, ㉢

6. 유전자 조작 기술의 장점으로 옳지 <u>않은</u> 것은?

① 난치병을 치료할 수 있다.
② 식량 생산의 증대를 가져올 수 있다.
③ 인류의 기아 문제를 해결할 수 있다.
④ 유전자 조작으로 능력이 강화된 인간만이 후손을 남기게 만들 수 있다.

7. 〈보기〉의 ( ) 안에 들어갈 말은?

> ───〈보기〉───
> ( )은/는 성 자체를 상품처럼 사고팔거나 다른 상품을 팔기 위한 수단
> 으로 성을 이용하는 행위를 뜻한다.

① 성차별   ② 성 상품화
③ 양성평등   ④ 성적 자기결정권

8. 화목한 가정생활을 위한 부부 간의 윤리로 옳지 <u>않은</u> 것은?

① 서로 인격을 존중해야 한다.
② 부족한 점을 서로 보완해야 한다.
③ 서로 공경하면서 분별 있게 행동해야 한다.
④ 성에 대한 차이를 근거로 차별해야 한다.

9. 다음 설명과 관계 깊은 공직자의 자세는?

> 탐욕을 절제하여 올바르지 못한 물질 이득에 휘둘리지 않는 마음

① 청렴　　　　　　　　　　② 믿음
③ 방관　　　　　　　　　　④ 경로

10. 다음 문제 상황을 니부어(Niebuhr, R.)의 사회 윤리에서 해결하는 가장 적절한 방법은?

> 　사회 약자들은 카드 빚, 실직, 부의 양극화 등과 같은 탈출구 없는 경제 상황에 놓여 있다. 그래서 삶에 대한 분노와 원망을 죽음으로 해결할 수밖에 없는 처지에 직면해 있다.

① 경제 분배 정의를 실현하는 법과 제도를 확대한다.
② 인간 생명의 소중함을 깨닫기 위해 종교 생활을 한다.
③ 삶의 의지를 고양할 수 있는 치유 프로그램에 참여한다.
④ 시민 운동 차원에서 노력과 나눔의 문화 활동을 전개한다.

11. 다음 〈보기〉에서 설명하는 정의의 종류는?

> · 사회 합의 과정의 투명성과 공정성을 강조한다.
> · 롤스(Rawls, J.)의 '정의의 제2원칙' 을 사용한다.

① 절차적 정의　　　　　　② 결과적 정의
③ 도구적 정의　　　　　　④ 이념적 정의

02 예상문제

12. 다음 중 사형의 반대 논거를 〈보기〉에서 모두 고르면?

〈보기〉

ㄱ. 범죄 예방 효과가 있다.
ㄴ. 인간의 생명권은 결코 양도될 수 없다.
ㄷ. 살인에 대한 동등성의 원리에 부합한다.
ㄹ. 오판의 가능성이 있고 복구가 불가능하다.

① ㄱ, ㄴ   ② ㄱ, ㄷ
③ ㄴ, ㄹ   ④ ㄷ, ㄹ

13. 동양의 사상가와 국가의 역할에 대한 입장으로 바르지 <u>않은</u> 것은?

① 맹자 : 군주는 덕으로써 백성을 다스려야 한다.
② 정약용 : 지방 관리들이 애민(愛民)을 실현해야 한다.
③ 묵자 : 모든 사람을 차별하지 않고 똑같이 사랑하는 겸애(兼愛)를 실천한다.
④ 한비자 : 인간은 선천적으로 순한 본성을 타고나기 때문에 강압적으로 다스려서는 안 된다.

14. 시민 불복종의 정당화 조건이 <u>아닌</u> 것은?

① 최후의 수단   ② 처벌 회피
③ 공익 추구   ④ 평화적 방법

15. 다음 〈보기〉의 설명과 일치하는 주장은?

〈보기〉

  과학 기술은 그 자체로 좋은 것도 나쁜 것도 아니며, 사회적 책임과 윤리적 평가에서 자유로워야 한다.

① 과학 기술의 가치 중립성을 부정한다.
② 과학 기술에 가치를 개입시키면 안 된다.
③ 과학 기술은 그 자체로서 선한 것이다.
④ 과학 기술은 사회에 선한 영향을 끼쳐야 한다.

16. 다음 중 뉴 미디어의 특징으로 옳지 <u>않은</u> 것은?

① 종합화   ② 상호 작용화

③ 비동시화   ④ 획일화

17. 〈보기〉의 내용을 설명하는 관점은?

──〈보기〉──

인간을 동식물, 물, 바위, 공기 등과 함께 거대한 대지 공동체의 구성원으로 바라보아야 한다.

① 인간 중심주의   ② 동물 중심주의

③ 생명 중심주의   ④ 생태 중심주의

18. 다음 ㉠에 들어갈 용어로 옳은 것은?

(㉠)은/는 미래 세대에게 필요한 환경을 훼손하지 않는 범위 내에서 현재 세대의 욕구를 충족시키는 개발을 의미한다.

① 대량 소비   ② 사막화 현상

③ 지속 가능한 발전   ④ 지구 온난화 현상

19. 다음 그림은 신문 칼럼이다. ㉠에 들어갈 제목으로 가장 적절한 것은?

○○신문	○○○○년 ○○월 ○○일

┌─────────────────────┐
│   ㉠   │
└─────────────────────┘

초콜릿의 주원료인 카카오를 생산하는 많은 농가들은 극히 적은 소득만을 얻고 있다. 그 이유는 초콜릿에서 발생하는 이익의 대부분이 몇몇 거대 유통 업체와 제조업체에 돌아가기 때문이다. 이러한 가난한 농가들의 경제적 자립과 지속 가능한 발전을 위해 생산 농가에게 유리한 판매 조건을 제공하고, 복잡한 유통 구조를 개선해야 한다.

① 기업들의 경제적 자립을 도와야!

② 농작물 생산량의 증대를 도모해야!

③ 유통 단계를 늘려 이익을 창출해야!

④ 정당한 이익을 카카오 생산자들에게!

07
도
덕

02 예상문제

20. 다음 〈보기〉에서 설명하는 태도로 옳은 것은?

〈보기〉

샐러드 볼에 담긴 야채가 각각 고유의 모습을 유지하면서 섞으면 맛있는 샐러드가 되는 것과 마찬가지로 여러 인종, 여러 민족이 각자의 특성을 유지하면서 사회에 기여할 수 있다.

① 이주민들이 자신들의 전통 휴일을 지낼 수 있도록 허용한다.
② 이주민들에게 내국인과 동등한 권리를 부여하지 않는다.
③ 이주민들의 문화를 우리 문화로 흡수시킨다.
④ 이주민의 언어와 종교를 허용하지 않는다.

21. 다음 〈보기〉의 사례에서 필요한 자세는?

〈보기〉

세계의 일부 지역에서는 집안의 명예를 더럽혔다는 이유로 가족 구성원을 살해하는 이른바 '명예 살인(honor killing)'이 일어나고 있다. 가족들이 선택한 배우자와 결혼하기를 거부하거나, 다른 종교를 가진 남자와 교제한 여성들이 주로 명예 살인의 대상이 되고 있다. 심지어 14세 여자아이가 남자 친구와 교제한다는 이유로 가족들에게 자살을 강요당한 경우도 있다.

① 보편 윤리에 부합하는 문화로 존중받아야 한다.
② 문화 상대주의의 입장에서 인정해 주어야 한다.
③ 문화의 다양성을 지키기 위해 존중해 주어야 한다.
④ 문화의 다양성은 인정하되, 인간존중이라는 보편적 가치를 존중해야 한다.

22. 하버마스가 주장한 이상적인 담화의 조건을 〈보기〉에서 모두 고르면?

〈보기〉

㉠ 정당성 ㉡ 오류성
㉢ 이해 가능성 ㉣ 일회성

① ㉠, ㉡ ② ㉠, ㉢
③ ㉡, ㉣ ④ ㉢, ㉣

23. 다음 〈보기〉의 사례와 관련하여 남북한이 분단을 극복해야 하는 이유로 적절한 것은?

〈보기〉

　　분단으로 인해 어렸을 때 가족과 생이별한 김할머니는 아직도 가족을 만나지 못하고 그리워하며 살아가고 있다.

① 군사 비용의 절감
② 이산가족의 고통 해소
③ 동북아시아 평화에 기여
④ 주변 강대국과의 유대 강화

24. 독일 통일의 경험이 남북한 통일에 줄 수 있는 교훈이 <u>아닌</u> 것은?

① 통일을 위한 정부의 꾸준한 노력
② 다양한 문화 교류를 통한 동질성 회복
③ 정치·제도·영토적 통일에 주력
④ 인도주의적 지원을 통한 상호 신뢰 구축

07
도
덕

25. 다음 〈보기〉에서 설명하는 국제 관계 이론에서 갈등을 해결하는 자세는?

〈보기〉

· 인간은 이성적인 존재이며, 국가 역시 이성적이고 합리적이다.
· 국제 분쟁은 잘못된 제도, 상대방에 대한 무지나 오해에서 비롯된다.

① 국가 간의 갈등은 국제법, 국제 규범을 통해 해결해야 한다.
② 국가 간의 갈등은 세력 균형을 통해 해결이 가능하다.
③ 국가 간의 갈등은 상호 작용을 통해 해결이 가능하다.
④ 국가 간의 갈등은 국가 간 힘의 논리로 해결해야 한다.

03 예상문제

1. 밑줄 친 '이것'에 해당하는 용어는?

> '이것'은(는) 과학 기술의 영향으로 파생되는 여러 문제에 대한 윤리적 논의가 빠르게 발전하는 과학 기술의 속도를 따라가지 못해 생기는 공백을 말한다.

① 윤리적 공백
② 도덕적 결과
③ 윤리적 동기
④ 윤리의 보편성

2. 실천 윤리학에 대한 설명으로 옳지 않은 것은?

① 현실의 윤리적 쟁점 해결을 중시한다.
② 근본적인 도덕 이론이나 원리의 탐구를 주목적으로 한다.
③ 생명 윤리, 정보 윤리 등의 예를 들 수 있다.
④ 삶의 구체적인 상황에서 발생하는 윤리 문제의 해결책을 찾으려 한다.

3. 다음에서 강조하는 불교의 기본 정신은?

> · 모든 생명을 불쌍히 여기는 마음
> · 남이 기뻐하면 함께 기뻐하고, 슬퍼하면 함께 슬퍼한다.

① 인의(仁義)
② 무위(無爲)
③ 자비(慈悲)
④ 청렴(淸廉)

4. 덕 윤리에 대한 설명으로 옳은 것은?

① 행위자의 덕성과 품성을 강조한다.
② 행위의 기준을 결과에 두고 있다.
③ 의도하지 않은 결과에도 책임지는 삶을 강조한다.
④ 정언 명령에 따를 것을 강조한다.

5. 다음 〈보기〉의 ㉠에 공통적으로 들어가는 말은?

〈보기〉

· 먼지 낀 거울을 매일 닦듯이 지속적인 (㉠)을/를 해야 한다.
· (㉠)을/를 하지 않는 삶은 살 가치가 없다.

① 배려   ② 책임
③ 토론   ④ 성찰

6. 다음은 장기 이식의 윤리적 허용성을 커지게 하기 위한 세 사람의 대화이다. 빈칸 ㉠, ㉡, ㉢에 들어갈 말을 순서대로 바르게 짝지은 것은?

갑 : 장기를 이식받을 사람의 절박함이 (㉠) 장기 이식의 윤리적 허용성이 커지겠지.
을 : 기증자의 피해가 (㉡) 더 좋아.
병 : 그리고 기증자의 선택이 (㉢)이어야겠지.

	㉠	㉡	㉢
①	클수록	많을수록	타율적
②	클수록	적을수록	타율적
③	클수록	적을수록	자율적
④	작을수록	많을수록	자율적

03 예상문제

7. 동물 실험을 찬성하는 논거로 적절한 것을 〈보기〉에서 모두 고르면?

〈보기〉

ㄱ 질병의 치료법을 발견할 수 있다.
ㄴ 의약품의 부작용과 위험성을 파악할 수 있다.
ㄷ 동물과 인간은 생리적으로 다르다.
ㄹ 컴퓨터 시뮬레이션을 통한 연구로 대체할 수 있다.

① ㄱ, ㄴ   ② ㄱ, ㄷ
③ ㄴ, ㄹ   ④ ㄷ, ㄹ

8. 다음 〈보기〉와 같은 주장의 문제점으로 옳지 <u>않은</u> 것은?

〈보기〉

· 남성은 관리직에 적합하고, 여자는 사무직이나 쉬운 일에 적합하다.
· 여성은 아이를 낳아야 하니까 직장을 그만두고 애를 돌보고 살림을 해야 한다.

① 사회 발전과 통합을 저해할 수 있다.
② 개인의 자아실현 기회를 박탈할 수 있다.
③ 자유권, 평등권, 행복 추구권을 침해한다.
④ 양성의 차이를 인정하고 상호 보완할 수 있게 한다.

9. ㉠, ㉡에 들어갈 가족 구성원의 도리로 옳은 것은?

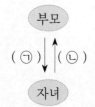

	㉠	㉡
①	자애	효도
②	우정	자애
③	경로	우애
④	효도	경로

10. 다음 〈보기〉와 관련된 직업관을 주장한 사상가는?

〈보기〉

직업은 신의 거룩한 부르심, 즉 소명(召命)이며, 직업의 성공을 위해 근면, 성실, 검소한 직업 생활이 필요하다고 주장한다.

① 맹자
② 순자
③ 플라톤
④ 칼뱅

11. 부패 관행의 부정적 영향으로 가장 적절한 것은?

① 공정한 분배를 보장한다.
② 시민의식 발전에 저해요인이 된다.
③ 사회의 발전 가능성을 높인다.
④ 국가의 투명성을 향상시킨다.

12. 다음과 같은 입장에서 사회 문제를 해결하려고 할 때 가장 바람직한 방법은?

사회의 도덕 문제는 개인의 선한 의지만으로 사회 정의를 실현하기가 어렵다. 사회 정책과 제도의 개선을 통해서 사회 문제를 해결할 수 있는 측면이 강하다.

① 자율성과 책임감을 강화한다.
② 개인의 양심과 도덕성에 호소한다.
③ 도덕 가치 판단 능력을 함양한다.
④ 잘못된 사회적 관행을 고치며 법 체계를 보완한다.

13. 정의로운 사회 제도 구현을 위한 조건에 해당하지 <u>않는</u> 것은?

① 기본권 보장
② 공권력의 남용
③ 공정한 분배 실시
④ 사회 약자에 대한 배려

14. 다음 중 베카리아가 주장하는 사형의 관점은?

① 사형은 살인에 대한 응당한 보복이다.
② 사형은 살인에 대한 사적 보복의 수단이다.
③ 사형은 종신 노역형으로 대체될 수 있다.
④ 사형은 다수 시민의 행복을 증진하는 수단이다.

15. 다음 〈보기〉의 설명과 관계 깊은 것은?

〈보기〉

시민사회는 각자 자기의 생존과 이익을 추구하는 개인들이 자신들의 필요에 의해 상호 계약을 맺음으로써 형성된다.

① 부족설
② 정복설
③ 왕권신수설
④ 사회계약설

16. 다음 〈보기〉의 설명에 해당하는 것은?

〈보기〉

이것은 정의롭지 않은 사회제도를 의도적으로 거부하는 시민저항운동이다. 간디의 비폭력 저항과 마틴 루서 킹(King, M. L. Jr.)의 흑인 인권 운동이 이에 해당한다.

① 협동 조합
② 노동 운동
③ 시민 불복종
④ 난민 구호 활동

17. 〈보기〉의 설명에 해당하는 서양 사상가는?

〈보기〉

윤리적 책임의 범위를 인간을 포함한 자연으로, 시간적으로는 먼 미래 세대로 확대하였다. 그는 행해진 것에 대한 사후 책임 부과를 특징으로 하는 전통적 윤리학의 책임 개념과는 다른, 행위되어야 할 것에 대한 책임을 제시하였다.

① 요나스　　　　　　　② 싱어
③ 칸트　　　　　　　　④ 베이컨

18. 대화에서 B학생이 우려하는 일은?

사이버 공간에서도 표현의 자유는 보장 되어야 해.

A학생

그래, 하지만 사이버 공간에서도 표현의 자유가 남용되기도 해.

B학생

① 익명성의 악용
② 정보의 격차 심화
③ 정보의 차단과 통제
④ 은둔형 외톨이의 증가

19. 다음 설명에 해당하는 것은?

· "이것이 있으므로 저것이 있고, 이것이 생기므로 저것이 생긴다."
· 모든 현상은 무수한 원인과 조건들로 서로 연결된다.

① 성악설
② 연기설
③ 국부론
④ 사회 계약설

07
도
덕

03 예상문제

20. 다음 중 예술의 상업화의 문제점으로 옳지 <u>않은</u> 것은?

① 예술의 본질을 왜곡할 수 있다.
② 예술 작품의 질을 높일 수 있다.
③ 예술 작품의 미적 가치와 윤리적 가치를 간과한다.
④ 예술 작품을 부의 축적 수단으로 바라본다.

21. 다음 〈보기〉에서 올바른 음식 문화 운동은?

〈보기〉

ㄱ 정크 푸드   ㄴ 유전자 변형 식품
ㄷ 슬로 푸드(slow food)   ㄹ 로컬 푸드(local food)

① ㄱ, ㄴ   ② ㄱ, ㄷ
③ ㄴ, ㄹ   ④ ㄷ, ㄹ

22. 사람들이 종교를 가지는 이유로 적절하지 <u>않은</u> 것은?

① 고통을 이기기 위해
② 삶의 의미를 찾기 위해
③ 교양 있는 사람으로 보이기 위해
④ 인간의 한계성과 유한성을 초월하기 위해

23. 다음 〈보기〉에서 설명하는 개념은?

〈보기〉

남과 사이좋게 지내되 의를 굽혀 좇지는 않는다는 뜻으로, 곧 남과 화목하게 지내지만 자기의 중심과 원칙을 잃지 않는다는 뜻이다.

① 화이부동(和而不同)
② 역지사지(易地思之)
③ 과유불급(過猶不及)
④ 온고지신(溫故知新)

24. 다음 내용과 관련하여 통일 한국이 지향해야 할 바람직한 국가상은?

> 국민이 나라의 참된 주인이 되고, 특정 계급이나 정파가 아닌 국민의 의사에 따라 국가의 모든 정책이 결정되며, 국민을 위한 정치가 이루어지는 국가를 말한다.

① 자주적인 민족 국가
② 정의로운 복지 국가
③ 자유로운 민주 국가
④ 수준 높은 문화 국가

25. ㉠의 사례로 적절한 것을 〈보기〉에서 고른 것은?

> 소극적 평화는 직접적 폭력이 없는 상태를 뜻한다. 반면 적극적 평화는 직접적 폭력은 물론 ㉠ 간접적 폭력도 사라져 인간다운 삶을 누릴 수 있는 상태를 뜻한다.

〈보기〉

ㄱ. 범죄   ㄴ. 테러
ㄷ. 가난   ㄹ. 차별

① ㄱ, ㄴ   ② ㄱ, ㄷ
③ ㄴ, ㄹ   ④ ㄷ, ㄹ

07
도덕

04 예상문제

1. 다음 중 실천 윤리학의 분류에 해당하는 것을 〈보기〉에서 모두 고르면?

〈보기〉
ㄱ 의무론   ㄴ 공리주의
ㄷ 생명 윤리   ㄹ 정보 윤리

① ㄱ, ㄴ   ② ㄱ, ㄷ
③ ㄴ, ㄹ   ④ ㄷ, ㄹ

2. 다음 내용을 주장한 사상가는?

· 인간의 본성이 근본적으로 선하다는 성선설(性善說)을 주장한다.
· 타고난 본성을 깨닫고 연마하여 하늘의 뜻을 알고 섬기는 사람이 성인이 된다고 본다.

① 헤겔   ② 홉스
③ 순자   ④ 맹자

3. 다음에서 설명하는 (가)에 들어갈 윤리 이론은?

(가)의 전통은 고대 그리스 철학자인 아리스토텔레스에 기원을 두고 있다. 매킨타이어로 대표되는 현대의 (가)에서는 의무와 원리에 따른 행위 중심의 윤리를 비판하고, 품성과 덕성을 중시하는 행위자 중심의 윤리에 초점을 두었다.

① 의무론   ② 공리주의
③ 덕 윤리   ④ 도덕 과학적 윤리

4. 도덕적 판단과정에서 비판적 사고의 긍정적인 측면이 <u>아닌</u> 것은?

① 성급한 결론을 예방할 수 있다.
② 주관적 감정을 강조할 수 있다.
③ 합리적 사고를 통한 객관적 판단에 기여한다.
④ 자신의 주장이나 선택에 대한 오류를 검토할 수 있다.

5. 다음 〈보기〉의 갑, 을의 공통적인 내용은?

〈보기〉

갑 : 우리가 무엇인가를 순수하게 인식하고자 한다면 육체로부터 떠나야 하며, 영혼만을 사용하여 사물 그 자체를 보아야 한다. 죽음을 통해 우리는 참된 진리에 도달할 수 있다.

을 : 죽음은 삶의 시작이니 누가 그 실마리를 알 수 있겠는가? 태어남은 기(氣)가 모이는 것이다. 모이면 태어나고 흩어지면 죽게 된다. 사물은 모두 도(道)에 따라 생겨나고 죽는다.

① 죽음 이후에는 우리는 어떤 것도 느낄 수 없다.
② 죽음에 대한 고통에서 벗어나기 위해서는 절대자에게 의지해야 한다.
③ 죽음은 우리가 겪어야 할 가장 큰 고통이다.
④ 죽음을 두려워할 필요가 없다.

6. 생명과학 기술을 바람직한 방향으로 발전시키기 위한 노력으로 옳은 것은?

① 다른 생명체 · 생태계를 존중한다.
② 생화학 무기를 생산하는 데 활용한다.
③ 동물에게 고통을 주는 연구를 확대한다.
④ 상품화를 목적으로 유전자 연구 결과를 악용한다.

7. 다음 글의 ㉠에 대한 설명으로 옳지 <u>않은</u> 것은?

㉠은 동기간(同氣間)이고 뼈와 살을 나눈 지극히 가까운 친족이니, 더욱 마땅히 우애해야 하고 서로 미워하거나 원망하여 하늘의 바른 뜻을 무너뜨려서는 안 된다.

① 부모로부터 다른 기운을 받고 태어난 관계이다.
② 서로 아끼고 도와주는 수족지의(手足之義)의 관계이다.
③ 서로 관심을 갖고 사랑하면서도 간혹 경쟁하는 관계이다.
④ 다른 사회적 관계의 규범을 배우고 익히는 밑거름이 되는 관계이다.

04 예상문제

8. 다음 말과 관련된 직업의 의의로 가장 적절한 것은?

> "백성이 일정한 생산 소득이 없으면 바른 마음을 유지할 수 없다"
>
> – 맹자(孟子) –

① 직업은 생계유지를 위한 수단이다.
② 직업 활동에서 자신이 추구하는 가치를 실현할 수 있다.
③ 직업을 통해 사람들은 사회생활에 필요한 여러 가지 일들을 분담한다.
④ 직업 활동을 통해 자신의 재능과 소질을 발휘하여 자아를 실현할 수 있다.

9. 다음 중 공직자의 자세로 옳지 <u>않은</u> 것은?

① 공직자는 봉공의 자세를 지녀야 한다.
② 공직자는 청백리 정신을 되살려야 한다.
③ 공직자는 공익보다 사익을 우선할 수 있다.
④ 공직자는 특권의식을 버리고 솔선수범해야 한다.

10. 밑줄 친 '사회 도덕 문제'에 해당하지 <u>않는</u> 것은?

> <u>사회 도덕 문제</u>란 그 원인이 사회 차원에 있는 도덕 문제를 의미하며, 개인의 노력만으로 해결되기 어렵기 때문에 사회 정책이나 제도의 개선을 통해 해결해야 한다.
>
> –니부어(Niebuhr, R.) –

① 지역 이기주의   ② 심각한 환경 문제
③ 친구와의 성격 차이   ④ 관행화된 부정부패

11. 다음 〈보기〉의 내용을 주장한 사상가는?

> 〈보기〉
> · 취득의 원칙 : 정의의 원리에 따라 소유물을 취득한 자는 그 소유물에 대한 권리가 있다.
> · 최소 국가 : 개인의 권리를 침해하지 않고 보호하는 국가만이 정당하다.

① 롤스   ② 노직   ③ 왈처   ④ 니부어

12. 다음 〈보기〉의 칸트가 주장하는 사형에 대한 관점은?

─〈보기〉─

칸트는 위법한 행위를 한 경우에는 반드시 그에 상응하는 처벌을 받아야 한다고 본다.

① 공리주의
② 응보주의
③ 상대주의
④ 사회주의

13. 다음 〈보기〉의 국가 기원설을 주장한 사상가는?

─〈보기〉─

· 인간의 본성은 사회 · 정치적 존재이므로 국가의 발생도 자연스러운 것이다.
· 국가는 시민 유대감과 행복한 삶을 위해 존재하는 것이다.

① 칸트
② 니체
③ 마르크스
④ 아리스토텔레스

14. 민주 시민이 지녀야 할 바람직한 자세를 〈보기〉에서 고른 것은?

─〈보기〉─

ㄱ. 극단 개인주의
ㄴ. 사회 의무 준수
ㄷ. 타인의 권리 존중
ㄹ. 사상의 통제와 획일화

① ㄱ, ㄴ
② ㄱ, ㄹ
③ ㄴ, ㄷ
④ ㄷ, ㄹ

15. 다음 글의 밑줄 친 '변화'의 예로 적절하지 <u>않은</u> 것은?

정보 통신 기술의 발달은 우리 삶에 많은 <u>변화</u>를 가져왔다. 클릭 하나로 전 세계에서 벌어지고 있는 일들을 실시간으로 알 수 있으며, 다른 나라 사람들과 대화를 나눌 수도 있다.

① 퇴근길에 시장에 들러 과일을 산다.
② 출근길에 스마트폰으로 업무 메일을 확인한다.
③ 저녁에 외국에 유학을 간 친구와 채팅을 한다.
④ SNS로 사회 문제에 대한 자신의 의견을 올린다.

16. 사이버 공간에서 발생하는 윤리 문제를 해결하기 위해서 지켜야 할 원칙으로 옳지 않은 것은?

① 인간 존중의 원칙　　　　　② 책임의 원칙
③ 익명성의 원칙　　　　　　　④ 해악 금지의 원칙

17. 다음 중 테일러(Taylor, P)의 생명 중심주의에 대한 설명으로 옳은 것은?

① 자연은 본래적 가치가 없다.
② 인간은 자연에 대한 어떤 의무도 없다.
③ 이성이 없는 존재는 도덕적 존중의 대상이 아니다.
④ 모든 생명체는 목적 지향적 존재이므로 도덕적 존중의 대상이다.

18. 다음에서 설명하는 도교의 이상적인 삶은?

> 인위(人爲)를 거부하고 자연 그대로 어린아이와 같은 순진무구한 모습과 자연의 섭리로 소박한 삶을 살아감을 강조한다.

① 극기복례(克己復禮)　　　　② 호연지기(浩然之氣)
③ 무위자연(無爲自然)　　　　④ 경세치용(經世致用)

19. 다음 〈보기〉에서 설명하는 관점은?

〈보기〉
> 예술가에게 윤리적 공감은 불필요하다. 예술가는 아름다운 사물을 오직 아름다움의 의미로 받아들여야 한다.

① 예술 지상주의　　　　　　② 예술 상대주의
③ 예술 도덕주의　　　　　　④ 예술 주관주의

20. 다음 글에서 강조하는 내용으로 가장 적절한 것은?

> 집은 인간의 삶의 중심이며 요람이다. 집은 인간의 삶을 한곳에서 뿌리내리게 하고, 그곳으로부터 세계와 우주가 열리는 통로이다. 우리는 집 안에서 안정을 취하고 휴식하며 더 크고 넓은 삶의 장소로 진입한다. 집이 주는 편안함과 안정, 한 장소에 대한 뿌리 내림과 거주를 바탕으로 집은 인간의 전 생애에 걸쳐 그의 삶의 터전이며 확고한 중심으로 작용한다.

① 집과 인간은 분리할 수 있는 관계이다.
② 집에 대한 경제적 가치를 중시해야 한다.
③ 집은 행복한 삶을 위한 기본 터전이 된다.
④ 집은 안식과 평안함을 제공해 주므로 투기의 대상이 된다.

21. 다음은 신문 칼럼이다. ㉠에 들어갈 제목으로 가장 적절한 것은?

> | ○○신문 | **칼 럼** | ○○○○년 ○○월 ○○일 |
> | --- | --- | --- |
>
> ㉠
>
> 요즘 우리 사회에서 일부 종교인들이 자신이 믿는 종교만을 맹신하여 사회적 갈등이 유발되고 있다. 참된 종교인은 자신의 종교만을 옳다고 여기는 열광주의자도 아니고, 이미 모든 해답을 다 갖고 있는 사람도 아니다. 그 역시 진리를 찾아나서는 사람이고, 미지(未知)의 길을 걸어가는 순례자일 뿐이다. 참된 종교인이 되기 위해서는 종교 간의 만남을 통해 다른 종교인에 대한 편견을 버리고, 열린 마음을 가져야 한다. … (후략) …

① 관용을 허용하지 않은 종교도 참된 종교임을 깨닫자.
② 자신이 신봉하는 종교의 교리로만 다른 종교를 평가하자.
③ 종교적 진리를 탐구하며 다른 종교에 개방적 자세를 유지하자.
④ 초자연적 진리 추구를 통해서 자기 종교의 절대성을 고수하자.

22. 다음 중 문화 상대주의의 관점을 갖고 있는 사람은?

① 갑 : 선진국의 문화가 항상 최고라고 생각해.
② 을 : 선호하는 음식이 나라마다 다른 것은 당연해.
③ 병 : 한민족의 문화가 세계에서 으뜸이라고 생각해.
④ 정 : 옷을 입지 않고 생활하는 민족은 미개한 민족이야.

23. 다음 중 서로 다른 종파들 간의 다툼을 더 높은 차원에서 해소하기 위해 원효가 제시한 사상은?

① 담론(談論) 사상
② 화쟁(和諍) 사상
③ 도(道) 사상
④ 정명(正名) 사상

24. 남북한 교류와 협력의 바람직한 방향만을 〈보기〉에서 있는 대로 고른 것은?

─────〈보기〉─────
㉠ 상호 신뢰 회복
㉡ 남북한 상호 호혜적인 관계 형성
㉢ 급진적이고 단기적인 교류와 협력
㉣ 남한의 체제 우월성을 바탕으로 문화 전파

① ㉠, ㉡
② ㉠, ㉢
③ ㉡, ㉣
④ ㉢, ㉣

25. 다음 〈보기〉에서 설명하는 국제 관계 이론은?

─────〈보기〉─────
· 군사력의 증강과 동맹을 통해 국가 간의 갈등을 억제한다.
· 국가 안보와 자력 구제, 국가 간의 세력 균형을 강조한다.

① 세계주의
② 이상주의
③ 도덕주의
④ 현실주의

05 예상문제

1. 다음 〈보기〉에서 설명하는 윤리학은?

〈보기〉

· 도덕적 언어의 논리적 타당성과 의미 분석을 주로 다룬다.
· 윤리학적 개념의 의미를 명확하게 하려고 하는 연구에 중점을 둔다.

① 규범 윤리학
② 메타 윤리학
③ 실천 윤리학
④ 기술 윤리학

2. 〈보기〉의 (가), (나)에 해당하는 분야의 실천 윤리를 바르게 연결한 것은?

〈보기〉

(가) 낙태, 안락사, 장기 이식, 유전자 조작 등
(나) 지구 온난화, 오존층 파괴, 사막화 등의 문제

      (가)   (나)
① 정보 윤리   사회 윤리
② 생명 윤리   환경 윤리
③ 사회 윤리   생명 윤리
④ 환경 윤리   평화 윤리

3. 다음 중 불교에 대한 설명으로 옳지 <u>않은</u> 것은?

① 연기성(緣起性)을 깨닫고 자비를 베푼다.
② 고통의 원인인 삼독과 집착에서 벗어난다.
③ 살아 있는 모든 존재에는 불성(佛性)이 있기 때문에 모든 생명은 평등하다.
④ 사사로운 욕심을 이기고 예(禮)를 회복한다.

05 예상문제

4. 다음 〈보기〉에서 설명하는 도덕 이론은?

〈보기〉

언제 어디서나 우리가 따라야 할 행위의 보편 법칙이 있다고 본다. 우리의 행위가 이 법칙을 따르면 옳고 따르지 않으면 그르다고 판단한다.

① 의무론
② 공리주의
③ 덕 윤리
④ 배려 윤리

5. 다음 아람이의 이야기에 쓰인 도덕 원리 검사 방법으로 옳은 것은?

아람 : 만약 너처럼 모두가 윤리 수행 평가 시험에 '그 정도는 괜찮겠지' 하고 모두 친구들의 내용을 몰래 본다면 어떻게 되겠니? 시험 보는 것이 의미가 있을 까? 우리는 부정행위로 인해 발생하는 나쁜 결과를 고려해야 해.

① 역할 교환 검사
② 포함 검사
③ 반증 사례 검사
④ 보편화 결과 검사

6. 뇌사를 법적인 사망으로 인정할 경우의 문제점으로 알맞은 것은?

① 뇌사자의 생명권을 보호할 수 있다.
② 뇌사 판정의 객관성을 높일 수 있다.
③ 의사들의 책임 의식과 전문성이 높아진다.
④ 장기 기증을 위해 뇌사 판정이 함부로 이루어질 수 있다.

7. 다음 중 인체 실험의 정당한 조건으로 알맞지 <u>않은</u> 것은?

① 피험자의 고통을 최소화해야 한다.
② 피험자에게 실험에 대한 충분한 정보를 제공해야 한다.
③ 피험자가 동의를 하면 실험 중간에 포기할 필요가 없다.
④ 피험자에게 자율성을 확보해 주어야 한다.

8. 다음 〈보기〉에서 옳지 <u>않은</u> 내용을 고르면?

───〈보기〉───

주제 : 전통 사회의 가족 윤리

1. 부부 간의 윤리

    부부상경 : 부부가 서로의 역할을 존중하고 공경하는 자세를 강조함 …… ㉠

2. 부모 자녀 간의 윤리

    · 부자유친 : 부모와 자녀 사이에는 친밀함이 있어야 함을 강조함 …… ㉡

    · 부자자효 : 자녀가 부모에게 지극 정성으로 효도하는 일방적 윤리 규범을 강조한다. …… ㉢

3. 형제자매 간의 윤리

    형우제공 : 형은 아우를 우애 있게 대하고 아우는 형을 공경하는 자세를 강조함 …… ㉣

① ㉠   ② ㉡   ③ ㉢   ④ ㉣

9. 밑줄 친 '이것'에 해당하는 공자의 사상은?

<u>이것</u>은 "임금은 임금다워야 하고, 신하는 신하다워야 한다."라는 뜻으로 사람들이 각자의 신분과 지위에 맞는 역할을 제대로 해야 한다는 의미를 갖는다.

① 정명(正名)   ② 자비(慈悲)
③ 부쟁(不爭)   ④ 겸애(兼愛)

10. 다음 내용과 관련 깊은 사상가는?

지혜의 덕을 지닌 철학자 계급, 용기의 덕을 지닌 수호자 계급, 절제의 덕을 지닌 생산자 계급이 각각 자신의 본분을 잘 발휘하여 조화를 이룰 때 정의로운 국가가 실현된다.

① 이황   ② 원효
③ 플라톤   ④ 칸트

05 예상문제

11. 〈보기〉의 빈칸에 들어갈 내용으로 적절한 것은?

---〈보기〉---

니부어(Niebuhr, R.)는 사회 도덕 문제를 개인의 노력으로 해결하기 어렵기 때문에 _____을 통해 해결해야 한다고 보았다.

① 타고난 본성의 회복
② 개인의 도덕성 함양
③ 끊임없는 인격의 수양
④ 사회정책이나 제도의 개선

12. 롤스(Rawls, J.)의 정의의 원칙 ㉠, ㉡에 들어갈 알맞은 말은?

정의의 원칙	내 용
㉠	평등한 기본 자유를 최대한으로 보장
차등의 원칙	㉡

 ㉠ ㉡
① 평등한 분배의 원칙 – 학력 순에 따른 우선 배려
② 평등한 자유의 원칙 – 사회 약자에 대한 우선 배려
③ 평등한 자유의 원칙 – 지연에 따른 우선 기회 보장
④ 평등한 분배의 원칙 – 외모에 따른 우선 기회 보장

13. 다음 중 분배적 정의의 기준으로 적절한 것은?

A : 모두가 다 열심히 일하였으므로 임금을 똑같이 주어야 해.
B : 더 많은 성과를 낸 사람에게 더 많은 임금을 주어야 해.

  A B
① 노력 평등
③ 능력 노동
② 평등 업적
④ 필요 능력

14. 다음 〈보기〉의 국가 기원론을 주장한 사상가는?

―〈보기〉―

인간은 이기적이기 때문에 자연 상태는 '만인의 만인에 대한 투쟁'과 같다. 따라서 생명과 안전을 확보하기 위해서는 계약을 통해 자신의 권리를 국가에 양도해야 한다.

① 루소　　　　　　　　　② 홉스
③ 로크　　　　　　　　　④ 싱어

15. 다음 〈보기〉의 주장과 일치하는 내용은?

―〈보기〉―

정보와 지식을 통해서 나온 것들을 개인의 재산으로 인정하고 보호해야 한다.

① 창작자의 경제적 이익을 보장해야 한다.
② 생산된 정보는 공공재로 간주해야 한다.
③ 지적 재산권을 개인이 소유하면 정보 발전이 어렵다.
④ 정보에 대한 접근 기회를 소수에게만 제한되어서는 안 된다.

16. 다음 글에서 설명하는 개념으로 옳은 것은?

이메일이나 휴대 전화, SNS, 인터넷 카페 등을 이용하여 특정인을 집단으로 괴롭히는 현상을 의미한다. 특징으로는 익명성 외에도 상시성, 신속성, 확산성, 시각적 충격 등이 있다.

① 사이버불링　　　　　　② 사이버헌팅
③ 사이버 소외　　　　　　④ 집단 따돌림

17. 다음 〈보기〉의 관점을 주장한 사상가는?

―〈보기〉―

지식은 힘이다. 자연이 인간에게 이롭도록 지식을 활용하라. 자연은 인간에게 순종하고 정복되어야 할 존재이다.

① 테일러　　　　　　　　② 베이컨
③ 슈바이처　　　　　　　④ 싱어

18. 다음 중 도덕주의에 대한 설명으로 옳지 <u>않은</u> 것은?

① 예술은 도덕적 교훈을 제공해야 한다.
② 예술의 사회성을 강조한다.
③ 예술은 도덕적 가치와 관련된다.
④ 예술은 오직 미적 가치만을 추구해야 한다.

19. 다음 글의 빈칸에 들어갈 소비의 형태는?

> (   ) 소비는 재화의 구매, 사용, 처분 그리고 분배에 이르기까지 사회적 책임을 고려한 행동이어야 한다. 구체적인 방법으로는 친환경 상품이나 공정 무역 상품을 구매하고, 옷이나 물건을 오래 사용하는 것 등이 있다.

① 윤리적   ② 합리적   ③ 모방적   ④ 효율적

20. 다음 사례에 나타난 문화 이해의 태도는?

> 미국의 선교사들은 인디언들의 풍속과 종교를 사악한 것이라 하여 무시하며, 자신들의 문화를 우수하다고 생각했다.

① 문화 사대주의   ② 문화 상대주의
③ 자문화 중심주의   ④ 극단적 문화 상대주의

21. 종교 간 갈등과 대립을 줄이기 위한 자세가 <u>아닌</u> 것은?

① 다른 종교를 이해하고자 노력한다.
② 서로에 대해 관용 태도를 가진다.
③ 상대에게 자기 종교의 교리를 강요한다.
④ 개방적인 태도로 상대 종교의 장점을 인정한다.

22. 갈등에 관한 윤리노트 필기 내용이다. 다음 중 <u>잘못</u> 필기한 내용은?

---

1. 갈등의 의미와 기능 및 양상
   (1) 의미 : 칡뿌리와 등나무가 얽혀 있는 것과 같이 개인이나 집단 사이에 목표나 이해관계가 달라 충돌하는 상황
   (2) 원인
   　① 사회적 가치의 희소성, 가치관이나 이해관계의 차이에서 발생 …… ㉠
   　② 자신의 욕구나 주장보다 상대방의 욕구나 주장을 먼저 생각함으로써 발생 …… ㉡
   (3) 기능
   　① 긍정적 기능 : 사회에 내재된 문제를 명확히 인식함으로써 발전의 계기가 됨 …… ㉢
   　② 부정적 기능 : 상대방의 문제점만을 지적함으로써 사회가 해체될 수 있음 …… ㉣

---

① ㉠　　　　　　② ㉡　　　　　　③ ㉢　　　　　　④ ㉣

23. 다음 〈보기〉의 설명과 관련이 깊은 갈등은?

〈보기〉

　과거 우리나라는 분단과 전쟁이라는 아픔을 겪었으며, 냉전 체제에서 남북한 간의 대립이 심화되었다. 냉전이 끝난 지금도 여전히 우리 사회에서는 북한을 바라보는 시각 차이 때문에 다양한 갈등이 일어나고 있다.

---

① 세대 갈등
② 노사 갈등
③ 빈부 갈등
④ 이념 갈등

05 예상문제

24. 다음 〈보기〉에서 제시하고 있는 통일 한국의 미래상은?

〈보기〉

　　통일 한국은 불공정한 부의 분배나 집단과 계층 간의 사회 갈등을 해소하고, 민족 구성원들의 삶의 질을 풍요롭게 만들 수 있는 정책을 강구해야 한다.

① 자주적인 민족국가
② 정의로운 복지국가
③ 수준높은 문화국가
④ 자유로운 민주국가

25. 국제 분쟁을 해결하는 자세로 바람직한 것은?

① 자국 문화의 우월성을 강조한다.
② 자국의 이익을 최우선으로 추구한다.
③ 선진국의 입장에서 문제를 해결한다.
④ 약소국의 여건 개선을 위한 제도를 마련한다.

07

정답 및 해설
도덕 ETHICS

적중! 모의고사 예상문제

적중! 모·의·고·사

1회 예상문제 · 도덕				
1. ④	2. ①	3. ①	4. ④	5. ④
6. ①	7. ①	8. ④	9. ②	10. ③
11. ②	12. ②	13. ①	14. ④	15. ②
16. ②	17. ③	18. ②	19. ③	20. ④
21. ④	22. ③	23. ③	24. ④	25. ③

1. 윤리학은 인간의 도덕적 행위를 탐구 대상으로 하며, 도덕적 행위의 조건과 기준을 제시할 뿐 아니라, 바람직한 삶, 올바른 가치, 보편타당한 원리 등을 탐구함으로써 가치 있는 삶의 방향을 제시하고 실천을 목표로 한다. ④ 자연과학이다.

2. 도가에서는 내면의 자유로움을 추구함으로써 세속적 가치에 대한 지나친 욕망에서 벗어나게 하는 데 기여할 수 있다고 보았다. ② 불교, ③ 유교, ④ 공리주의에 대한 설명이다.

3. 〈보기〉는 양적 공리주의자인 벤담이다. 벤담은 인간은 누구나 쾌락을 추구하고 고통을 피하는 존재라고 보았으며, 쾌락은 선이고 고통은 악이라고 보았다. 그는 사회가 개인의 집합체이므로 개인의 행복과 사회 전체의 행복은 연결되어 있으며 더 많은 사람이 행복을 누리는 것이 좋은 일이라고 보고 '최대 다수의 최대 행복'이라는 도덕 원리를 제시하였다. 또한 모든 쾌락은 질적으로 동일하며 양적인 차이만 있다고 가정하고 쾌락을 계산할 수 있다고 보았다.

5. ①, ②, ③은 안락사 반대 입장이다.

6. 인간 개체 복제는 동일한 유전자를 지닌 인간을 만들어 냄으로써 인간이 지닌 고유성을 상실하게 만들고, 복제 인간으로 하여금 심각한 자아 정체성의 위기에 빠지게 만들며, 인간을 제작하거나 대체 가능한 존재로 생각하는 풍조를 확산시킬 수 있다.

7. ② 중도주의의 성은 사랑을 전제로 할 때 도덕적이라고 보고, ③ 자유주의는 자발적 동의를 전제로 할 때 도덕적이라고 본다.

8. 오륜에는 부자유친(父子有親), 군신유의(君臣有義), 장유유서(長幼有序), 부부유별(夫婦有別), 붕우유신(朋友有信)이 있다.

10. 기업은 건전한 방법으로 이윤을 추구해야 하며, 근로자의 권리를 존중하고, 소비자에 대한 책임을 다해야 한다.

11. 니부어는 개개인의 이기적 충동은 집단 속에서 더욱 악화된 형태로 나타나기 때문에 집단의 도덕성은 개인의 도덕성보다 현저히 떨어진다고 보았다.

13. 〈보기〉에서 똑같은 양의 구호물자를 지급하는 것은 절대적 평등에 따른 분배이다.

14. 롤스의 정의의 원칙에는 제 1원칙은 평등한 자유의 원칙, 제 2원칙은 차등의 원칙과 기회 균등의 원칙이 있다.

15. 〈보기〉는 혜택론에 대한 설명이다. 혜택론은 국가가 시민에게 공공재를 제공하고 각종 제도나 규칙 등 관행의 혜택을 주기 때문에 국가 권위에 복종해야 한다고 주장한다.

16. 맹자가 주장한 민본 정치에서는 나라의 근본을 백성으로 여긴다. 백성은 군주의 덕과 민본 정치에 감화되어 국가에 충성해야 한다. 또한 백성은 군주가 백성을 위하지 않으면 역성혁명을 일으킬 수 있다고 보았다. ② 민본 정치에서는 백성이 직접 군주를 선출하지는 않는다.

19. 싱어는 쾌고 감수 능력이 이익 관심을 갖는 전제 조건이라고 보고 '이익 평등 고려의 원칙'에 따라 고통을 느낄 수 있는 모든 존재를 도덕적 고려의 대상으로 삼아야 한다고 보았다.

20. 도덕주의는 예술이 도덕적 교훈과 본보기를 제공하여 인간의 도덕성 형성에 기여해야 한다고 보았다.

21. 윤리적 소비란 윤리적 가치 판단에 따라 상품이나 서비스를 구매하고 사용하는 것을 중시하는 소비이다. 윤리적 소비에는 공정 무역 제품이나 친환경 농산물 등 바람직한 윤리적 상품 구매, 재사용과 재활용 등이 있다.

22. 〈보기〉의 중국인들의 중화주의, 게르만 문화 우월주의는 자문화 중심주의의 대표적 예이다. 자문화 중심주의란 자국의 문화를 기준으로 다른 문화를 무조건 낮게 평가하는 태도이다.

24. 분단 비용은 분단으로 인해 남북한이 부담하는 유·무형의 지출 비용으로서, 경제적 비용(군사비, 외교적 경쟁 비용 등), 경제 외적인 비용(전쟁에 따른 불안, 이산가족의 아픔, 이념적 갈등과 대립 등)이 있다. ㉠, ㉡은 평화 비용에 해당한다.

25. 〈보기〉는 의무적 관점에서 원조를 주장한 싱어이다. 싱어는 공리주의에 기초하여 내 이웃을 돕는 것과 먼 거리에 있는 이웃을 돕는 것 사이에는 어떠한 도덕적 차이도 없다고 주장한다. 다른 사람의 굶주림이나 죽음을 방치하는 것은 결과적으로 인류 전체의 고통을 증가시키므로 옳지 않은 행동이다. 그러므로 기아에 허덕이는 사람들에게 민족, 국가, 인종을 초월하여 그들의 고통을 줄여 주기 위해 원조를 하는 것은 윤리적 의무라고 주장한다.

2회 예상문제 · 도덕				
1. ①	2. ①	3. ③	4. ①	5. ④
6. ④	7. ②	8. ④	9. ①	10. ①
11. ①	12. ③	13. ④	14. ②	15. ②
16. ④	17. ④	18. ③	19. ④	20. ①
21. ④	22. ②	23. ②	24. ③	25. ①

1. 〈보기〉의 ㉠은 이론 윤리학이다. 이론 윤리학에는 의무론, 공리주의, 덕 윤리가 있다. ②, ③, ④는 실천 윤리학이다.

2. ①은 한비자의 법가 사상이다.

4. 도덕원리 : 인권을 침해하는 것은(A) 옳지 않다.(B) → 사실판단 : 공공장소에서 흡연하는 것은(C) 인권을 침해하는 것이다.(A) → 도덕 판단 : 공공장소에서 흡연하는 것은(C) 옳지 않다.(B)

5. ㉠은 낙태 반대 논거에 해당한다.

8. 부부는 서로의 차이를 존중하고 조화를 이루어 나가야 한다.

9. 청렴은 뜻과 행동이 맑고 염치를 알아 탐욕을 부리지 않는 상태로 공직자가 지녀야할 자세이다.

10. 니부어에 따르면, 사회 문제는 개인의 선한 양심만으로는 해결하기 어렵다고 보고, 사회 구조나 제도, 정책의 개선을 통해 해결되어야 한다고 강조하였다.

11. 롤스는 절차가 공정하면 그에 따른 결과도 공정하다는 절차적 정의를 주장한 사상가이다.

12. 사형의 찬성 입장에서는 흉악 범죄자의 사형은 정당하고, 범죄 예방에 효과적이라고 주장한다. 사형의 반대 입장에서는 사형은 예방 효과가 미비하고 인도주의적 차원에 위배되며 오판의 가능성이 있다. 또한 정치적 악용의 가능성과 범죄자의 교화의 기회를 박탈한다고 주장한다.

13. 한비자는 인간의 본성이 악하다고 보았으며 악한 본성을 법에 의해 통제해야 한다고 주장하였다.

14. 시민 불복종의 정당화 조건은 공익성, 공개성, 처벌 감수, 최후의 수단, 비폭력성이 있다.

15. 〈보기〉는 과학 기술의 가치 중립성을 인정하는 입장이다. 과학 기술의 가치 중립성을 인정하는 입장에서는 과학 기술 그 자체를 가치 중립적이라고 보고, 자유롭게 발전할 수 있도록 간섭해서는 안 되며, 이러한 과학 기술에 대한 도덕적 평가와 비판을 유보해야 한다고 본다.

16. 뉴 미디어는 종합화, 상호 작용화, 비동시화, 탈대중화, 능동화, 디지털화 등의 특징이 있다.

17. 〈보기〉는 레오폴드의 주장이다. 생태 중심주의 입장인 레오폴드는 도덕 공동체의 범위를 동물, 식물, 흙, 물 등을 비롯한 대지까지 확장하고, 이러한 대지 공동체를 생명 공동체로 여긴다.

19. 신문 칼럼은 복잡한 유통 구조로 인해 적은 소득만을 올리고 있는 카카오 생산 농가들에게 정당한 이익을 제공해야 한다고 주장한다.

20. 〈보기〉는 샐러드 볼 이론이다. 샐러드 볼 이론은 여러 민족의 문화가 평등하게 인정받아야 한다고 주장하는 이론으로, 다양한 문화들 사이의 우열을 가리지 않고 서로 다른 문화의 공존을 지향한다.

21. 문화의 다양성을 인정해야 하지만 인류의 보편적 가치나 윤리를 벗어나는 것까지도 허용하는 것은 옳지 않다.

22. 하버마스가 주장한 이상적인 담화의 조건은 정당성, 진리성, 이해 가능성, 진실성이다.

24. 독일은 통일을 이루게 될 때까지 지속적으로 통일을 위한 노력을 해 왔다. 정치 · 제도 · 영토적 통일에만 주력한 것이 아니라 분단 상태에서도 다양한 문화적 교류를 추진하였고, 동서독 간의 활발한 교류와 협력은 독일 통일의 기초가 되었다.

25. 〈보기〉는 이상주의적 관점에 대한 설명이다. 이상주의에서는 인간처럼 국가도 이성적이고 합리적이라고 보아 도덕규범을 강조하며, 국제 분쟁 해결을 위해 국제법이나 국제 규범으로 제도를 개선해야 한다고 주장한다.

3회 예상문제 · 도덕

1. ①	2. ②	3. ③	4. ①	5. ④
6. ③	7. ①	8. ④	9. ①	10. ④
11. ②	12. ④	13. ②	14. ③	15. ④
16. ③	17. ①	18. ①	19. ②	20. ②
21. ④	22. ③	23. ①	24. ③	25. ④

1. 〈보기〉의 '이것'은 윤리적 공백이다. 요나스는 과학 기술의 발달과 이를 따라가지 못하는 기존 윤리와의 간극을 윤리적 공백이라고 하였다.

2. 응용 윤리는 과학 기술 및 정보 통신 분야, 환경이나 생명 의료 분야, 가정이나 경제 분야 등에서 발생하는 구체적인 윤리 문제에 대해 각기 적절한 윤리 이론을 적용한다. 응용 윤리의 분야로는 환경 윤리, 생명 윤리, 정보 윤리, 사회 윤리, 문화 윤리, 평화 윤리 등이 있다. ②는 이론 윤리학에 대한 설명이다.

3. 불교에서는 모든 것이 상호 관계 속에서만 존재한다는 연기의 법칙을 깨닫게 되면 자기가 소중하듯 남도 소중하다는 자비(慈悲)의 마음이 저절로 생길 뿐만 아니라 고통의 원인인 탐욕에서도 벗어날 수 있다고 본다.

4. 덕 윤리는 칸트의 의무론과 공리주의가 행위자의 품성보다 행위에 대해 관심을 갖는 점을 비판하며, 행위자 개인의 품성에 관심을 갖는다. 덕 윤리는 윤리적으로 옳고 선한 결정을 하려면 먼저 유덕한 품성을 길러야 한다고 주장한다.

5. 성찰이란 생활 속에서 자신의 마음가짐, 행동 또는 그 속에 담긴 자신의 정체성과 가치관에 관하여 윤리적 관점에서 깊이 있게 반성하고 살피는 태도이다.

7. ㉢, ㉣은 동물 실험 반대 논거이다.

8. 〈보기〉는 성 차별에 대한 내용이다. 성 차별은 남녀 간의 불신, 여성에 대한 과소평가, 불필요한 사회 문제를 야기하여 사회 발전 및 통합을 저해하고, 나아가 국가적 인력 낭비를 초래한다.

10. 〈보기〉는 칼뱅이 주장한 소명의식이다. 종교 개혁자 칼뱅은 직업이 '신으로부터 부름 받은 자기 몫의 일'이라고 보면서 자신의 직업에 충실히 임하는 것이 바로 신의 명령에 따르는 것이라고 주장하였다.

11. 부패로 인해 시민 의식 발달과 사회 발전을 저해하고 국가 신인도 하락을 초래할 수 있다.

12. 〈보기〉는 니부어의 사회 윤리에 대한 설명이다. 니부어는 도덕적인 인간으로 구성된 사회라 할지라도 그

사회는 비도덕적일 수 있다고 보면서 복잡한 사회 문제를 해결하기 위해서는 개인의 선한 양심, 도덕성, 윤리 의식에만 호소해서는 안 되며 사회 구조나 제도, 정책의 개선을 통해 해결되어야 한다고 강조하였다.

14. 베카리아는 순간적인 공포감을 주고 망각해 버리는 사형보다 지속적인 고통의 본보기가 되는 종신 노역형이 더 합리적인 형벌이라고 주장하였다.

15. 〈보기〉는 사회계약설에 대한 설명이다. 사회계약설은 시민들의 자발적 합의로 위임된 국가의 권위에 의해서 시민들의 권리를 보호할 수 있다고 주장하였다.

16. 시민 불복종은 부정의한 법과 정책에 대한 시민들의 의도적 위법 행위이다.

17. 책임 윤리를 주장한 요나스는 윤리적 책임의 대상을 현세대와 미래 세대는 물론, 자연 전체로 확장해야 한다고 본다.

18. 사이버 공간에서는 익명성으로 인해 표현의 자유가 보장되나 탈 억제 효과로 자기 규제를 어렵게 만들기도 한다.

19. 불교의 연기설에 대한 설명이다. 불교에서는 연기설(緣起說)에 따라 만물이 서로 밀접하게 관계를 맺고 상호 의존한다고 보았다.

20. 예술의 상업화는 작가 정신보다 대중성을 중시하여 예술이 지닌 고유한 미적 가치나 예술 작품이 지향하는 인문 교양적 가치가 위축되고 예술의 자율성을 훼손시킨다는 문제점이 있다.

21. ⓒ 슬로 푸드 운동은 비만 등을 유발하는 패스트 푸드 문제를 해결하고자 가공하지 않고 사람의 손맛이 들어간 음식, 자연적인 숙성이나 발효를 거친 음식 등 전통적인 방식으로 만든 음식을 섭취하자는 운동이다. ② 로컬푸드 운동은 장거리 운송을 거치지 않은 안전하고 건강한 지역 농산물을 구매하려는 운동이다.

24. ① 자주적인 민족 국가는 외세 의존적이 아니라 우리의 힘으로 통일 국가를 이룩하는 나라이다. ② 정의로운 복지 국가는 불공정한 부의 분배, 집단·계층 간의 사회적 갈등을 해소하여 사회 구성원들의 삶의 질을 향상시키는 나라이다. ④ 수준 높은 문화 국가는 열린 민족주의에 바탕을 두며 우수한 전통 문화를 바탕으로 창조적으로 문화를 발전시켜 세계적인 문화 국가를 이룩하는 것이다.

25. 직접적 폭력의 사례로는 범죄, 테러, 전쟁 등이 있으며, 간접적 폭력의 사례로는 가난, 굶주림, 차별 등이 있다.

4회 예상문제 · 도덕				
1. ④	2. ④	3. ③	4. ②	5. ④
6. ①	7. ①	8. ①	9. ③	10. ③
11. ②	12. ②	13. ④	14. ③	15. ①
16. ③	17. ④	18. ③	19. ①	20. ③
21. ③	22. ②	23. ②	24. ①	25. ④

1. ⊙, ⓒ은 이론 윤리학에 해당한다.

2. 맹자의 사상이다. 맹자는 사단이라는 선한 마음이 누구에게나 주어져 있다고 주장하였다.

3. (가)사상은 덕 윤리이다. 덕 윤리는 행위자의 품성과 덕성을 중시한다. 윤리적으로 옳고 선한 결정을 하려면 먼저 유덕한 성품을 길러야 한다고 본다. 이러한 성품을 기르기 위해서는 옳고 선한 행위를 습관화하여 자신의 행위로 내면화해야 한다.

4. 비판적 사고는 어떤 주장을 그대로 받아들이는 것이 아니라 주장의 근거와 그 적절성을 따져 보는 것이다. 일반적으로 비판적 사고는 논리적 사고와 합리적 사고를 포괄하는 특징이 있다.

5. 갑은 플라톤, 을은 장자의 죽음관이다. 플라톤은 육체에 갇혀 있던 영혼이 죽음 이후에 이데아의 세계로 들어갈 수 있다고 보고, 장자는 삶과 죽음이 기가 모였다가 흩어지는 자연적이고 필연적인 과정이므로 슬퍼할 필요가 없다고 본다.

7. ㉠은 형제·자매 관계이다. 형제자매는 같은 기운을 받고 태어나고 자란 사이로 동기간(同氣間)이라고 한다.

8. 도덕적 삶(항심(恒心))을 지속하기 위해 경제적 안정을 위한 일정한 생업(항산(恒産))이 필요하다고 주장한다.

9. ③ 공직자는 사익보다 공익을 추구해야 한다.

11. 자유 지상주의자인 노직은 각 개인은 자기 자신에 대한 완전한 소유권을 지니며 재화의 분배는 전적으로 개인의 자유에 위임해야 한다고 강조하였다.

12. 칸트는 위법 행위는 반드시 그에 상응하는 처벌을 받아야 한다는 응보주의적 형벌론을 주장한다. 특히 살인에 대한 처벌은 오직 사형만이 가능하다고 하였다.

13. 〈보기〉는 아리스토텔레스의 본성론에 대한 설명이다. 아리스토텔레스는 인간 본성의 정치적 속성으로 인해 국가를 형성하고 국가에 소속될 수밖에 없다고 주장하였다. 그는 국가는 시민들의 생존과 훌륭한 삶이라는 목적의 실현을 위해 존재한다고 보았다.

16. 사이버 공간에서 지켜야 할 원칙은 인간 존중의 원칙, 책임의 원칙, 해악 금지의 원칙, 정의의 원칙 등이 있다.

17. 생명 중심주의를 주장한 테일러는 모든 생명체는 의식의 유무에 상관없이 자기의 생존, 성장, 발전, 번식이라는 목적을 추구하고, 이를 위해 환경에 적응하려고 애쓰는 존재라고 하였다. 따라서 인간과 마찬가지로 모든 생명체는 '목적론적 삶의 중심'이자 자기실현을 위한 고유의 선을 지니는 존재로 내재적 존엄성을 가지며 인간은 이들을 존중해야 한다고 주장하였다.

18. 도가의 무위자연에 대한 설명이다. 도가에서는 인간의 인위적인 힘이나 조작이 더해지지 않은 자연 그대로의 상태, 즉 무위자연을 추구하며 인간의 의지나 욕구와 상관없이 존재하는 자연의 가치와 아름다움을 강조하였다.

19. 〈보기〉는 예술 지상주의에 대한 설명이다. 예술 지상주의는 예술이 예술 그 자체만을 목적으로 삼아야 하며 도덕적 가치나 평가로부터 자유로워야 한다고 본다.

20. 제시문은 볼노브의 주장이다. 그에 따르면 집은 인간 삶의 중심이며, 자아 정체성 형성에 기여한다.

21. 신문 칼럼은 종교 간의 갈등을 해결하기 위해 종교적 진리를 추구하며, 다른 종교에 대한 편견을 버리고 열린 마음을 가져야 할 것을 강조한다. 따라서 ㉠에 들어갈 제목은 종교적 진리를 탐구하며 다른 종교에 개방적인 자세를 유지해야 한다는 내용이 되어야 한다.

22. 문화 상대주의는 각 문화는 고유한 가치를 지니고 있으므로 문화의 다양성을 인정한다.

23. 원효는 종파 간의 논쟁을 '갈대 구멍으로 하늘을 본다.'라고 비유하며 불교의 여러 교설 간의 대립을 해소하기 위해 화쟁 사상을 제시하였다.

25. 현실주의는 국제 관계에서 국가는 자국의 이익만을 추구한다고 보고 국가 간의 힘의 논리를 강조하며, 국제 분쟁 해결을 위해 국가 간 세력 균형을 이루어야 한다고 주장하였다.

5회 예상문제 · 도덕

1. ②	2. ②	3. ④	4. ①	5. ④
6. ④	7. ③	8. ③	9. ①	10. ③
11. ④	12. ②	13. ②	14. ②	15. ①
16. ①	17. ②	18. ④	19. ①	20. ③
21. ③	22. ②	23. ④	24. ②	25. ④

1. 메타 윤리학은 도덕적 언어의 논리적 타당성과 의미를 분석하고 연구하였으며, 규범 윤리적 물음에 답하기에 앞서 그것들을 '학문적으로 다룰 수 있는가?'의 문제에 관심을 기울였다.

3. ④ 사사로운 욕심을 이기고 예(禮)를 회복하는 것은

유교의 극기복례(克己復禮)에 대한 설명이다.

4. 의무론적 윤리에서 도덕이란 행위의 결과와 상관없이 무조건 따라야 하는 법칙이며 그 자체가 목적인 명령임을 강조한다.

5. 보편화 결과 검사란 모든 사람들이 어떤 행동을 했을 때, 그 결과가 바람직하지 않다면 해서는 안 된다고 주장하는 방법이다.

6. 뇌사를 법적인 사망으로 인정할 경우 뇌사 판정이 남용될 가능성이 있으므로 뇌사 판정의 객관성을 높이기 위해 의사들의 책임 의식을 높이고 전문성을 더욱더 키워야 한다.

7. ③ 실험 대상자의 피해 발생 시 실험을 중단해야 한다.

8. ⓒ 부모와 자녀는 일방적 규범을 강요하는 것이 아니라 가족 구성원은 서로 사랑을 실천해야 한다.

9. 공자의 정명(正名) 정신에 대한 설명이다. 정명(正名) 정신은 자신의 지위와 이름에 알맞은 책임과 역할의 수행을 강조한다.

11. 니부어는 현대 사회의 윤리적 문제를 개인의 양심이나 윤리 의식만으로 해결하기 어렵다고 보고 사회 구조나 제도, 정책의 개선이 우선적으로 요구된다고 강조하였다.

13. A는 평등에 따른 분배, B는 업적에 따른 분배이다.

14. 홉스는 인간은 이기적인 존재로, 국가는 만인의 만인에 대한 투쟁 상태에 놓인 사람들의 생명과 재산을 보호하고 사회 질서를 형성해야 한다고 주장하였다.

15. 〈보기〉는 정보 사유론에 대한 설명이다. 정보 사유론은 창작자의 권리를 절대적인 것으로 인정하고 보호할수록 창작 의욕이 고취되어 더 많은 지적 산물이 창조될 것이라고 본다.

17. 〈보기〉는 인간 중심주의를 주장한 베이컨이다. 베이컨은 자연은 인간의 이익과 풍요를 위한 수단일 뿐이라고 보고, 생명체들 간의 위계질서가 존재한다고 본다.

18. 도덕주의적 관점은 예술의 사회성을 강조하고, 예술 작품은 도덕적 교훈이나 본보기를 제공해야 한다고 주장하며, 참여 예술론을 옹호한다. ④ 예술지상주의에 대한 설명이다.

19. 윤리적 소비는 재화의 구매, 사용, 처분 그리고 분배에 이르기까지 사회적 책임을 고려한 행동이어야 한다. 윤리적 소비자는 윤리적 제품을 구매하는 것뿐 아니라 기본적으로는 상거래에서 소비 윤리를 지키며, 자신의 소비 생활이 개인에게 미치는 영향만이 아니라 사회와 더 넓은 범위에 미치는 영향을 고려하여 의사 결정을 내리며, 간소한 삶을 지향하고 절제와 나눔을 실천한다.

20. 자문화 중심주의는 자국의 문화를 기준으로 다른 문화를 무조건 낮게 평가하는 태도이다.

21. 종교 간의 갈등은 타 종교에 대한 무지와 오해, 편견, 배타적 태도 등으로 발생하고 있으므로 종교 평화를 이룩하기 위해서는 다양한 종교 속에 진리가 존재함을 인정하고 적극적으로 수용하여 이해하며, 자신의 종교만 우월하다는 편견을 버리고 자신의 종교에 대한 철저한 자아비판을 전제로 하여 타 종교와의 대화와 협력을 시도해야 한다.

22. ② 갈등은 자신의 욕구나 주장을 서로 앞세울 때 발생하게 된다.

25. 국제 분쟁을 해결하기 위해서는 상호 존중과 관용의 자세를 지녀야 하고, 국가 간의 대화와 타협 등 평화적 수단을 활용하려는 자세를 함양해야 한다.

예상문제집

인쇄일	2022년 3월 24일
발행일	2022년 3월 31일
펴낸이	(주)매경아이씨
펴낸곳	도서출판 국자감
지은이	편집부
주소	서울시 영등포구 문래2가 32번지
전화	1544-4696
등록번호	2008.03.25 제 300-2008-28호
ISBN	979-11-5518-120-1 13370

국자감 전문서적

기초다지기 / 기초굳히기

"기초다지기, 기초굳히기 한권으로 시작하는 검정고시 첫걸음"

· 기초부터 차근차근 시작할 수 있는 교재
· 기초가 없어 시작을 망설이는 수험생을 위한 교재

기본서

**"단기간에 합격! 효율적인 학습!
적중률 100%에 도전!"**

· 철저하고 꼼꼼한 교육과정 분석에서 나온 탄탄한 구성
· 한눈에 쏙쏙 들어오는 내용정리
· 최고의 강사진으로 구성된 동영상 강의

만점 전략서

"검정고시 합격은 기본! 고득점과 대학진학은 필수!"

· 검정고시 고득점을 위한 유형별 요약부터
  문제풀이까지 한번에
· 기본 다지기부터 단원 확인까지 실력점검

핵심 총정리

"시험 전 총정리가 필요한 이 시점! 모든 내용이 한눈에"

· 단 한권에 담아낸 완벽학습 솔루션
· 출제경향을 반영한 핵심요약정리

합격길라잡이

"개념 4주 다이어트, 교재도 다이어트한다!"

· 요점만 정리되어 있는 교재로 단기간 시험범위 완전정복!
· 합격길라잡이 한권이면 합격은 기본!

기출문제집

"시험장에 있는 이 기분! 기출문제로 시험문제 유형 파악하기"

· 기출을 보면 답이 보인다
· 차원이 다른 상세한 기출문제풀이 해설

예상문제

"오랜기간 노하우로 만들어낸 신들린 입시고수들의 예상문제"

· 출제 경향과 빈도를 분석한 예상문제와 정확한 해설
· 시험에 나올 문제만 예상해서 풀이한다

한양 시그니처 관리형 시스템

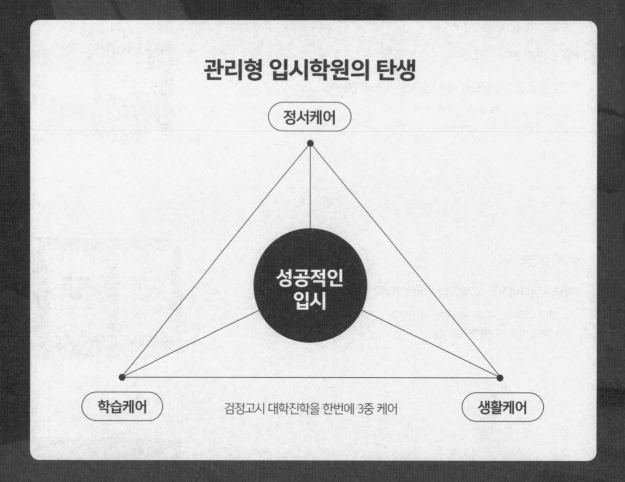

관리형 입시학원의 탄생

정서케어

성공적인 입시

학습케어   검정고시 대학진학을 한번에 3중 케어   생활케어

⚠ 정서케어

· 3대1 멘토링

 (입시담임, 학습담임, 상담교사)

· MBTI (성격유형검사)

· 심리안정 프로그램

 (아이스브레이크, 마인드 코칭)

· 대학탐방을 통한 동기부여

🖥 학습케어

· 1:1 입시상담

· 수준별 수업제공

· 전략과목 및 취약과목 분석

· 성적 분석 리포트 제공

· 학습플래너 관리

· 정기 모의고사 진행

· 기출문제 & 해설강의

🏠 생활케어

· 출결점검 및 조퇴, 결석 체크

· 자습공간 제공

· 쉬는 시간 및 자습실

 분위기 관리

· 학원 생활 관련 불편사항

 해소 및 학습 관련 고민 상담

HANYANG ACADEMY

한양 프로그램 한눈에 보기

· 검정고시반 중·고졸 검정고시 수업으로 한번에 합격!

기초개념	기본이론	핵심정리	핵심요약	파이널
개념 익히기	과목별 기본서로 기본 다지기	핵심 총정리로 출제 유형 분석 경향 파악	요약정리 중요내용 체크	실전 모의고사 예상문제 기출문제 완성

· 고득점관리반 검정고시 합격은 기본 고득점은 필수!

기초개념	기본이론	심화이론	핵심정리	핵심요약	파이널
전범위 개념익히기	과목별 기본서로 기본 다지기	만점 전략서로 만점대비	핵심 총정리로 출제 유형 분석 경향 파악	요약정리 중요내용 체크 오류범위 보완	실전 모의고사 예상문제 기출문제 완성

· 대학진학반 고졸과 대학입시를 한번에!

기초학습	기본학습	심화학습/검정고시 대비	핵심요약	문제풀이, 총정리
기초학습과정 습득 학생별 인강 부교재 설정	진단평가 및 개별학습 피드백 수업방향 및 난이도 조절 상담	모의평가 결과 진단 및 상담 4월 검정고시 대비 집중수업	자기주도 과정 및 부교재 재설정 4월 검정고시 성적에 따른 재시험 및 수시컨설팅 준비	전형별 입시진행 연계교재 완성도 평가

· 수능집중반 정시준비도 전략적으로 준비한다!

기초학습	기본학습	심화학습	핵심요약	문제풀이, 총정리
기초학습과정 습득 학생별 인강 부교재 설정	진단평가 및 개별학습 피드백 수업방향 및 난이도 조절 상담	모의고사 결과진단 및 상담 / EBS 연계 교재 설정 / 학생별 학습성취 사항 평가	자기주도 과정 및 부교재 재설정 학생별 개별지도 방향 점검	전형별 입시진행 연계교재 완성도 평가

HANYANG ACADEMY

D-DAY를 위한 신의 한수

검정고시생 대학진학 입시 전문

검정고시 합격은 기본!
대학진학은 필수!

입시 전문가의 컨설팅으로 성적을 뛰어넘는 결과를 만나보세요!

HANYANG ACADEMY

YouTube

HANYANG
ACADEMY

모든 수험생이 꿈꾸는
더 완벽한 입시 준비!

입시전략 컨설팅　　수시전략 컨설팅　　자기소개서 컨설팅

면접 컨설팅　　　　논술 컨설팅　　　　정시전략 컨설팅

입시전략 컨설팅

학생 현재 상태를 파악하고 희망 대학
합격 가능성을 진단해 목표를 달성
할 수 있도록 3중 케어

수시전략 컨설팅

학생 성적에 꼭 맞는 대학 선정으로
합격률 상승! 검정고시 (혹은 모의고사)
성적에 따른 전략적인 지원으로 현실성
있는 최상의 결과 보장

자기소개서 컨설팅

지원동기부터 학과 적합성까지 한번에!
학생만의 스토리를 녹여 강점은
극대화 하고 단점은 보완하는
밀착 첨삭 자기소개서

면접 컨설팅

기초인성면접부터 대학별 기출예상질문
대비와 모의촬영으로 실전면접
완벽하게 대비

대학별 고사 (논술)

최근 5개년 기출문제 분석 및 빈출 주제를
정리하여 인문 논술의 트렌드를 강의!
지문의 정확한 이해와 글의 요약부터
밀착형 첨삭까지 한번에!

정시전략 컨설팅

빅데이터와 전문 컨설턴트의 노하우 /
실제 합격 사례 기반 전문 컨설팅

HANYANG
A C A D E M Y

MK 감자유학

Valuable education content provider

We're Experts

우리는 최상의 유학 컨텐츠를 지속적으로 제공하기 위해 정기 상담자 워크샵, 해외 워크샵, 해외 학교 탐방, 웨비나 미팅, 유학 세미나를 진행합니다.
이를 통해 국가별 가장 빠른 유학트렌드 업데이트, 서로의 전문성을 발전시키며 다양한 고객의 니즈에 가장 적합한 유학솔루션을 제공하기 위해 최선을 다합니다.

KEY STATISTICS

30년+
전통교육그룹

17개
국내최다센터

15년
평균상담경력

24개국
해외네트워크

2,600+
해외교육기관

Educational

감자유학은 교육전문그룹인 매경아이씨씨에서 만든 유학부문 브랜드입니다. 국내 교육 컨텐츠 개발 노하우를 통해 최상의 해외 교육 기회를 제공합니다.

The Largest

감자유학은 전국 어디에서도 최상의 해외유학 상담을 제공할 수 있도록 국내 유학 업계 최다 상담 센터를 운영하고 있습니다.

Specialist

전 상담자는 평균 15년이상의 풍부한 유학 컨설팅 노하우를 가진 전문가 입니다. 이를 기반으로 감자유학만의 차별화된 유학 컨설팅 서비스를 제공합니다.

Global Network

미국, 캐나다, 영국, 아일랜드, 호주, 뉴질랜드, 필리핀, 말레이시아 등 감자유학 해외 네트워크를 통해 발빠른 현지 정보 업데이트와 안정적인 현지 정착 서비스를 제공합니다.

Oversea Instituitions

고객에게 최상의 유학 솔루션을 제공하기 위해서는 다양하고 세분화된 해외 교육기관의 프로그램이 필수 입니다. 2천개가 넘는 교육기관을 통해 맞춤 유학 서비스를 제공합니다.

2020
대한민국 교육 산업
유학 부문 대상

2012 / 2015
대한민국 대표
우수기업 1위

2014 / 2015
대한민국 서비스
만족대상 1위

OUR SERVICES

현지 관리
안심시스템

엄선된
어학연수교

전세계 1%대학
입학 프로그램

전문가
1:1 컨설팅

All In One
수속 관리

해외
어학연수
English Language Study

해외
인턴십
Internship

해외
대학유학
University Level Study

해외
초중고유학
Early Study abroad

해외
영어캠프
English Camp

24개국 네트워크 미국 | 캐나다 | 영국 | 아일랜드 | 호주 | 뉴질랜드 | 몰타 | 싱가포르 | 필리핀

국내 유학업계 중 최다 센터 운영!

감자유학 전국센터

강남센터	강남역센터	분당서현센터	일산센터	인천송도센터
수원센터	청주센터	대전센터	전주센터	광주센터
대구센터	울산센터	부산서면센터	부산대연센터	
예약상담센터	서울충무로	서울신도림	대구동성로	

문의전화 1588-7923

왕초보 영어탈출 구구단 잉글리쉬

ABC 알파벳부터 회화까지~~ 구구단보다 쉬운영어~ ♪♬

01 | **구구단잉글리쉬는 왕기초 영어 전문 동영상 사이트 입니다.**
알파벳 부터 소리값 발음의 규칙 부터 시작하는 왕초보 탈출 프로그램입니다.

02 | **지금까지 영어 정복에 실패하신 모든 분들께 드리는 새로운 영어학습법!**
오랜기간 영어공부를 했었지만 영어로 대화 한마디 못하는 현실에 답답함을 느끼는 분들을
위한 획기적인 영어 학습법입니다.

03 | **언제, 어디서나 마음껏 공부할 수 있는 환경을 제공해 드립니다.**
인터넷이 연결된 장소라면 시간 상관없이 24시간 무한반복 수강!
태블릿 PC와 스마트폰으로 필기구 없이도 자유로운 수강이 가능합니다.

체계적인 단계별 학습

파닉스	어순	뉘앙스	회화
· 알파벳과 발음 · 품사별 기초단어	· 어순감각 익히기 · 문법개념 총정리	· 표현별 뉘앙스 · 핵심동사와 전치사로 표현력 향상	· 일상회화&여행회화 · 생생 영어 표현

파닉스		어순		어법
1단 발음트기	2단 단어트기	3단 어순트기	4단 문장트기	5단 문법트기
알파벳 철자와 소릿값을 익히는 발음트기	666개 기초 단어를 품사별로 익히는 단어트기	영어의 기본어순을 이해하는 어순트기	문장확장 원리를 이해하여 긴 문장을 활용하여 문장트기	회화에 필요한 핵심문법 개념정리! 문법트기

뉘앙스		회화	
6단 느낌트기	7단 표현트기	8단 대화트기	9단 수다트기
표현별 어감차이와 사용법을 익히는 느낌트기	핵심동사와 전치사 활용으로 쉽고 풍부하게 표현트기	일상회화 및 여행회화로 대화트기	감 잡을 수 없었던 네이티브들의 생생표현으로 수다트기

왕초보 영어탈출
구구단 잉글리쉬